AUTOPSIE DES GÉNOCIDES RWANDAIS, BURUNDAIS ET L'ONU

Gilbert NGIJOL

Assistant Spécial du Représentant Spécial
du Secrétaire Général des Nations Unies au Rwanda
(1994)

AUTOPSIE DES GÉNOCIDES RWANDAIS, BURUNDAIS ET L'ONU

La problématique de la stabilité dans les pays de la région des Grands Lacs

PRÉSENCE AFRICAINE
25 bis, rue des Écoles – 75005 Paris
64, rue Carnot – Dakar

Quiconque s'empare du pouvoir
par les armes légitime la violence
pour sa reconquête.

Dr Ngijol Gilbert, « Ngwayé Ononanke »

Remerciements

Pour mettre à jour cet ouvrage, j'ai pu bénéficier d'appuis divers et en particulier :

– des informations recueillies auprès de mes anciens collaborateurs de la MINUAR (Mission des Nations Unies pour l'Assistance au Rwanda), nationaux et étrangers, civils et militaires ;

– de l'importante documentation parfois controversée des organismes des Nations Unies à Kigali et ailleurs ;

– des points de vue divers d'intellectuels et hommes politiques rwandais avant et après la guerre ;

– des conseils des diplomates et hommes politiques burundais après le génocide rwandais ;

– des analyses et prévisions des chercheurs spécialistes des problèmes africains ;

– de l'appui moral et matériel de mon épouse ;

– enfin, de la constante collaboration de Madame Simone Fabre et de Mlles M'Zebla Dalila et Daufour Irma qui ont saisi le texte de cet ouvrage avec une compétence particulière.

Que toutes ces personnes, trouvent ici mes sincères remerciements.

Avertissement

Ce livre est un ouvrage de réflexions, d'analyses et de prospective politique, économique et sociale, à partir des événements sanglants qui s'étaient déroulés et se déroulent encore au Rwanda et au Burundi ; dans cette partie de l'Afrique noire encore connue sous le nom de la région des pays des Grands Lacs.

Il ne s'agit donc pas d'une simple chronologie des faits historiques, mais d'une suite d'analyses dynamiques, structurées autour de graves problèmes géopolitiques et géostratégiques, nécessitant aujourd'hui une prompte réponse afin de mettre fin aux destructions inutiles des vies humaines et des biens.

Aussi les négociateurs qui étaient engagés pour le règlement pacifique du conflit rwandais et ceux qui recherchent actuellement des solutions politiques pacifiques susceptibles d'enrayer ou d'atténuer l'escalade de la violence dans les pays de la région des Grands Lacs notamment au Burundi et au Zaïre devenu République Démocratique du Congo depuis le 17 mai 1997 dans une certaine mesure, y trouveront certes, des nouvelles sources d'inspiration leur permettant de mieux appréhender la complexité et la particularité des problèmes africains, apparemment faciles.

Je n'ai pas la prétention d'avoir tout dit ou de n'avoir dit que la vérité. Mais j'ai dit ce que je pense être vrai, et que l'on me pardonne pour des éventuelles imperfections.

D'autre part, si d'aucuns se sentiraient peut-être offusqués par un style parfois trop direct uniquement dicté par le seul souci de ne dire que la vérité, qu'ils me le pardonnent également car en réalité, je n'appartiens à aucun camp et par conséquent, je ne vise personne. Il s'agit tout sim-

plement de l'adoption d'une démarche difficile où il n'est malheureusement pas toujours aisé de tout dire sous une forme impersonnelle, surtout
lorsqu'il faut apporter des précisions sur certains points clefs, indispensables pour la manifestation de la vérité, et la compréhension objective
de la situation qui prévaut actuellement dans les pays de la région des
Grands Lacs.

Enfin, que les lecteurs ne me tiennent pas rigueur, pour les éventuels
décalages qu'ils observeraient entre le récit et le déroulement effectif de
certains événements imprévisibles, tant au Rwanda qu'au Burundi.

Sommaire

Introduction générale 15

I – Le Rwanda 19

  A – Présentation d'ensemble du pays et de son histoire 19

    1 – Présentation géographique et anthropologique 19

    2 – Présentation historique et politique 30

    3 – Du FPR à vocation multi-ethnique du Général-Major Gisa Fred Rwigema au FPR mono-ethnique du Général-Major Paul Kagame 51

    4 – La situation politique au Rwanda du 19 décembre 1988 jour de la réélection du Président Habyarimana, au 6 avril 1994 jour de son assassinat 63

  B – La MINUAR 68

    1 – Historique et objectifs 68

    2 – La polémique pour la désignation du député de la CDR et la plainte du FPR contre le patron de la MINUAR I 71

  C – La guerre 74

    1 – La guerre était-elle un accident de négociation ou bien une action programmée ? 74

    2 – La mission de la dernière chance du représentant spécial du secrétaire général de l'organisation des Nations Unies au Rwanda 75

    3 – Les implications étrangères dans le conflit rwandais 77

    4 – Le déclenchement de la guerre et ses atrocités 80

5 – Les premières victimes politiques de la MINUAR
et les réactions des Africains de culture franco-
phone 83
6 – La conduite de la guerre 85
7 – Les victimes 92

II – Le Burundi 103
1 – Présentation géographique, économique et anthropologi-
que 103
2 – Présentation politique 104
3 – Chronologie des principaux faits ayant marqué la vie politique burundaise à partir du 25 juillet 1996 107

III – Les conséquences de la crise 115

IV – L'extension de la crise 127
1 – Bref aperçu de l'évolution politique du Zaïre après l'indépendance 127
2 – L'intérêt de l'occupation des localités et villes zaïroises. 140
3 – Les conséquences de l'occupation des villes et localités
zaïroises par les « Banyamoulengué » 146
4 – Bilan de la rencontre entre le Maréchal Mobutu et Laurent Désiré Kabila 151

V – Deux États : l'ultime solution pour une paix durable ?... 161

**VI – Les ambiguïtés de l'organisation des Nations Unies dans
la résolution institutionnelle des conflits rwandais et burundais** 171
1 – Généralités 171
2 – Le contenu du préambule de la Charte de l'organisation
des Nations Unies 174
3 – Le Conseil de Sécurité 177
4 – L'incidence du paradoxe et des ambiguïtés de l'organisation des Nations Unies sur la résolution institutionnelle
des conflits rwandais et burundais 181

**VII – La problématique de la stabilité dans la région des
Grands Lacs** 185

VIII – L'OUA et la crise des Grands Lacs 189
A – L'unité africaine : mythe ou réalité ? 189

B – Analyse des principales contradictions 190
   1 – Caractéristiques socio-culturelles 190
   2 – De la pluralité des régimes politiques..................... 191
   3 – Des formes d'économie 192
   4 – De l'impact colonial et du néo-colonialisme 192

Conclusion... 197

Annexes... 205

Références bibliographiques 225

Introduction générale

Deux cent mille, trois cent mille, plus d'un million de morts en moins de deux mois seulement d'intenses combats qui se déroulèrent au Rwanda après l'assassinat des présidents rwandais et burundais tous deux d'ethnie hutue, suite au crash de l'avion du président de la république rwandaise, abattu en plein ciel de Kigali le 6 avril 1994.

Autant de chiffres désespérément avancés par les organismes humanitaires, sans que l'on sache avec certitude, le nombre exact des victimes, conséquence directe du double assassinat des présidents rwandais Juvénal Habyarimana et burundais Cyprien Ntaryamira et pourtant plus de quatre ans après cette tragédie, le sang continue toujours de couler au Rwanda et au Burundi.

En effet, l'assassinat de ces deux présidents d'ethnie hutue, symbolisait en réalité l'échec d'une solution négociée au Rwanda et d'une solution démocratique au Burundi.

Il n'en pouvait être autrement dans ces deux pays où les contradictions héritées de l'ancienne administration coloniale belge, constituent aujourd'hui dans cette région d'Afrique, un terrain privilégié pour les manipulations extérieures, résultat de la stratégie des guerres périphériques, savamment entretenues par certains pays industrialisés qui y trouvent leur compte.

Mais à cette cruelle stratégie, s'ajoutent la naïveté et l'inconscience des populations des pays concernés.

C'est dans ce contexte démagogique que certains pays occidentaux qui prétendent pourtant être les « amis » de l'Afrique noire et ne cessent ironiquement d'évoquer son hypothétique développement, préfèrent curieusement ne lui vendre ou ne lui donner que des armes, et rarement des tracteurs ou autres machines agricoles, dans le cadre de la fameuse coopération Nord-Sud.

Pire encore, l'administration coloniale en créant des frontières artificielles et arbitraires entre certains États multi-ethniques, où elle remplaça d'office une organisation sociale traditionnelle mais conforme à certaines aspirations économiques et politiques des populations par une administration d'importation aux structures « modernes » mais inadaptées et génératrices des conflits, rompait du coup, l'indispensable cordon naturel qui entretenait la précaire paix et la stabilité dans une Afrique noire aujourd'hui complètement dénuée de ses repères sociaux, et abandonnée aux désordres et à la violence.

Dès lors, les conflits sociaux restent potentiels dans tous les États de l'Afrique noire, et leur explosion ainsi que leur intensité dépendent du niveau de maturité politique de chaque État, et du degré de dépendance vis-à-vis des pays industrialisés qui peuvent à tout moment les manipuler. Avec la mondialisation de l'économie, les pays industrialisés deviennent encore beaucoup plus puissants, et ceux de la périphérie beaucoup plus soumis et vulnérables.

C'est malheureusement dans ces tristes conditions, que les Rwandais s'étaient impitoyablement massacrés et se massacreront probablement encore pour longtemps, si rien ne se fait aujourd'hui pour éviter la répétition de ces cycles de tueries aveugles.

C'est dans des conditions similaires que les populations du Burundi voisin s'affrontent et s'exterminent, elles aussi, avec la même détermination, sans que des solutions appropriées c'est-à-dire susceptibles de mettre fin à cette guerre fratricide ne soient jusque là trouvées.

Dans cet univers diabolisé caractérisé par la violence, l'horreur et la confusion, les processus d'épuration ethnique s'accélèrent quotidiennement au détriment des négociations politiques pacifiques.

Mais bien que les conflits ethniques soient fréquents de nos jours dans les pays encore peu développés et ceux de l'Afrique noire en particulier, la violence et la cruauté, qui avaient illustré les génocides rwandais successifs lesquels ont gagné le Burundi et l'ex-Zaïre, ne sauraient s'expliquer ou se justifier par le seul fait ethnique ou les simples prétextes de mauvais régimes rwandais, burundais ou zaïrois, aucun régime n'étant par ailleurs parfait.

A y regarder de près, l'on découvre finalement que les conflits rwandais, burundais n'étaient et ne sont qu'une conjonction de plusieurs paramètres complexes qui ne s'expliquent aujourd'hui qu'à travers des analyses politiques, économiques et géostratégiques approfondies.

Sinon, ces conflits ne sont qu'une partie d'un iceberg encore mal perçu, c'est-à-dire un début de tristes événements qui risquent d'endeuiller pour longtemps, les pays de la région des Grands Lacs, voire, toute l'Afrique noire.

Pour le moment, il importe de retenir que l'ampleur des massacres et destructions auxquels s'étaient livrés et se livrent encore les citoyens des mêmes États, n'était en rapport ni avec le prétendu fait ethnique tant évoqué, ni avec une quelconque revendication politique véritablement nationaliste et réaliste. C'était plutôt l'explosion des haines viscérales millénaires, aggravées aujourd'hui par la pauvreté, l'ignorance, la barbarie et surtout les manipulations extérieures des spécialistes intéressés par des conflits périphériques.

Dans ce contexte dominé par la confusion, seule une analyse dynamique de l'évolution historique des différentes phases de la vie politique rwandaise et burundaise, permettra de mieux décanter les situations par des hypothèses appropriées. Il s'agit là d'un préalable pour la bonne compréhension de ce qui se passe dans les pays de la région des Grands Lacs.

Avant de nous lancer dans cette vaste entreprise, commençons d'abord par présenter le Rwanda et le Burundi, ces modestes États africains auparavant habités par de paisibles agriculteurs, éleveurs et artisans hutus, tutsis et twas.

Mais compte tenu des similitudes géographiques, historiques et anthropologiques évidentes existant entre le Rwanda et le Burundi, je ne présenterai en détail que le Rwanda, pays qui a connu le plus grand génocide du siècle, et à partir duquel commença la violence la plus aveugle, celle qui s'étend aujourd'hui dans les autres pays de la région des Grands Lacs, et le Burundi en particulier.

Pour ce dernier pays, seuls les points essentiels, c'est-à-dire ceux ayant une incidence directe avec la situation qui prévaut actuellement dans les pays de la région des Grands Lacs seront présentés.

Avant la colonisation allemande en 1896, les deux États connus aujourd'hui sous les noms du Rwanda et du Burundi, étaient des monarchies bien structurées et fortement centralisées.

Les monarchies étaient habitées au Rwanda par la dynastie Nyiginya la plus ancienne, et au Burundi par celle des Ganwa.

Le Burundi se séparera du Rwanda le 1er juillet 1962 avec la proclamation de l'indépendance. La cohésion sociale et la stabilité des populations rwandaises et burundaises pendant la période précoloniale était renforcée par : une parfaite homogénéisation culturelle caractérisée par une même langue que parlent toutes les populations des entités ethniques de chacun de ces deux pays (le kinyarwanda au Rwanda et le kirundi au Burundi), les mêmes croyances traditionnelles basées sur des mythes, enfin les mêmes mœurs. Les Hutu, les Tutsi et les Twa vivaient en paix dans cette région de l'Afrique avant la colonisation qui fut porteuse des préjugés nocifs et d'une organisation politique, économique et sociale inadaptée.

I
Le Rwanda

A – *PRÉSENTATION D'ENSEMBLE DU PAYS ET DE SON HISTOIRE*

1 – PRÉSENTATION GÉOGRAPHIQUE ET ANTHROPO-LOGIQUE

Le Rwanda surnommé « pays des mille collines » à cause de son sol bosselé, est situé à des altitudes qui varient entre 900 et 4 000 mètres.

D'une superficie de 26 338 km^2, le Rwanda avait avant le déclenchement de la guerre en avril 1994, une population d'environ 7 000 000 d'habitants, soit une densité moyenne de 260 habitants au km^2.

Son taux d'accroissement démographique avoisinant ainsi 4,85 % était l'un des plus élevés de l'Afrique, voire du monde.

Plus de 90 % des Rwandais vivent de l'agriculture dans un pays qui n'a pour seules ressources que le café, le thé ou le tourisme en temps de paix.

En outre, par rapport aux populations des autres pays africains se caractérisant par un fort exode rural et débouchant sur la création des villes-champignons pour ne citer que Douala, Lagos, Abidjan ou Dakar, plus de 95 % des populations vivent dans la campagne, dans des fermes séparées les unes des autres par des pâturages ou des plantations.

Une telle disposition des populations dans un pays un peu moins grand que la Belgique s'il faut le comparer à un petit pays occidental, ne peut qu'augurer de violents conflits sociaux et ce, en raison même de la rareté prévisible des terres exploitables.

D'ores et déjà, se pose la question d'espace vital au Rwanda, et tout peut servir de prétexte pour résoudre ce problème dont la solution passe soit par l'extension du territoire rwandais en empiétant sur celui du Zaïre et notamment sur la région frontalière de Goma où vivait une forte communauté d'anciens réfugiés rwandais d'ethnie hutue, soit par la réduction d'autorité, du taux démographique trop élevé du Rwanda, soit enfin par l'anéantissement pur et simple de l'une des deux principales entités ethniques devenues inconciliables que sont les Hutu et les Tutsi.

Non seulement toutes ces formes de solutions sont arbitraires, inhumaines et inacceptables, mais elles sont politiquement inadmissibles et inapplicables. Néanmoins, à travers les multiples phases de déroulement du conflit rwandais marquées par une succession de génocides, l'on pouvait constater malheureusement que les Rwandais avaient préféré une solution suicidaire et « cynique » pour mettre fin à leur antagonisme ethnique : c'est l'option de l'épuration ethnique.

Bien avant le déclenchement de la guerre le 7 avril 1994, plusieurs tentatives « d'hutufication » du Rwanda eurent lieu sous le président Juvénal Habyarimana.

Après la guerre et la victoire du Front Patriotique rwandais (FPR), le processus de « tutsification » du Rwanda voire de tous les pays de la région des Grands Lacs, semble aujourd'hui profondément engagé. Il inquiète même les autres pays proches de la région tels la Tanzanie ou le Kenya. A ce sujet, le Kenya avait tenté de demander que les Nations Unies puissent d'abord apporter les conclusions de l'enquête qu'elles mènent depuis longtemps, pour déterminer les auteurs du crash de l'avion abattu par deux missiles sol air en pleine ville de Kigali le 6 avril 1994, et dans lequel périrent les deux présidents des républiques rwandaise et burundaise.

Cette mise au point était un préalable pour la collaboration du Kenya avec le tribunal pénal international, créé pour juger les responsables des génocides rwandais.

En effet, dans leur aveugle bataille pour le contrôle du pouvoir politique et économique, les Hutu et les Tutsi s'étaient livrés à d'effroyables génocides, lesquels compliquent aujourd'hui leur cohabitation. Sans être un obstacle totalement insurmontable, ces génocides avaient largement contribué au renforcement de la haine et de la détermination des Hutu et des Tutsi qui ne semblent pas prêts à la réconciliation. Il faudra un temps assez long pour oublier, et viendra enfin l'heure du pardon et de la réconciliation. Pour le moment, laissons le temps au temps, car à la diffé-rence des animaux, les hommes finissent toujours par s'entendre.

A) *STRUCTURE ETHNIQUE DE LA POPULATION*

La population rwandaise est constituée de trois composantes ethniques anciennes, les Hutu, les Tutsi, les Twa et d'une nouvelle composante née des croisements entre les Hutu et les Tutsi. Il s'agit de la composante hutsie.

Il est fondamental de signaler que les composantes ethniques Twa et Hutsi qui sont minoritaires, restent jusque-là égales à elles-mêmes, et ne participent pas au conflit rwandais ; cette attitude ne les met malheureu-sement pas à l'abri des violences.

Les Hutu, les Tutsi et les Twa représenteraient respectivement 90 %, 8 % et un peu plus de 1 % de la population totale.

Il importe de rappeler que les leaders du Front Patriotique Rwandais (FPR) contestent ces pourcentages, estimant que les Tutsi de l'intérieur et de l'extérieur représenteraient plus de 35 % de la population totale rwandaise. Ces leaders s'appuient sur le fait que feu le Président Habya-rimana aurait sciemment faussé les données statistiques afin de minorer et de marginaliser l'ethnie tutsie qu'il aurait souhaité exterminer.

Bien que cet argument soit loin d'être négligeable, il pousse cependant à s'interroger sur les extensions extra-rwandaises de l'ethnie tutsie, sur-tout quand on connaît le degré très élevé de l'engagement au combat des Tutsi du FPR venant de l'Ouganda et du Zaïre, contre les soldats Hutu des Forces Armées rwandaises.

Ces combattants tutsis étaient-ils tous Rwandais ? il est difficile de répondre à cette question sans faire allusion aux Hima, une autre com-posante tutsie vivant en Ouganda[1].

Il conviendrait plutôt de parler d'une diaspora tutsie puisqu'en réalité on retrouve les mêmes Tutsi dans d'autres États africains, au Burundi et dans le Nord-est du Zaïre en particulier.

---

1. L'actuel Président ougandais Yoweri Museveni appartient à la petite ethnie minori-taire hima, composante tutsie en Ouganda. Il ne pouvait objectivement prendre le pouvoir par la force qu'en s'appuyant sur les combattants tutsis rwandais, dirigés par le défunt Général-Major Fred Rwigema, premier Président du FPR. Et pourquoi après sa victoire sur Obote, le Président Museveni, n'aiderait-il pas à son tour le FPR à prendre le pouvoir au Rwanda et ainsi avoir un allié anglophone sûr dans un ancien territoire francophone ?

Enfin, depuis la victoire militaire du FPR contre les Forces Armées rwandaises, la rumeur de la création d'un État tutsi couvrant le sud de l'Ouganda, le nord-est, le sud-est et le centre du Rwanda et le nord-est du Zaïre, ne fait que se répandre. Tout est désormais possible dans cette partie de l'Afrique où la francophonie est en péril, car les cours dans les écoles rwandaises se donnent désormais en anglais et en français.

Mais en tout état de cause, il serait inutile aujourd'hui de rentrer dans la dialectique démographique rwandaise, sans avoir au préalable déterminé le nombre exact des victimes de la guerre estimées aujourd'hui à plus de trois millions.

B) ORIGINES PROBABLES DES PRINCIPALES COMPOSANTES ETHNIQUES RWANDAISES

Les Hutu et les Twa sont respectivement agriculteurs et artisans. Ils appartiennent au groupe ethnique bantou, et seraient venus de l'Afrique centrale, de l'est, de l'ouest et du sud.

Les Tutsi éleveurs seraient venus de l'Afrique orientale. Ils auraient ainsi remonté le cours du Nil, d'où leur appellation de « Nilotiques ». Les Tutsi se rattachent ainsi aux groupes ethniques hamito-sémitiques et abyssiniens.

Il convient de préciser que les heurts et affrontements entre les entités ethniques hutue et tutsie n'avaient rien d'exceptionnel avant l'avènement du colonialisme. En réalité, ces tensions qui avaient un caractère essentiellement économique, étaient les mêmes qu'on retrouvait presque partout ailleurs en Afrique noire.

Malheureusement, les manœuvres coloniales et les différentes manipulations extérieures des puissances occidentales dans le temps, avaient aggravé les tensions sociales au Rwanda et au Burundi, au point de les transformer en véritables conflits ethniques, et en génocides d'une rare cruauté.

En effet, dans leur stratégie de pénétration et d'occupation coloniale, les puissances colonisatrices s'appuyaient très souvent sur une ethnie qui servait d'intermédiaire entre l'administration coloniale en cours de constitution en cette époque, et les chefferies traditionnelles locales, souvent hostiles à la colonisation. Dans un tel contexte, l'ethnie la mieux organisée ou la moins nombreuse, intéressait particulièrement les colonisateurs. C'est d'ailleurs au sein de cette ethnie que se recrutaient généralement les premiers éléments locaux de l'administration coloniale, l'objectif fondamental des colonisateurs étant de subjuguer l'ethnie ou les ethnies majoritaires, celles qui représentaient du reste, le plus gros potentiel de la main d'œuvre indispensable pour les travaux d'intérêt colonial.

Les premiers colonisateurs motivaient ainsi constamment et de différentes manières, toutes les populations de cette ethnie alliée de l'administration coloniale.

Outre les privilèges politiques et culturels consistant notamment à leurs nominations dans les postes de l'administration coloniale locale, à leur scolarisation, les populations de l'ethnie tutsie étaient régulièrement flattées par des propos fort démagogiques et trompeurs, que les colonisateurs tenaient à leur endroit afin de les faire passer pour des Africains d'un autre genre.

C'est dans ces conditions qu'au Rwanda et au Burundi plus particulièrement, les colonisateurs belges présentèrent l'ethnie tutsie, comme étant une ethnie supérieure à toutes les autres ethnies de l'Afrique noire et ce, sur la base des considérations et affirmations fantaisistes et erronées.

A cet effet, les fallacieuses qualifications des populations de l'entité ethnique tutsie par des auteurs coloniaux belges, illustrent parfaitement certaines aberrations historiques de l'époque coloniale.

Pour Linden, les « Hamites » étaient supposés être des dirigeants-nés et, en théorie, ils avaient droit à une histoire et un avenir presque aussi nobles que leurs « cousins » européens[2].

M. Jamoulle estimait pour sa part que, au Rwanda et au Burundi, les « Hamites » étaient les Tutsi : « ils n'ont du Nègre que la couleur »[3].

L. De Lagger prétendant que « avant d'être négritisés, ces hommes étaient bronzés »[4].

E. Menard conclut enfin dans les termes suivants : « sa conformation le rapproche du Blanc plus que du Nègre, si bien que l'on pourrait dire sans beaucoup exagérer qu'il est un Européen sous une peau noire... »[5].

Autant de propos exagérés qui ne pouvaient qu'éloigner les entités ethniques hutue et tutsie, au lieu de les rapprocher et de faciliter leur cohabitation au Rwanda et au Burundi.

Une telle politique coloniale, cynique et discriminatoire, fondée sur le principe « diviser pour mieux régner », ne pouvait qu'avoir des graves conséquences notamment, sur les relations entre les principales ethnies que sont les entités ethniques hutue et tutsie au Rwanda et au Burundi. Les conséquences de cette politique sont incontestablement aujourd'hui au moins en partie, à l'origine de l'intolérance et de l'extrémisme qui

---

2. I. Linden : *Church and Revolution in Rwanda*, Manchester, University Press, 1977, p. 2.

3. M. Jamoulle : *Notre mandat sur le Rwanda-Urundi*, Congo, 1927, p. 487.

4. L. de Lagger : *Ruanda*, Kabgayi, s. éd., 1961, p. 56.

5. F. Menard : *Au pays des nègres* : Burundi, mœurs et coutumes, p. 22 ? cité par : J. Gahama, *Le Burundi sous administration belge*, Paris, CRA-Karthala-ACCT, 1983, p. 275.

F. Reyntjens, *L'Afrique des Grands Lacs* (Rwanda, Burundi : 1988-1994), Paris, Karthala, 1994, 328, p. 18.

prévalent dans la région des Grands Lacs, au Rwanda et au Burundi en particulier.

Pendant la période coloniale monarchique, certains Tutsi s'animèrent malheureusement de ces fausses qualifications de supériorité vis-à-vis de leurs confrères Hutu et Twa. Cette attitude maladroite, galvanisa hélas, les revendications des droits économiques et politiques des populations appartenant aux ethnies hutue et twa.

Ces revendications s'intensifièrent et se radicalisèrent bien avant la décolonisation. Elles se transformèrent progressivement en affrontements beaucoup plus violents, puis en conflits inter-ethniques et enfin, en génocides successifs après la décolonisation.

De nos jours, la cohabitation sans tolérance des Hutu et des Tutsi dans un même État tant au Rwanda qu'au Burundi, ne peut conduire qu'à des situations conflictuelles. Aujourd'hui, être citoyen d'un pays n'est pas forcément synonyme d'être autochtone de ce pays. Être citoyen d'un pays, c'est vivre dans ce pays en acceptant ses coutumes et en respectant ses lois.

L'appartenance ethnique n'est qu'un facteur secondaire d'autant plus qu'aucun pays digne de ce nom n'est composé aujourd'hui des populations homogènes, c'est-à-dire n'appartenant exclusivement qu'à une seule ethnie. Or, les Hutu et les Tutsi, principales entités ethniques hostiles, vivaient paradoxalement mélangés et serrés à l'intérieur du Rwanda et du Burundi.

Peut-être que l'intensité de leur hostilité serait aujourd'hui moindre, si les populations de ces deux ethnies antagonistes vivaient éloignées et séparées dans des immenses espaces qui leur offriraient des réelles possibilités d'agriculture et d'élevage.

Tel n'étant malheureusement pas le cas pour ces petits pays aussi peuplés, nous ne pouvons que nous attendre à une recrudescence des conflits d'origine économique, susceptibles d'opposer outre les Tutsi aux Hutu comme cela a toujours été le cas, mais aussi les anciens Tutsi restés au Rwanda aux nouveaux qui sont rentrés de leur exil après la victoire militaire du FPR.

Faudrait-il encore que tous ces Tutsi soient vraiment rwandais, car tout laisse à croire que les Hima, une branche tutsie vivant en Ouganda et ayant combattu aux côtés du FPR, et les « banyamoulengue » ou Tutsi d'origine zaïroise, ne soient venus gonfler les rangs des vrais exilés tutsis rwandais qui regagnaient leur pays après la victoire définitive du FPR en juillet 1994.

En effet, les quelques Hutu qui avaient réussi à fuir du Rwanda, restent unanimes sur le fait que les soldats tutsis de l'Armée Patriotique Rwandaise (APR), se comportent comme des étrangers au Rwanda. Ces soldats continueraient à terroriser, à tuer et à piller les Hutu qui ne peuvent que s'exiler pour échapper à la mort.

Un tel comportement serait la manière la plus subtile, celle qui permettrait effectivement aux Tusti d'occuper le terrain de façon progressive et irréversible, et au détriment des Hutu qui continuent d'errer en dehors de leur pays.

A l'occasion, reconnaissons que les colonisateurs avaient déjà compromis la sécurité des pays de la région des Grands Lacs, par l'institution d'une histoire volontairement ethniciste, laquelle se trouve aggravée aujourd'hui par de nouvelles exigences et contradictions économiques habilement exploitées par les politiciens sans vertu de tous bords.

La méfiance, les rivalités, la haine et la guerre qui ruinent le Rwanda et le Burundi sont en partie, les conséquences de cette histoire déformée et orientée. Elle sera toujours génératrice de la violence dans toutes les anciennes colonies africaines et d'ailleurs, tant qu'elle ne sera pas reconsidérée car, ainsi que le reconnaissait Paul Valéry, l'histoire est le produit le plus dangereux que la chimie de l'intellect ait élaboré.

Et comme les mêmes causes produisent les mêmes effets, la page du Burundi s'ouvre au moment où celle du Rwanda n'est pas définitivement fermée.

Les Hutu et les Tutsi ne peuvent pas continuer à se battre sous prétexte qu'ils n'appartiennent pas à la même ethnie. S'ils n'acceptent pas d'être des frères dans le cadre élargi de la communauté humaine universelle, ils sont au moins des frères vivant dans un même pays et condamnés à coopérer, en suivant l'exemple des populations de la République multiethnique sud africaine, pour ne me limiter qu'au continent africain.

Mais si les atrocités commises par les uns et les autres ainsi que le reconnaît aujourd'hui l'opinion internationale, rendent cette coexistence impossible, faudra-t-il dans ces conditions créer un État hutu et un État tutsi dans la région des Grands Lacs, au lieu de tergiverser alors que les gens continuent de mourir inutilement[6] ?

---

6. Le quotidien français *Le Monde* du 21 octobre 1994 n° 15469 évoquait les homicides commis au Rwanda, et notamment ceux perpétrés par le Front Patriotique Rwandais dans les termes suivants : « Aux sympathies, dues à l'effroyable génocide dont les Tutsi ont été victimes, succède le discrédit : le nouveau gouvernement rwandais, au pouvoir depuis le mois de juillet, est de plus en plus tenu en suspicion par la communauté internationale. »

Dans son rapport publié le jeudi 20 octobre 1994, à l'occasion de la publication d'un rapport sur les homicides commis par l'armée du Front Patriotique rwandais entre les mois d'avril et d'août 1994, Amnesty International précisait ceci : « Des soldats de l'Armée du Front Patriotique rwandais ont tué des centaines, voire des milliers de prisonniers et de civils non armés... ».

Le très confidentiel rapport Gersony qui est le produit d'un groupe de pression nord-

C'est ici l'occasion de rappeler qu'en dépit de leur bonne volonté, les Nations Unies ne sauraient imposer une solution artificielle à une situation naturelle, et la proposition du Président des États-Unis d'Amérique Bill Clinton préconisant la création d'une Force de réaction inter-africaine susceptible de ramener la paix et l'ordre en Afrique, me semble bien illusoire.

C) IMPLANTATIONS GÉOGRAPHIQUES DES DIFFÉRENTES COMPOSANTES ETHNIQUES

Avant les guerres qui ont provoqué des déplacements et concentrations forcés des populations dans des zones qui leur étaient moins hostiles, les Hutu, les Tutsi et les Twa étaient anarchiquement implantés dans l'étendue du territoire rwandais et au delà, et y vivaient relativement en paix.

Cette disposition impliquait une inévitable cohabitation entre les différentes ethnies. Elle était réelle et se concrétisait par de multiples mariages inter-ethniques, jusqu'à la disparition du dernier Nwami tutsi, Ndahindurwa Kigeli V, renversé par le coup d'État de Gitarama le 28 janvier 1961.

Comme dans toute société humaine, il ne manquait pas de heurts entre les individus, mais jusque-là, on n'avait pas assisté à des affrontements armés entre les différentes ethnies, ou aux massacres organisés des personnes.

Depuis le début de la guerre qui oppose les Hutu aux Tutsi le 1er octobre 1990, et où il y a des tentatives d'épuration ethniques de la part des Hutu comme des Tutsi, rien n'est plus comme avant. Les populations vivent dans une insécurité permanente.

L'ampleur des tueries, des massacres et des destructions avait contraint les deux principales ethnies belligérantes, les Hutu et les Tutsi à se regrouper progressivement dans les zones qu'elles contrôlaient avant la victoire militaire du FPR en juillet 1994. Les Hutu étaient ainsi concentrés à l'Ouest et au Sud, les Tutsi à l'Est et au Nord.

Les conséquences économiques et sociales de tels mouvements de populations ne sont plus à démontrer, et les malheureux réfugiés ou déplacés rwandais ne survivent aujourd'hui que grâce aux aides des organismes humanitaires.

Il importe de rappeler ici que les problèmes ethniques existent dans presque tous les pays, autant dans les pays développés que dans les pays en voie de développement, mais que le fait ethnique n'a généralement

---

européen, mettait gravement en cause le nouveau gouvernement rwandais et parlait d'un double génocide.

pas été à lui seul suffisant pour déclencher des massacres aussi horribles et cruels que ceux que nous avions connus au Rwanda, et connaissons actuellement au Burundi.

D'ailleurs, le fait ethnique est une manifestation normale et légitime d'identification culturelle et d'appartenance à un groupe. C'est même un facteur économique et politique important dans la dynamique de groupe, et c'est grâce à lui que tout individu se sent rattaché à une ethnie, à un groupe ethnique ou à une nation qu'il aime et sert en citoyen digne et responsable.

Les insuffisances économiques et politiques ne viennent ébranler le fait ethnique en lui donnant une signification négative que dans les pays périphériques, dominés et souvent manipulés par certains pays industrialisés, ou entretenant des graves déséquilibres sociologiques.

Ceci explique la prolifération des conflits ethniques en Afrique noire où les contradictions des systèmes économique et politique importés et imposés, sont inadaptées aux structures sociales locales et génèrent la violence. Dans cette perspective, aucun pays d'Afrique noire n'est à l'abri de la violence.

Dans les pays industrialisés, l'autonomie économique et politique annihile les effets pervers de l'ethnisme. C'est pour cette raison que les affrontements entre les Canadiens francophones et les Canadiens anglophones n'ont jamais débouché sur une guerre. C'est pour la même raison que la dissidence des Corses, des Bretons ou des Basques n'a jamais sérieusement ébranlé l'unité et la paix des Français.

D) *LA NATURE HISTORIQUE DES RELATIONS ENTRE LES HUTU ET LES TUTSI*

Bien avant le phénomène colonial, les relations entre les populations des ethnies hutue et tutsie avaient toujours été conflictuelles. Il s'agit en effet d'un antagonisme économique, provoqué par l'exploitation des Hutu et des Twa par les monarques tutsis, toujours en quête de nouveaux espaces.

A ce propos, la version orale de certains anciens féodaux tutsis refusant une origine commune avec les Hutu et les Twa dont les terres avaient été conquises par la force, confirme clairement les origines lointaines de l'ethnie tutsie, fortement implantée aujourd'hui dans les pays de la région des Grands Lacs et je cite :

« Les relations entre nous (Batutsi) et eux (Bahutu) ont été de tout temps jusqu'à présent basées sur le servage ; il n'y a donc entre nous aucun fondement de fraternité. En effet, quelles relations existent entre

Batutsi, Bahutu et Batwa ? Les Bahutu prétendent que Batutsi, Bahutu et Batwa sont fils de Kanyarwanda, leur père commun. Peuvent-ils dire avec qui Kanyarwanda les a engendrés, quel est le nom de leur mère et de quelle famille elle est ?

L'histoire dit que Ruganzu a tué beaucoup de « Bahinza » (roitelets). Lui et nos autres rois ont tué des Bahinza et ont ainsi conquis les pays des Bahutu dont ces Bahinza étaient rois. On en trouve tout le détail dans « l'Inganji Kalinga ». Puisque nos rois ont conquis les pays des Bahutu en tuant leurs roitelets et ont ainsi asservi les Bahutu, comment ceux-ci peuvent-ils prétendre être nos frères ? »[7].

Ces propos tenus par des seigneurs féodaux tutsis et repris dans « *Rwanda Politique* » de Fidèle Nkundabagenzi publié le 17 mai 1958 à Nyanza (ancienne capitale royale) et signé par douze « bagaragub' ibwami », illustrent formellement les différences naturelles entre Hutu et Tutsi où il n'existe en réalité aucune fraternité. La présupposée unité demeure forcée. En effet, la coexistence des Hutu et Tutsi dans les États de la région des Grands Lacs, ne peut être que conflictuelle.

En outre, le Général-Major Paul Kagame, Vice-Président de la République rwandaise et ministre de la Défense, vrai chef des Tutsi, reconnaît cette vérité puisqu'il affirme : « Tutsi et Hutu peuvent vivre au Rwanda, sans forcément être amis... »[8].

Devant une telle situation, l'on peut se demander comment deux ethnies peuplant un même État, peuvent arriver à le construire et à le développer sans une franche collaboration.

Les Hutu et les Tutsi étant si différents et opposés, qu'est-ce qui peut vraiment motiver l'un ou l'autre pour adhérer au parti de son adversaire, puisque de par leurs différences traditionnelles, les Hutu et les Tutsi ne sauraient avoir ni les mêmes sensibilités politiques, ni les mêmes intérêts ou objectifs économiques.

Alors, que peuvent vraiment faire les Hutu et les Tutsi qui gouvernent actuellement à Kigali dans une totale méfiance et surtout sans croire eux-mêmes à ce qu'ils font puisqu'après tout, le pays sombre quotidiennement dans la violence et l'anarchie ?

Qui sont ces Hutu qui s'étaient laissés manipuler et qui le regrettent aujourd'hui dans leur exil ? Pourquoi la communauté internationale s'obstine-t-elle à imposer un État unitaire artificiel dans un pays où les contradictions ethniques naturelles ne peuvent qu'entretenir d'interminables guerres et confusion ?

---

7. Shyirambere J. Barahinyura, *Rwanda, trente-deux ans après la révolution sociale de 1959*, Francfort, 1992, 167, p. 29.
8. Shyrirambere J. Barahinyura, *op. cit.*, p. 13.

Autant de questions à se poser pour tenter d'élucider la contradiction de la mystérieuse collaboration qui s'était officiellement concrétisée avec l'instauration du premier gouvernement d'Union Nationale du 19 juillet 1994 à Kigali.

Il ressort pour l'instant que la cohabitation très artificielle entre les Hutu et les Tutsi depuis la colonisation européenne, ne s'est illustrée jusque-là que par des tueries, et très peu de choses malheureusement dans le sens d'une amélioration de leurs rapports.

Seule une étude des temps forts de l'évolution historique et politique du Rwanda, notamment l'analyse dynamique des conflits qui ont toujours opposé les ethnies, nous permettra de mieux appréhender le malaise persistant qui caractérise leurs relations.

Il convient cependant de rappeler ici qu'appartenir à la même espèce n'est pas synonyme d'égalité ; tout comme être du même groupe ethnique n'implique aucune similitude. C'est dire que les hommes, bien qu'appartenant à l'espèce humaine, ne sont pas pareils. Les animaux qui appartiennent à l'espèce animale et les arbres qui appartiennent à l'espèce végétale demeurent différents.

J'insiste particulièrement sur cette notion de différence, car elle a une grande incidence dans l'analyse de la socialisation si importante dans les pays périphériques en général, au Rwanda et au Burundi qui font l'objet de ce livre en particulier.

E) L'IMPACT DES RIVALITÉS INTER-ETHNIQUES SUR LE DÉVELOPPEMENT ÉCONOMIQUE ET SOCIAL DU RWANDA ET DU BURUNDI

Jusqu'au 28 janvier 1961 date de la proclamation de la première République rwandaise et de l'abolition de la monarchie tutsie, les activités économiques rwandaises basées sur l'agriculture, l'élevage et le tourisme, étaient régulières et connaissaient une certaine prospérité.

Cette croissance n'était possible que grâce à une certaine cohabitation jusque là pacifique, du moins tranquille des populations des deux entités ethniques. La sécurité qui régnait dans les villes et campagnes rwandaises, permettait aux paysans et aux éleveurs de travailler sur les mêmes espaces et chaque ethnie y trouvait son compte.

D'ailleurs, cette stabilité en période d'activités agro-pastorales de subsistance, avait largement contribué bon gré mal gré, à la soumission de la majorité hutue à la minorité tutsie. Et pour certains Hutu, cette situation était un état naturel qu'il fallait accepter, d'autant plus que les terres n'avaient pas encore acquis une grande valeur économique bien qu'appartenant toutes aux monarques tutsis, les « Miwami ».

Mais les choses basculeront avec la décolonisation qui eut pour principale conséquence, la prise du pouvoir par la majorité hutue. Les dirigeants hutus feront disparaître les formes d'exploitation esclavagistes dont ils étaient victimes et progressivement, s'engageront dans une profonde réforme économique que les Tutsi n'accepteront pas en cette période d'agriculture marchande, caractérisée par la vulgarisation de la culture du thé, qui donne désormais une grande importance aux terres devenues rares et dont les Tutsi avaient perdu le monopole de la propriété.

Dès lors, les affrontements entre les Hutu et les Tutsi pour la défense des parcelles de terres cultivables étaient inévitables. A ces conflits d'ordre purement économique, s'ajoutaient les revendications politiques, des Tutsi cette fois-ci persécutés par certains Hutu.

C'est ainsi que progressivement, l'insécurité, puis la guerre civile s'installèrent dans tout le Rwanda, provoquant d'énormes déplacements des populations surtout en milieu rural, et compromettant toute chance de développement.

Si les campagnes rwandaises et burundaises ne sont plus totalement désertes de nos jours, elles n'offrent cependant aucune sécurité aux paysans qui restent exposés aux balles des milices des anciens soldats des forces armées rwandaises, ou aux représailles des soldats de l'Armée Patriotique Rwandaise. Qu'on soit Hutu ou Tutsi, le paysan court le même risque aujourd'hui au Rwanda et au Burundi.

Quant au tourisme qui demeure tout de même une des richesses naturelles du Rwanda, ce secteur non plus, ne saurait évoluer et être rentable dans un pays dominé par la psychose des attentats.

Les rivalités inter-ethniques constituent ainsi un grave handicap pour le développement économique et social des pays de la région des Grands Lacs, qui requiert nécessairement la conjonction des efforts de toutes les forces vives de la nation.

2 – PRÉSENTATION HISTORIQUE ET POLITIQUE

Le Rwanda est un vieux royaume qui avant l'occupation allemande en 1894 avait déjà sa monarchie.

En effet, quand le comte Von Gotzen visita le Rwanda pour la première fois, ce pays était déjà dirigé par des rois, et c'est le « Mwami »

Kigeri IV Rwabugiri qui le reçut d'ailleurs à Kageyo dans l'actuelle commune de Satinskyi (préfecture de Gisenyi) le 29 mai 1894.

Mais bien avant la visite de ce conquérant, un autre Allemand en la personne de Oscar Bauman l'avait précédé pour une mission exploratoire pacifique du 12 au 15 septembre 1892. Oscar Bauman fut par ailleurs le premier Blanc qui foula le sol rwandais.

La monarchie rwandaise sera complètement vaincue en 1897 par l'Allemagne, et le comte Von Ramsay, officier de l'empire allemand, viendra signifier l'acte de protectorat allemand, au roi rwandais Musinga Yuhi IV, qui prit le pouvoir en 1896 par un coup d'État contre le roi Rutarindwa, fils adoptif du roi Rwabugiri Kigeri IV.

La colonisation allemande ne sera effective au Rwanda qu'à partir de 1900 et le 18 février, date de l'installation du premier résident civil allemand le Docteur Kandt. Elle durera jusqu'en 1916 année au cours de laquelle, les troupes belges appuyées par les Anglais occupèrent le Rwanda. La société des Nations confiera un mandat sur le Rwanda à la Belgique.

C'est dans ces conditions que le royaume du Rwanda passa sous la colonisation belge.

En 1918, la Belgique et l'Angleterre agrandissent leurs colonies respectives du Congo belge (actuel Zaïre rebaptisé République Démocratique du Congo par le Président Laurent Désiré Kabila depuis le 17 mai 1997) et l'Ouganda avec le domaine appartenant aux Tutsi et Hutu. Au cours de cette « opération chirurgicale », les colonisateurs belges et anglais maintinrent dans ces nouvelles portions de territoire, le maximum des populations d'ethnie tutsie, lesquelles servaient d'intermédiaires dans toutes les phases de l'administration coloniale.

Ceci explique aujourd'hui la présence des Tutsi au nord-est du Zaïre plus précisément à Goma et au sud de l'Ouganda, outre les récents immigrés tutsis pour des raisons économiques et politiques.

En 1924, le Parlement belge ratifie le régime de mandat de la société des Nations (SDN) et le Rwanda cesse d'être une colonie belge.

La destitution du roi Musinga en 1931 par l'administration coloniale belge conseillée par l'église catholique et son remplacement par un nouveau roi Rudahigwa, est un fait sans précédent dans l'histoire politique du Rwanda.

Comme c'était le cas en Belgique, le roi Rudahigwa fera de la religion catholique rwandaise la religion d'État, et aussitôt tous les Tutsi y adhéreront non par convictions chrétiennes, mais par pure stratégie afin de bénéficier du maximum des privilèges des colonisateurs qui les préféraient déjà par rapport aux populations de l'ethnie hutue[9].

Ces détails suffisent pour confirmer non seulement la préférence, mais et surtout, la franche collaboration historique et la complicité de l'administration coloniale belge avec les Batutsi au détriment des Bahutu.

Dans cette perspective, le haut dignitaire de la religion catholique du Rwanda ne pouvait que trop surestimer les populations de l'ethnie tutsie, en sous-estimant celles de l'ethnie hutue. Cette prise de position excessive avait sûrement donné une fausse idée de supériorité aux extrémistes tutsis qui croient effectivement aujourd'hui être plus proches des Blancs, et par conséquent plus intelligents que le reste des Noirs peuplant l'Afrique et en particulier les Bantou. Cette fausse croyance a fait que le rêve d'une fille tutsie d'aujourd'hui, soit d'épouser par tous les moyens un Blanc.

Une telle conception de la part de l'ethnie tutsie justifierait l'hostilité de leurs populations à être gouvernées par les anciens esclaves taillables et corvéables à merci, que sont les Hutu.

Il faut reconnaître qu'avant l'avènement du colonialisme, les Hutu et

---

9. a. Parlant des Tutsi, Mgr Classe ne cesse de répéter au gouvernement belge : « qui aura ces jeunes Batutsi aura le pays entier, car sous la conduite de cette élite supérieure par son intelligence et son influence, pourquoi ne verrions-nous pas un jour se former le premier royaume chrétien de l'Afrique centrale ?... ».

b. Dans sa lettre du 21 septembre 1927 relative à la reforme administrative coloniale rwandaise comportant en particulier un programme de regroupement des chefferies, le même Vicaire apostolique du Rwanda, Mgr L. Classe s'adresse au président Mortehan dans les termes suivants :

« Si nous voulons nous placer au point de vue pratique et chercher l'intérêt vrai du pays, nous avons dans la jeunesse mututsie un élément incomparable de progrès (..). Qu'on demande aux Bahutu s'ils préfèrent être commandés par des roturiers ou par des nobles, la réponse n'est pas douteuse ; leur préférence va aux Batutsi, et pour cause, chefs nés, ceux-ci ont le sens du commandement. C'est le secret de leur installation dans le pays et leur mainmise sur lui ».

Afin d'accélérer le processus hégémonique des Batutsi, Mgr L. Classe adressera en 1930, un sévère avertissement en termes suivants à l'administration coloniale.

c. « Le plus grand tort que le gouvernement pourrait se faire à lui-même et au pays serait de supprimer la caste mututsie. Une révolution de ce genre conduira le pays tout droit à l'anarchie et au communisme haineusement anti-européen. Loin de procurer le progrès, elle annihilera l'action du gouvernement, le privant d'auxiliaires nés capables de le comprendre et de le suivre. En règle générale, nous n'aurons pas de chefs meilleurs, plus intelligents, plus actifs, plus capables de comprendre le progrès et même plus acceptés du peuple que les Batutsi ».

1-a) Shingiro Mbonyumutwa, *Rwanda, gouverner autrement*, sans éditeur, 1990, p. 69, extrait des lettres de Mgr L. Classe, *Grands Lacs*, Louvain, 1933.

1-b) L. De Lagger, *Rwanda, op. cit.*, p. 523.

1-c) L. Classe, *Pour moderniser le Rwanda*, l'essor colonial et maritime, n° 489 du 4 décembre 1930.

les Tutsi cohabitaient et se supportaient dans une monarchie toujours dominée par les Tutsi. Les graves injustices sociales caractérisées par l'atroce exploitation des Hutu par les « Mwami » tutsis bien qu'insupportables, n'avaient jamais débouché sur une guerre généralisée.

Les Hutu se soumirent aux formes d'organisation sociale hégémoniques des Tutsi exactement comme beaucoup d'Africains se soumirent aux colonisateurs européens. Le Rwanda aurait même pu être un royaume développé et incolonisable, si les Tutsi avaient réellement les compétences et les mérites que Mgr Classe, grand idéologue de la colonisation belge, avait tant vantés.

Mais tel n'était pas le cas, les propos de ce missionnaire colonisateur ne relevant que de la traditionnelle technique d'occupation, celle qui consistait à collaborer avec les chefs des pays à coloniser afin de les occuper en profondeur et totalement.

Au Cameroun par exemple, les colonisateurs allemands se servirent des chefs douala de la côte pour investir l'arrière pays ; ce n'est pas pour autant qu'on prétendrait aujourd'hui que les populations de l'ethnie douala sont supérieures aux autres Camerounais. Au contraire, l'on serait même en droit de penser que tous les chefs et rois africains, qui avaient collaboré avec les colonisateurs afin de faciliter l'occupation et l'assujettissement des populations de leur pays pour des intérêts personnels, n'étaient pas maîtres de leurs actes.

Pour le cas particulier du Rwanda, les « Mwami » tutsis avaient joué ce sale rôle d'abord avec les colonisateurs allemands, ensuite avec les colonisateurs belges jusqu'au moment où, ironie de l'histoire, la même église catholique qui facilita pourtant leur ascension sociale par intégration massive des Tutsi dans toutes les couches de l'administration coloniale, mit fin à leurs privilèges en 1956, en condamnant l'exploitation inhumaine des Hutu, et en demandant désormais la représentativité de ces derniers dans toutes les structures administratives locales.

En effet, le Père André Perraudin, sacré Évêque de kabgayi le 23 mars 1956, sentit le vent des inévitables changements à travers les multiples doléances de la classe des paysans hutus victimes des injustices de plus en plus insupportables des monarques tutsis, et engagea sans attendre le processus de récupération du mouvement des indépendances devenu incontournable.

Au cours de la même année, naquit le mouvement social MUHUTU, ancêtre du PARMEHUTU et de l'APROSOMA.

En 1957, l'élite hutue composée essentiellement de Kayibanda, Gitera et Munyangaju, rédigeait le manifeste des Bahutu à l'intention de l'autorité coloniale suprême. Dans ses doléances, elle exposait le problème de la paysannerie entre autres formes d'injustice.

Dès lors, la rupture entre le roi d'une part, l'église et l'administration coloniale d'autre part, était consommée. Le roi Rudahigwa voulut se venger de ses anciens protecteurs belges et les qualifia de traîtres tout en réclamant lui aussi l'indépendance immédiate sans conditions en 1958.

La monarchie tutsie bénéficiait pour la dernière fois des avantages de l'administration coloniale belge en 1953, lors des premières élections des conseils des représentants aux divers échelons administratifs. Il s'agissait en substance des chefferies, sous-chefferies et conseil supérieur du pays.

En dépit des bonnes intentions de cette réforme démocratique instaurée par la Belgique, les résultats des élections furent purement et simplement détournés par les Tutsi infiltrés dans l'administration coloniale, avec, bien sûr, la complicité de certains de leurs alliés belges. Grâce à cette piraterie, les Tutsi purent encore occuper 97 % des sièges au conseil supérieur du pays, avec une population qui représente moins de 10 % de la population rwandaise composée à 90 % des Hutu.

– 1959 sera essentiellement l'année de création des partis politiques.

– 15 février, naissance de « l'APROSOMA (Association pour la promotion sociale de la masse). Cette association avait pour objectif, la suppression du monopole d'une ethnie.

– Le 3 septembre, naissance de « l'UNAR » (Union nationale rwandaise) Parti monarchiste-nationaliste tutsi qui curieusement, exige l'indépendance immédiate et le départ des colonisateurs belges, sans doute dans le but de réinstaurer la monarchie.

– Le 14 septembre, naissance du « RADER » (Rassemblement Démocratique rwandais) une tendance moderniste des Tutsi collaborant avec les colonisateurs et réclamant une monarchie constitutionnelle éclairée avant l'indépendance.

– 18 octobre, naissance du « PARMEHUTU » (Parti du Mouvement de l'émancipation hutu), ce parti réclame la démocratisation égalitaire des institutions.

En 1960, le gouvernement belge fait une déclaration sur l'avenir politique du Rwanda-Burundi. Il y a conseil de guerre et état d'urgence sous l'autorité du Colonel Logiest, un officier colonial curieusement très ouvert aux initiatives démocratiques favorables aux Hutu. Ce colonel venait ainsi renforcer l'action du Père André Perraudin qui condamnait les injustices sociales du système monarchique des « Mwami » et demandait des reformes sociales.

Tour à tour, le conseil supérieur du pays était remplacé par le conseil spécial qui supervisait désormais tous les actes du Mwami que le gouvernement belge obligeait de régner en roi constitutionnel.

Le roi Ndahindurwa refusa cette collaboration et s'exila à Léopoldville dans l'ancien Congo belge (actuel République Démocratique du Congo) le 25 juin 1960. Cette date marque la fin d'un mythe puisqu'en juillet de la même année, les partis démocratiques sortiront enfin vainqueurs des élections communales recommandées par les Nations Unies, avec un score de 71 % des voix.

Le 28 janvier 1961, c'est le coup d'État de Gitarama, la proclamation de la première République rwandaise et l'abolition de la monarchie.

En ce jour du 28 janvier 1961, le mécontentement et l'émotion des populations étaient à leur comble, suite au retard apporté dans la préparation des élections législatives promises depuis plusieurs mois. Pour apaiser la colère des populations surexcitées, tous les bourgmestres et conseillers communaux élus six mois plus tôt, se réunirent à Gitarama et à l'unanimité, ils abolirent par leurs voix la monarchie au profit d'un régime républicain.

Mbonyumutwa fut élu Président intérimaire de cette première république, et il confia au Président du parti majoritaire (PARMEHUTU), Grégoire Kayibanda ; le soin de la formation du gouvernement provisoire.

Le 25 septembre 1961, suite à un référendum supervisé par les Nations Unies et portant sur le principe et sur la personne du « Mwami », le Parti républicain PARMEHUTU l'emporta au suffrage universel direct avec 85 % de voix, rejetant ainsi le régime monarchique dans l'histoire du Rwanda.

Le 26 octobre de la même année, ce fut la mise en place d'un gouvernement autonome républicain, avec élargissement des pouvoirs du système d'autonomie interne.

Le 1er juillet 1962, la proclamation solennelle de l'indépendance. Grégoire KAYIBANDA qui était Président de la République transitoire devint Président de la République avec son parti dominant MDR-PARMEHUTU.

Mais cette évolution démocratique ne se passa pas sans heurts, dès lors que les intérêts politiques et économiques des Tutsi habitués à vivre de l'exploitation des Hutu étaient lésés.

Les anciens féodaux tentèrent maintes fois et par tous les moyens de déstabiliser le gouvernement en généralisant la violence dans tout le pays. Certains incidents se soldèrent par plusieurs morts de part et d'autre. Finalement, la réaction assez vigoureuse des paysans hutus obligea les notables tutsis vivant à la campagne à s'enfuir ou à s'exiler.

Beaucoup s'exilèrent ainsi dans les pays limitrophes tels l'Ouganda, la Tanzanie, le Burundi ou le Zaïre (ancien Congo belge).

Pendant onze années de règne, le Président Kayibanda et son parti MDR-PARMEHUTU devront constamment faire face à la contre révolution menée par les Tutsi de l'intérieur et de l'extérieur.

Il convient cependant de signaler que le gouvernement de Kayibanda n'était pas victime des seules attaques de l'ethnie tutsie.

De 1968 à 1969, les prétentions ou ambitions de certains Hutu se présentant comme des réformateurs du parti MDR-PARMEHUTU tels que Bicamumpaka Balthazar alors Président de l'assemblée nationale, Mbonyumutwa Dominique, Rwasibo tous deux députés et d'autres, fragilisèrent l'échiquier politique hutu en compromettant du coup, l'unité de cette ethnie toujours exposée aux manipulations des Tutsi.

Le coup d'État du 5 juillet 1973 au cours duquel Juvénal Habyarimana, Hutu du nord, chassa du pouvoir son congénère Grégoire Kayibanda un Hutu du sud, n'était qu'une conséquence de cette fragilisation.

Face à cet affaiblissement historique, le minage de l'ethnie hutue était consommé et s'aggrava avec le temps. Ses populations subiront pour longtemps les conséquences des contradictions nées de cette situation, lesquelles influenceront toujours leurs activités politiques qui s'illustreront de nos jours par des échecs.

En général, le Président Habyarimana, un Hutu du nord (Gisenyi), en chassant du pouvoir son frère de la même ethnie Grégoire Kayibanda un Hutu originaire de Gitarama, créait d'office un grave précédent qui allait avoir des conséquences incalculables et imprévisibles non seulement sur sa propre personne, mais sur l'avenir politique de l'ethnie hutue et de tout le Rwanda.

En effet, les Hutu du centre et du sud avaient estimé à tort ou à raison que le coup d'État dont fut victime Kayibanda n'avait que des visées régionalistes.

Le Nord-ouest du Rwanda étant la région la plus fertile à cause des lacs et des volcans, le Président Habyarimana ne voulait-il conserver cet avantage naturel qu'aux seules populations de sa région ? Rien n'est moins sûr. Il doit y avoir d'autres intérêts économiques ou politiques régionalistes à l'origine de ce coup d'État fratricide où le Président Kayibanda et ses proches collaborateurs périrent à petit feu en prison, mais non une quelconque lutte contre le sous-développement ainsi qu'Habyarimana tenta de justifier son action dans sa profession de foi des débuts de la deuxième République.

Par cet acte imprévisible et imprudent, le Président Habyarimana avait divisé et opposé pour longtemps les Hutu du nord (département de Gisenyi) à ceux du centre et du sud auprès de qui il perdit aussitôt toute son audience et sa crédibilité.

En contrepartie de cette attitude, le Président Habyarimana maltraitait les Hutu du centre et du sud au même titre que les Tutsi. D'ailleurs les Hutu du nord préféraient parfois les Tutsi aux Hutu du sud. La majorité des Hutu du nord mariés aux filles hutues du centre ou du sud, divorcèrent d'avec leur femme pour épouser des filles tutsies, avant que le Président Habyarimana ne leur interdise le mariage avec les filles tutsies. Dans sa valorisation du problème ethnique qui a toujours existé au Rwanda et qui existe partout en Afrique noire, voire ailleurs, c'était un bon prétexte pour évoquer la menace tutsie et ainsi provoquer le rassemblement de tous les Hutu autour de lui. Habyarimana avait en effet besoin de ce soutien massif pour combattre les Tutsi de l'intérieur et de l'extérieur qui menaçaient sérieusement son pouvoir. Il n'eut malheureusement pas ce soutien.

Mais le Président Habyarimana avait-il oublié qu'il avait divisé et affaibli lui-même son ethnie et qu'il était assis sur un volcan ou plus précisément, selon l'expression africaine, sur une « branche morte » ?

Les détails des chapitres qui vont suivre nous permettront de répondre à cette question qui illustre les contradictions et l'imprévisibilité de certains Hutu.

L'interdiction des mariages des filles tutsies avec les Hutu avait eu de graves conséquences sociales dans ce pays très catholique, où la monogamie reste de rigueur. Aujourd'hui, la principale conséquence est la prolifération des prostituées dont certaines sont contraintes d'intégrer les couvents ou de s'expatrier à Dar-es-Salam en Tanzanie, à Nairobi au Kenya, à Abidjan en Côte d'Ivoire ou n'importe où en Afrique, en Europe ou en Amérique.

Le 5 juillet 1975, le Président Habyarimana crée le parti dénommé « Mouvement révolutionnaire national et démocratique » (MRND), et devient Président Fondateur de ce parti.

En 1978, le Président de la République transforma son parti en un parti unique, et tout Rwandais sera d'office membre du MRND à sa naissance.

Dès lors, le pouvoir du régime Habyarimana se personnalisait et se radicalisait. Les courtisans se multipliaient et ruinaient le pays. Le Rwanda ne connaîtra de nouveaux partis politiques qu'avec la pression de l'Occident qui imposera le multipartisme dans tous les régimes dictatoriaux d'Afrique, après l'écroulement du mur de Berlin (mur de la honte), le 9 novembre 1989.

Avant la première réaction violente du Front Patriotique rwandais (FPR) le 1er octobre 1990, le Rwanda n'était plus qu'une poudrière. Un pays noyé dans la violence politique. Un pseudo-État aux institutions chaotiques, où le chef de l'exécutif était plutôt sur la défensive qu'à l'exercice d'un quelconque pouvoir.

Jusqu'à la fin du mois de mai 1992 bien avant la seconde offensive du Front Patriotique rwandais (FPR) dans la ville de Byumba, le gouvernement du Président Habyarimana ne s'illustrait plus que par de multiples démêlés politiques caractérisés par les meetings et interventions radio des chefs des partis sans malheureusement un grand effet au sein des populations durement éprouvées par des nombreux assassinats téléguidés, provenant des extrémistes de tous bords.

La présence des Nations Unies ne modifiera rien dans cette situation jusqu'au 6 avril 1994, jour du double assassinat des Présidents rwandais et burundais, événement qui précipita le déclenchement de la guerre avec pour principales conséquences, une succession des génocides et la persistance de la violence au Rwanda, au Burundi, au Zaïre et en Ouganda.

A) *CHRONOLOGIE DES PRINCIPAUX ÉVÉNEMENTS DE LA VIE POLITIQUE RWANDAISE DU 1ᴱᴿ OCTOBRE 1990 DATE DE LA PREMIÈRE ATTAQUE DU FRONT PATRIOTIQUE RWANDAIS (FPR) AU 6 AVRIL 1994, DATE DE L'ASSASSINAT DU PRÉSIDENT JUVÉNAL HABYARIMANA, SUIVI DU DÉCLENCHEMENT DE LA GUERRE*

En dépit des timides tentatives de négociations en vue de l'obtention d'un cessez-le-feu ou d'un éventuel règlement global du conflit, le FPR intensifiait les opérations militaires pour gagner davantage du terrain.

En alliant la pression militaire aux négociations politiques, le FPR avait pris une bonne option, car cette technique lui permit d'obtenir le maximum de concessions de la part d'un gouvernement aux abois, quasiment acculé et ne se maintenant plus que grâce aux interventions des troupes étrangères, notamment celles du Zaïre et de la France.

Les énormes concessions du gouvernement rwandais lors de la signature de l'accord de paix d'Arusha en sont une éloquente illustration, car le Président Habyarimana qui avait signé cet accord en homme vaincu et non en qualité d'un Président souverain[10], refusera par la suite de le faire appliquer.

---

10. En partant du principe que le FPR est en réalité un parti de l'ethnie tutsie compte tenu de sa structure que nous allons voir dans les prochains chapitres et que l'ethnie tutsie représente moins de 10 % de la population totale rwandaise, nous en déduisons que la représentativité politique du seul FPR était nettement disproportionnée et avantageait largement ce parti.

Dans la répartition des portefeuilles ministériels au sein du gouvernement de transition à base élargie, le FPR comptait 5 ministres sur 21 soit 23,80 % des postes de ministre (article 55 de l'accord de paix d'Arusha) ; « a ».

– Dans la répartition numérique des sièges à l'assemblée natonale de transition, le FPR comptait 11 sièges sur 59, soit 18,64 % de députés (article 62 de l'accord de paix d'Arusha) « b ».

– Enfin, au sein des Forces Armées rwandaises, le FPR devait représenter 40 % des

1ᵉʳ octobre 1990 : attaque surprise du FPR de la ville de Kagitumba dans le département de Byumba. Les combattants du FPR atteignirent Gabiro dans le parc national d'Akagera après un mois seulement de combat. Seuls les parachutistes français dépêchés à Kigali le 4 octobre de la même année pour des motifs humanitaires, stopperont la fulgurante progression du FPR.

Cette attaque eut pour conséquences les massacres des centaines de Hutu dans les territoires occupés, et une affluence de plusieurs réfugiés et déplacés aux environs de Kigali.

A titre de représailles, le gouvernement d'Habyarimana massacra à son tour plusieurs Tutsi à Kigali, emprisonna les autres qui ne furent libérés qu'après six mois, grâce à l'intervention d'Amnesty International.

L'attaque du 1ᵉʳ octobre 1990 était d'autant plus surprenante que plusieurs actions en faveur des réfugiés et de la paix venaient d'être engagées. La commission spéciale sur les problèmes des émigrés rwandais créée en 1989 venait de déposer son premier rapport en mai 1990 ; le comité ministériel rwando-ougandais toujours sur le problème des réfugiés rwandais vivant en Ouganda, venait à son tour de prendre des dispositions concrètes lors de la 3ᵉ réunion tenue à Kigali du 27 au 30 juillet 1990. Une délégation de réfugiés devait ainsi visiter le Rwanda dès la fin du mois de septembre 1990 sous les auspices du HCR (Haut Commissariat aux Réfugiés).

Cette attaque du FPR s'apparente à un refus prémédité d'une solution politique négociée, et à l'option pour une solution militaire. En effet, une solution politique négociée ne permettrait jamais au FPR d'accéder au pouvoir par voie démocratique dans un pays où l'on vote par affinité ethnique et non idéologique. D'où le traditionnel refus par les Tutsi du verdict des urnes.

Par contre, la solution militaire ouvrait les portes du pouvoir au FPR déjà convaincu de la faiblesse des Forces Armées rwandaises divisées politiquement et mal entraînées pour faire la guerre. Le FPR était d'autant plus sûr de la victoire militaire qu'en plus de la combativité de ses sol-

---

effectifs totaux. Et au niveau des chaînes de commandement dans les États-Majors, le même parti devrait être représenté lui seul à concurrence de 50 % (article 144 de l'accord de paix d'Arusha) « c ».

– A ces inégalités, il convient d'ajouter le nombre des ministres et députés issus des partis satellites du FPR tel le MDR en totalité, et le PL en partie.

Toutes ces lacunes volontaires ou involontaires montrent que l'accord de paix était signé dans un climat d'arbitraire, de contrainte et de totale confusion, plutôt favorable à la guerre qu'à la paix, surtout à une paix durable.

« a » ; « b », « c » : Les articles 55, 62 et 144 sont extraits de l'accord de paix d'Arusha entre le gouvernement de la République rwandaise et le Front Patriotique rwandais en annexes A).

dats, il comptait sur l'appui des troupes d'élite ougandaises, celles qui permirent justement au Président Museveni de chasser Obote du pouvoir. Il s'agit des fameux éléments de la National Resistance Army (NRA).

Enfin, le FPR avait déjà gagné la guerre médiatique auprès des principaux pays occidentaux tels les États-Unis d'Amérique, le Canada et la Belgique sur qui il pouvait compter.

En réalité, ce n'est ni l'absence des négociations, ni l'insuffisance de ces dernières qui auraient contraint le FPR à opter pour la solution militaire, mais la volonté d'accéder très vite au pouvoir. Les conditions du moment lui étaient favorables et il fallait agir vite pour ne pas gâcher cette belle occasion.

17 octobre 1990 : le premier accord de cessez-le-feu est négocié à Mwanza sans la participation directe du FPR. Le Président Mobutu se porte médiateur.

26 octobre 1990 : le cessez-le-feu de Mwanza est confirmé à Gbadolite (toujours au Zaïre).

19 février 1991 : le cercle de négociations s'étend en Tanzanie, pays qui devient « facilitateur ».

29 mars 1991 : signature de l'accord de cessez-le-feu de Nsele ; cet accord ne sera pas respecté jusqu'à l'entrée en fonction du gouvernement de transition en avril 1992.

Avec l'occupation du nord du Rwanda par les troupes du FPR appuyées par les éléments de l'armée régulière ougandaise, le Président Habyarimana qui avait toujours refusé de rentrer en contact direct avec le FPR qu'il qualifiait auparavant de bande de terroristes, fut enfin obligé de le faire malgré lui.

29 mai 1992 : rencontre à Bruxelles regroupant le Mouvement Démocratique Révolutionnaire (MDR), le Parti Libéral (PL), le Parti Socialiste Démocratique (PSD) et le Front Patriotique Rwandais (FPR). Cette rencontre sera suivie d'une autre rencontre officielle du FPR avec une délégation du gouvernement rwandais à Paris.

Juin 1992 : attaque du FPR de la ville de Byumba qu'il occupe brièvement, par crainte d'une intervention des parachutistes français stationnés à Kigali.

Le 12 juillet 1992 : négociation d'un accord de cessez-le-feu à Arusha.

Le 18 août 1992 : protocole d'accord négocié à Arusha, relatif à l'instauration d'un État de droit au Rwanda.

Le 30 octobre 1992 et le 9 janvier 1993 : négociation des protocoles d'accords successifs sur le partage du pouvoir et notamment :
– la répartition des portefeuilles ministériels ;
– la répartition des sièges dans une assemblée de transition ;
– la répartition des effectifs et des quotas des postes de commande-

ment au sein des États-majors, entre les soldats des Forces Armées rwandaises et les combattants du FPR.

Ces dispositions constitueront la toile de fonds des accords de Paix d'Arusha et seront contestées avant même la signature des Accords d'Arusha par la Coalition pour la Défense de la République (CDR), parti extrémiste hutu qui refusa de faire partie du gouvernement transitoire et du coup, refusa de signer le code d'éthique prévu à l'article 80 de l'accord de paix Arusha[11].

Le 15 novembre 1992 : au cours d'un discours musclé, le Président Habyarimana lui-même qualifia ces Accords d'Arusha de « chiffons de papier ». Il refusa d'ailleurs de les signer, et ne reviendra sur sa décision qu'après un mois, suite aux nombreuses pressions des pays occidentaux qui lui promirent d'ailleurs des mesures d'assouplissement avant l'installation du gouvernement transitoire à base élargie (GTBE).

En attendant ces mesures d'assouplissement qui n'étaient jamais venues, le Président Habyarimana continuait à tergiverser à chaque date d'installation du gouvernement de transition à base élargie (GTBE) et ce, jusqu'au jour de son assassinat, le 6 avril 1994.

Mais avant sa mort et plus précisément le 25 janvier 1993, le Président Habyarimana avait dénoncé le protocole d'accord signé le 9 janvier 1993. Cette dénonciation sera d'ailleurs à l'origine des massacres des Tutsi et opposants au nord du pays, notamment dans la préfecture de Gisenyi.

Tout ceci montre clairement que l'accord de paix d'Arusha avait été imposé au gouvernement rwandais qui n'avait plus d'autres issues pour survivre.

Dans ce conflit qui opposait le gouvernement rwandais à un parti politique armé, on a l'impression que l'opinion internationale, du moins les négociateurs de l'accord de paix d'Arusha, avaient omis de prendre en considération ou de respecter les justes proportions de chaque entité ethnique (hutue, tutsie et twa) dans la répartition des postes politiques.

Cette négligence dans un pays en voie de démocratisation et à la recherche d'une solution négociée sera lourde de conséquences, puisqu'elle compromettra la mise en place d'un gouvernement de transition à base élargie où la minorité tutsie allait contrôler la majorité du pouvoir.

Face à ce blocage qui annonçait déjà la guerre, le Rwanda profond composé des modérés Hutu et Tutsi de tous bords, favorables à la paix et à une prompte instauration d'un régime véritablement démocratique, condamnait la violence sous toutes ses formes et multipliait des initiatives de paix tant à l'intérieur qu'à l'extérieur du Rwanda, tels le colloque de

---

11. Voir l'extrait du protocole de l'accord de paix d'Ashura en annexes A.

Mombasa, ou l'invitation à la table ronde sur les formations politiques et la Démocratie au Rwanda[12].

Ces deux exemples montrent que les partis extrémistes que furent le MRND du feu Président Habyarimana et le FPR du Général-Major Paul Kagame (en réalité, c'est Kagame qui décide au sein du FPR et non le Président Kanyarengwe qui est un figurant permettant de justifier que le FPR est un parti démocratique où les Tutsi et les Hutu adhèrent librement, et non un parti réservé à la seule ethnie tutsie), sont loin de représenter l'opinion de la majorité des populations rwandaises. Ces partis avaient terrorisé les populations de leurs ethnies respectives qui y adhéraient beaucoup plus par crainte de se faire assassiner (tueries téléguidées) que par réelle motivation.

En effet, après l'élimination physique du Général-Major Fred Rwigema, premier Président tutsi modéré du FPR en 1990[13], ce parti devint du coup un parti extrémiste aux réactions similaires à celles du MRND.

C'est ainsi que les modérés Hutu et Tutsi étaient indistinctement assassinés par les deux partis qui, à tort ou à raison, les considéraient comme des traîtres à la cause ethnique. Les deux partis se rejetaient très souvent la responsabilité de tels assassinats qui étaient du reste très nombreux avant le déclenchement de la guerre du 6 avril 1994.

Aujourd'hui, le Rwanda est victime des ambitions personnelles d'une minorité d'individus décidés à résoudre leurs problèmes personnels par le biais de la politique, et en s'appuyant sur le seul fait ethnique.

Curieusement et cyniquement, avec la complicité manifeste de certains pays occidentaux, ces aventuriers ont sacrifié un peuple prisonnier de son ignorance et se retrouvent eux-mêmes devant une impasse politique.

Le 8 février 1993 : le FPR reprendra les hostilités et ne sera stoppé qu'à 30 km de Kigali par les militaires du contingent français, renforcé le 20 février 1993. Cette fois-ci, le FPR invoquera les massacres gratuits des populations civiles, l'impunité accordée aux groupes criminels, l'incitation à la haine et le blocage délibéré du processus de paix.

Cette attaque eut pour conséquences :

---

12. – Le message du colloque de Mombasa sur la recherche d'une paix durable au Rwanda était initié par la conférence des Églises de toute l'Afrique (CETA) et avait eu lieu du 27 au 29 novembre 1993 à Mombasa au Kenya.

– L'invitation à la table ronde sur les formations politiques et la Démocratie au Rwanda était l'initiative de l'Association Démocratie pour le Progrès « DEMOPRO » (asbl). Cette table ronde avait eu lieu le 26 mars 1994 à Kigali au Rwanda.

13. La mort tragique du Général-Major Fred Rwigema est expliquée avec beaucoup plus de détails dans le chapitre intitulé : **DU FPR A VOCATION MULTI-ETHNIQUE DU GÉNÉRAL MAJOR GISA FRED RWIGEMA AU FPR MONO-ETHNIQUE DU GÉNÉRAL MAJOR KAGAME.**

– les déplacements de plusieurs centaines de milliers de réfugiés et déplacés ;

– la condamnation par l'opinion internationale et le MDR « Power » (la nouvelle aile dissidente du MDR pro-MRND et hostile à son Président M. Faustin Twagiramungu) ;

– la confirmation de la désorganisation et de la faiblesse des Forces Armées rwandaises (FAR).

Néanmoins, les négociations d'Arusha recommenceront après cette guerre éclair mais combien cruelle vers la fin du mois de février 1993.

C'est ainsi que le 25 février 1993, les partis politiques MDR, PSD, PDC (Parti Démocratique Chrétien), PL rencontreront le FPR à Bujumbura (Burundi). Du 5 au 7 mars 1993, le Premier ministre Nsengiyaremye rencontrera à son tour le Président du FPR à Dar-es-Salaam (Tanzanie). Le second en position de force à cause des victoires militaires observées sur le terrain, contraindra le premier à signer un accord prévoyant le renvoi du contingent français.

C'est ainsi que dans un document secret, les deux conviendront que les troupes françaises arrivées après le 8 février 1993 se retireront. Que les autres resteront cantonnées à Kigali jusqu'à l'arrivée d'une force internationale neutre [14].

Cet accord militaire sera fatal pour les Forces Armées rwandaises mal préparées ou manquant de motivation pour le combat, car elles seront très vite mises en déroute après l'offensive des combattants du FPR d'avril 1994.

Le 30 mai 1993 : signature de l'accord de Kinihira (Rwanda) réglant le retour et la réinstallation des personnes déplacées, ainsi que l'administration des zones démilitarisées, c'est-à-dire des territoires conquis par le FRP en février 1993. Ces territoires devraient faire l'objet d'une administration transitoire paritaire.

Le 9 juin 1993 : signature d'un protocole sur le rapatriement des réfugiés et la réinstallation des personnes déplacées. La finalisation qui était prévue pour le 12, puis le 19, ensuite le 24 juin et enfin le 15 juillet 1993, fut chaque fois reportée dans des conditions toujours ambiguës, les deux parties se contentant de se rejeter mutuellement la responsabilité des reports.

Le 4 août 1993 : enfin, c'est la signature de l'accord de paix d'Arusha après de dures et pénibles négociations d'un protocole sur la fusion des deux armées. Cet accord permettra entre autre, une large redistribution des cartes politiques malheureusement en totale violation des principes démocratiques. Cet état de choses sera à l'origine du mécontentement de

---

14. Voir le contenu de ce document secret en annexes B.

l'ethnie majoritaire hutue qui redoutait le retour en force de la monarchie de l'ethnie minoritaire tutsie.

D'où de nombreuses tergiversations tant du gouvernement que des partis politiques, ainsi que de multiples blocages qui ne permettront jamais la mise en place du gouvernement de transition à base élargie, et l'application de cet accord de paix jusqu'au jour du double assassinat des Présidents rwandais et burundais, le 6 avril 1994, suivi immédiatement du déclenchement de la guerre.

Mais ce bref aperçu historique ne suffit pas à élucider tous les points sombres du conflit. Il permet néanmoins de se rendre compte que le principe et les contenus des différents accords de paix relevaient beaucoup plus de l'initiative de la communauté internationale que de celle des rwandais ; et que la guerre dans ce pays était inévitable.

Une autopsie des principaux partis politiques impliqués dans ce conflit ainsi qu'une détermination précise des objectifs apparemment cachés des différents protagonistes, permettront de mieux appréhender les vraies origines du récent génocide rwandais.

Avant les détails, il semble fondamental de connaître la structure des principaux partis politiques rwandais, ainsi que la personnalité profonde de certains de leurs leaders.

Cette connaissance est indispensable pour le repérage du leitmotiv politique des leaders, et pour la détermination rationnelle des vrais objectifs sous-tendant leurs actions respectives.

Mais pourquoi ce détail ? Tout simplement parce que l'engagement aveugle avant la guerre et après la victoire du FPR de certains leaders politiques d'ethnie hutue dits « modérés » dans le camp du FPR (Front Patriotique Rwandais), parti politique essentiellement tutsi, est aujourd'hui en flagrante contradiction avec les fermes condamnations de ces mêmes leaders hutus qui curieusement, accusent le FPR, parti qu'ils avaient toujours soutenu et servi au point d'ignorer les massacres de leurs propres frères hutus.

Quand nous savons qu'aucun Tutsi n'avait ignoré et n'ignore les génocides des Tutsi au Rwanda ou ailleurs, nous ne pouvons que nous poser des questions sur le type de comportement de certains Hutu.

B) LA STRUCTURE DES PRINCIPAUX PARTIS POLITIQUES RWANDAIS ET LA PERSONNALITÉ DE CERTAINS DE LEURS DIRIGEANTS

Loin de minimiser certains partis dont l'influence dans le jeu politique rwandais n'est plus à démontrer, il reste néanmoins évident que tous les partis n'avaient pas connu le même degré d'implication dans le processus de négociation qui avait conduit à la signature de l'accord de paix d'Arusha d'une part, et aux infructueuses tentatives d'installation du gouvernement de transition à base élargie d'autre part.

Le nombre de portefeuilles ministériels et de députés de chaque parti, a été l'élément déterminant pour l'appréciation objective du degré d'implication des partis dans cette bataille politique.

Dans cette perspective, nous constatons que seuls 5 partis sur 7 avaient au moins : 3 portefeuilles ministériels et 11 sièges de députés, dans la répartition numérique des portefeuilles ministériels et des sièges de députés au sein du gouvernement de transition à base élargie.

La structure de ces 5 partis ainsi que la personnalité de certains de leurs leaders méritent un examen beaucoup plus approfondi, il s'agit des partis suivants :

– le Mouvement Révolutionnaire National Démocratique (MRND) avec 5 portefeuilles et 11 sièges ;

– le Front Patriotique Rwandais (FPR) avec 5 portefeuilles et 11 sièges ;

– le Mouvement Démocratique Révolutionnaire (MDR) avec 4 portefeuilles et 11 sièges ;

– le Parti Socialiste Démocratique (PSD) avec 3 portefeuilles et 11 sièges ;

– le Parti Libéral (PL) avec 3 portefeuilles et 11 sièges.

Dans cette répartition numérique, les postes de Président de la république et de Premier ministre revenaient respectivement au MRND et au MDR.

Quant aux deux autres partis, l'un avait refusé l'accord de paix Arusha et n'avait pas signé le code d'éthique que tous les partis devant faire partie du gouvernement de transition à base élargie devaient signer ; il s'agit de la CDR (Coalition pour la Défense de la République).

S'agissant du Parti Démocratique Chrétien (PDC), c'est un parti opportuniste à très faible représentativité au sein du gouvernement de transition à base élargie. 1 portefeuille ministériel et 4 sièges de député.

Pour les autres partis qui se créeraient avant l'installation du gouvernement de transition à base élargie et qui seraient agréés, ils n'auront chacun qu'un siège. Ces partis seront donc similaires au PDC à cause de leur faible représentativité.

C) LA STRUCTURE DU MRND, CELLE DE SON PARTENAIRE LA CDR ET LA PERSONNALITÉ DU PRÉSIDENT HABYARIMANA (PRÉSIDENT DU MRND)

Comme dans toutes les dictatures du monde, le MRND et la CDR étaient des partis politiques ethnistes, extrémistes et fascistes :

– Ethnistes parce que ne défendant en réalité que les seuls intérêts hutus, bien qu'étant apparemment ouvert à toutes les autres ethnies qui pouvaient éventuellement y adhérer. Il est évident que les Tutsi ne pouvaient militer au sein des partis développant une idéologie qui préconisait leur extermination.

– Extrémistes parce que leurs dirigeants refusaient des droits aux autres ethnies et en particulier aux Tutsi dont certains étaient condamnés à l'exil.

– Fascistes parce que les mêmes dirigeants étaient hostiles à toutes les reformes démocratiques, et préféraient pérenniser leur régime par la violence, les intimidations et la corruption. Le Rwanda était et reste encore un État policier caractérisé par les tortures et les tueries téléguidées dont sont encore victimes les partisans des vrais changements démocratiques.

Le MRND et la CDR jouissaient d'une organisation décentralisée où les pouvoirs étaient délégués aux responsables de chaque circonscription administrative.

S'agissant des responsables cooptés par un pouvoir corrompu, l'organisation de ces partis était par conséquent très faible, ses responsables étant nommés en fonction de leur degré de fidélité et de leur soumission au parti et non en fonction de leur valeur intrinsèque ou de leurs compétences particulières.

Le régime du Président Habyarimana était, de ce fait, l'illustration de la médiocrité à tous les niveaux, un régime aux structures administratives embryonnaires et chaotiques, presqu'inexistantes.

Ceci explique entre autre, la paralysie de l'appareil politique, mais surtout, la faiblesse des Forces Armées rwandaises (FAR) qui pendant plus de vingt ans et en dépit de l'encadrement de la France, n'avaient su ni s'organiser, ni s'entraîner, ni se battre.

D) LA PERSONNALITÉ DU PRÉSIDENT DU MRND JUVÉNAL HABYARIMANA

Selon plusieurs sources concordantes, le Président Juvénal Habyarimana était rwandais par naissance et ougandais de par l'origine de son père.

En effet, le père d'Habyarimana était Ougandais et employé chez des missionnaires européens en Ouganda. Suite à l'affectation de ces derniers au Rwanda, ces missionnaires emmenèrent leur employé et c'est ainsi qu'Habyarimana naquit dans le département de Gisenyi (commune de Karago) au nord-ouest du Rwanda.

Après ses études secondaires et militaires, Habyarimana devenu officier mais toujours conscient de son handicap lié à ses origines, épousa une fille de la région de Bushiru, une région dont les chefs de clans sont très célèbres, militarisés, puissants et traditionnellement très influents. D'aucuns pensent même que l'épouse d'Habyarimana aurait elle-même des origines tutsies. Cette thèse fait l'objet d'intenses polémiques en ce moment, et l'on est en droit de croire que puisqu'épouser une fille tutsie était devenu une règle, un moyen de s'épanouir pleinement et de s'affirmer pour la nouvelle élite hutue, comment Habyarimana de surcroît issu d'une origine pauvre, pouvait-il objectivement échapper à cette règle ?

Toujours est-il qu'Habyarimana subira fortement l'influence de son épouse et de sa belle famille jusqu'à sa mort.

Devenu Président de la République après le coup d'État de 1973, Habyarimana s'appuiera sur sa femme grâce à laquelle, il bénéficiait de l'appui de ses beaux-frères pour avoir enfin de l'ascendance sur le reste du Rwanda.

Dans ce régime où le tribalisme et le régionalisme étaient presque institutionnalisés, les Hutu du sud étaient parfois plus maltraités que certains Tutsi. D'ailleurs les Hutu du nord ne reconnaissaient plus la qualité d'Hutu à leurs congénères du sud.

Quand il fallait tuer les Tutsi à titre de représailles pendant la guerre, les Hutu du nord massacraient indistinctement les Tutsi et les Hutu du sud.

Avant la guerre, tous les Hutu du nord qui étaient mariés avec les filles hutues du sud avaient purement et simplement divorcé, renvoyant leurs épouses et leurs enfants sans ménagement. Sur ce point, un extrémiste Hutu m'avait confirmé à Nairobi (Kenya), qu'un Hutsi était pire qu'un Tutsi, et qu'il fallait absolument les extirper.

Il est donc évident que bien avant le déclenchement de la guerre contre le FPR, le Président Habyarimana qui était toujours Président du MRND jusqu'à la fin du mois de juin 1993, était déjà en guerre contre les Hutu du sud et le reste des populations rwandaises hormis celles du nord (département de Gisenyi).

D'où une certaine radicalisation au sein du MRND de la part d'un certain nombre de militants favorables à la modération et à l'instauration de la justice.

Ce fut le cas pour le ministre de la Défense James GASANA, le ministre de la Justice S. Mbonampeka et pour le Professeur Jean Rumiya[15].

Le MRND n'était plus un parti monolithique avant le déclenchement de la guerre. Les contradictions du régime l'avaient profondément fissuré et affaibli.

Aux divergences politiques traditionnelles opposant les Hutu du nord à ceux du sud, s'ajoutaient les divergences économiques aggravées par le régionalisme qui écrasait le reste des populations rwandaises, exceptées les Hutu de Gisenyi.

Dans ce contexte le problème ethnique était relatif puisqu'il était objectivement l'affaire personnelle du Président Habyarimana et de son groupe d'extrémistes regroupés au sein de la Coalition pour la Défense de la République (CDR), et non un problème national susceptible d'être la préoccupation majeure de la majorité des Rwandais.

Seuls les problèmes économiques étaient et ont toujours été la préoccupation des Rwandais, toutes ethnies confondues. Malheureusement, le pouvoir en place dans l'impossibilité de trouver des solutions adéquates à ces problèmes, avait préféré justifier son incapacité en évoquant le seul fait ethnique qui en réalité, n'aurait jamais suffi pour déclencher le regrettable génocide.

D'autre part, le Président Habyarimana se sentant coupé des Hutu du sud et décidé à combattre les Tutsi, avait gratuitement créé le phénomène du péril tutsi afin de sensibiliser toutes les populations de l'ethnie hutue qu'il avait auparavant divisées par le coup d'État de 1973, les assassinats orientés et le régionalisme.

C'est pour cette raison que pendant la guerre, les discours incendiaires des extrémistes hutus n'engageaient absolument pas les soldats et officiers hutus du sud dont certains préférèrent même regagner le camp du

---

15. – Lors du congrès extraordinaire des 3 et 4 juillet 1993, le Ministre de la Défense James Gasana rejetait une recommandation qui stipulait que le membre du MRND qui est Président de la République, soit automatiquement membre du Comité National du parti.

– Le Ministre de la Justice S. Mbonampeka démissionnera de son poste pour protester contre les assassinats sauvages des Tutsi de Gisenyi, suite au discours ethnisant du Vice-Président du MRND pour la préfecture de Gisenyi, M. Léon Mugesera qui incitait au massacre des opposants en termes suivants : (« Leur peine, c'est la mort et pas moins ») et des Tutsi (« Votre pays c'est l'Éthiopie, et nous allons vous expédier sous peu chez vous via la Nyabarongo en voyage express. Voilà. Je vous repète donc que nous devons vite nous mettre à l'ouvrage »).

– Le Professeur Jean Rumiya, ancien membre du comité central du MRND condamnait les mêmes assassinats des Tutsi de Gisenyi, en adressant une lettre à Mugesera Léon, le 2 décembre 1993. Habyarimana n'était donc plus seul à avoir la parole au sein du MRND.

FPR, refusant de combattre pour cette cause hutue que le Président Habyarimana prétendait défendre.

Rappelons pour conclure ce chapitre que le MRND et la CDR bien que n'étant pas des partis politiques armés, disposaient cependant de milices qui exécutaient des assassinats téléguidés.

Il s'agissait en substance, des fameux « interahamwé » pour le MRND, et des « impuzamugambi » pour la CDR.

Ces deux milices illustraient l'extrémisme hutu et symbolisaient la résistance au retour d'une nouvelle monarchie tutsie.

E) LA STRUCTURE DU FPR, CELLE DE SON PARTENAIRE MDR, ET LA PERSONNALITÉ DE CERTAINS DE LEURS DIRIGEANTS

• *Le Front Patriotique Rwandais*

De par son organigramme, le FPR est un parti politique armé, jouissant d'une organisation militaire caractérisée par un centralisme de décisions au niveau exécutif composé de 9 membres, du Haut Commandement militaire omniprésent à toutes les instances de décisions.

Le FPR est né en janvier 1988 à Kampala (Ouganda). Il est dirigé par un Président secondé par un Vice-Président qui est en même temps Président du Haut Commandement militaire.

Le colonel Alexis Kanyarengwe d'ethnie Hutu, ancien ministre de l'Intérieur du Président Habyarimana était ou reste Président en titre du FPR. En titre puisque le Vice-Président du même Parti, le Général-Major Paul Kagame d'ethnie Tutsi qui est en même temps Président du Haut Commandement militaire, intervient dans toutes les décisions du parti, alors que le Président du parti ne sait même pas ce qui se passe au sein du Haut Commandement militaire où tous les officiers sont tutsis quand ils ne sont pas de l'armée ougandaise.

Pire encore, le Président du FPR ne peut prendre la moindre décision sans l'accord préalable du Président du Haut Commandement militaire, le Général-Major Paul Kagame, son Vice-Président et vrai chef de ce parti.

Cette contradiction prouve qu'en réalité, l'actuel Front patriotique Rwandais est un parti monoethniste réservé aux seuls Tutsi, et que les Hutu qui s'y retrouvent comme membres du comité exécutif ou autre, ne sont pas des militants sincères, mais des retourneurs de veste contraints à rallier le FPR pour sauver leur tête, et utilisés aujourd'hui par cette formation politique tutsie pour tenter de justifier l'existence d'un gouvernement multi-ethnique au Rwanda[16].

Mais que sont ces Hutu ? Comment ont-ils été parachutés aux instances suprêmes du FPR ? Sont-ils de grands patriotes réellement favorables à la création d'un État rwandais unitaire, ou bien des dangereux figurants qui permettraient au FPR de justifier l'existence d'un pseudo-régime pluri-ethnique ?

Il est fondamental de connaître et de comprendre les vraies motivations de ces personnalités hutues, œuvrant aujourd'hui pour la cause tutsie.

La même analyse demeure valable pour d'autres partis politiques hutus devenus partenaires du FPR et c'est le cas pour le MDR-renové de tendance Faustin Twagiramungu, ancien Premier ministre du Gouvernement FPR de Kigali.

• *Le colonel Alexis Kanyarengwe*

Hutu originaire du nord du Rwanda (Ruhengeri), cet officier est promotionnaire d'arme de son confrère Hutu de la même région du nord (Gisenyi) Juvénal Habyarimana.

Ami et proche collaborateur d'Habyarimana, le colonel Alexis Kanyarengwe participa activement au coup d'État du 5 juillet 1973 contre le Président Grégoire Kayibanda Hutu du sud, par lequel Habyarimana accédera au pouvoir avec pour leitmotiv :
– l'intensification du régionalisme ;
– l'extermination des Tutsi qu'il tenta même de chasser du Rwanda sans malheureusement y parvenir.

Fidèle sur toutes les lignes de la politique du Président de la deuxième République rwandaise et notamment son programme d'extermination des Tutsi, le colonel Alexis Kanyarengwe occupera d'abord d'importants postes de responsabilités au sein de l'État-major de l'Armée rwandaise avant de devenir ministre de l'Intérieur d'Habyarimana.

Courageux et ambitieux, le colonel Kanyarengwe s'exilera en Tanzanie puis en Ouganda en 1981 après une tentative d'un coup d'État avorté. Kanyarengwe avait occupé les fonctions de Vice-Premier ministre du gouvernement FPR à Kigali, alors que son frère de la même ethnie Faustin Twagiramungu qui était le premier Premier ministre du gouvernement

16. Il s'agit en particulier :
– du Colonel Alexis Kanyarengwe, Président du Front Patriotique Rwandais, à l'époque Vice-Premier – Ministre du Gouvernement du FPR à Kigali,
– du Pasteur Bizimungu membre du comité excutif du Front Patriotique Rwandais, Responsable de la communication, Information et Documentation, aujourd'hui Président de la République Rwandaise.

FPR du 4 juillet 1994, était chassé de son poste et s'était exilé à l'étranger (Bruxelles).

Le limogeage de Twagiramungu puis les démissions forcées suivies d'exil des autres personnalités d'ethnie hutue du gouvernement du FPR pour ne citer que le cas du ministre de l'Intérieur Seth Sendashonga ou du Procureur de Kigali, confirment aujourd'hui deux faits :

– d'abord que le conflit rwandais et ses extensions dans les autres pays de la région des Grands Lacs au Burundi en particulier, est un conflit exclusivement ethnique opposant les Hutu aux Tutsi. Il ne s'agit donc pas d'une guerre édictée ou commandée par une quelconque idéologie politique, laquelle viserait à défendre une certaine démocratie profitable aux Rwandais ou aux Burundais, toutes ethnies confondues. Les Hutu qui avaient été souvent naïfs et imprudents, le comprennent peut-être aujourd'hui mais un peu tard ;

– ensuite, que le reste des personnalités d'ethnie hutue faisant encore partie de l'actuel gouvernement FPR est constitué de figurants, prisonniers d'un régime qui les utilise pour justifier une certaine démocratie dans un système prétendument multi-ethnique.

3 – DU FPR A VOCATION MULTI-ETHNIQUE DU GÉNÉRAL-MAJOR GISA FRED RWIGEMA AU FPR MONO-ETHNIQUE DU GÉNÉRAL-MAJOR PAUL KAGAME

Avant de clore ce chapitre, il convient de rappeler que le premier Président du Front Patriotique rwandais, le Général-Major Gisa Fred Rwigema, tout en préparant l'invasion du Rwanda en octobre 1990, s'efforçait en même temps d'intégrer des Hutu au sein du FPR et au niveau du comité exécutif.

Le Général-Major Rwigema espérait faire de cette formation politique armée tutsie, un véritable parti politique multi-ethnique beaucoup plus crédible et conforme aux véritables réalités du Rwanda.

Malheureusement, cette initiative d'un responsable tutsi modéré et clairvoyant, était mal perçue par certains officiers supérieurs tutsis extrémistes et prétentieux, notamment les Majors Bunyenyezi et Bayingana qui, entre autres, estimaient que le Général-Major Fred Rwigema n'était pas suffisamment instruit pour mériter le poste de Président de la République dans un Rwanda reconquis par les Tutsi.

Alors que le Major Paul Kagame actuellement Général-Major et Vice-Président de la République rwandaise se trouvait encore en stage militaire aux États-Unis d'Amérique, les Majors Bunyenyezi et Bayingana, deux farouches ambitieux et rivaux du Général-Major Gisa Fred Rwigema, organisaient l'assassinat de ce dernier.

Le responsable des affaires politiques et de la mobilisation des masses du FPR M. Tito Rutaremara, tentera vainement de justifier ce crime en invoquant l'explosion d'une mine au front. Il n'a convaincu personne. Jusqu'à ce jour, le FPR garde seul le secret des raisons de l'exécution du Général-Major Fred Rwegema.

Toujours est-il qu'après le retour du stage du major Paul Kagame, les auteurs et les complices de la mort du Général-Major Fred Rwigema, étaient immédiatement passés par les armes, en application du « code de conduite » du FPR, notamment son article 13 prévoyant la peine de mort.

Aujourd'hui, le Major-Général Paul Kagame reste héritier d'un FPR mono-ethniste, utilisant des figurants hutus dont le rôle dans les vraies décisions politiques du Rwanda est incertain, sinon inexistant.

A) *LA PERSONNALITÉ DES PRINCIPAUX LEADERS HUTUS DU FPR*

Mis à part le cas du Colonel Lizinde, Hutu du nord et ancien collaborateur (patron de la sûreté) du Président Habyarimana devenu Député FPR de Kigali et les autres[17], une analyse profonde des cas du Colonel Kanyarengwe et de Pasteur Bizimungu devenus respectivement Vice-Premier ministre et Président de la République du gouvernement FPR de Kigali depuis juillet 1994, permet de mieux comprendre les vrais motifs de ralliement de certains Hutu au sein du parti tutsi.

En sa qualité du tout puissant ministre de l'Intérieur d'Habyarimana au moment où les Hutu déchaînés réglaient leurs comptes aux anciens monarchistes tutsis, le colonel Kanyarengwe initia et exécuta plusieurs assassinats des opposants et des Tutsi en particulier. Il est même dit que Kanyarengwe est le Rwandais qui ait tué plus de Tutsi que quiconque.

Plusieurs sources tant hutues que tutsies, m'avaient confirmé que le Colonel Alexis Kanyarengwe est l'officier qui a le plus versé le sang des Rwandais et qu'à ce titre, il serait plus responsable que le Président

---

17. En effet, le FPR a toujours su exploiter aux fins politiques, toutes les contradictions hutues. C'est ainsi qu'il a pu recuperer pour sa cause, toutes les personnalités politiques hutues disgrâciées ou potentiellement menacées par le régime Habyarimana. C'était le cas pour les Ambassadeurs Fidèle Nkundabagenzi et Léonidas Munyanshongore en poste respectivement aux États-Unis d'Amérique et au Benelux sous le Président Grégoire Kayibanda, disgrâciés et exilés en Belgique et au Luxembourg après le coup d'État d'Habyarimana du 5 juillet 1973. Après c'est le cas aujourd'hui pour les colonels Lizinde récupéré dans une prison en 1990 par le FPR, Kanyarengwe recupéré en exil ou Pasteur Bizimungu.

Habyarimana lui-même. Et que l'on ne peut rien reprocher au défunt Président Habyarimana qui ne soit reproché aujourd'hui à son ancien bras droit Kanyarengwe.

Après toutes ces révélations, l'on ne peut que se demander pourquoi et comment le Colonel Kanyarengwe, ancien tortionnaire et boucher des Tutsi, s'est-il retrouvé au sommet du FPR pour soi-disant défendre les intérêts des Tutsi. Et pourquoi il avait été accepté par les Tutsi alors qu'il est clair que le FPR exécutait sans ménagement tous ceux qui avaient tué les Tutsi. Autant de situations paradoxales qui caractérisent le conflit rwandais.

• *Autre personnalité de la vie politique rwandaise, Pasteur Bizimungu*

En effet, Hutu de la même région du nord du Rwanda que le feu Président Habyarimana (Gisenyi), Pasteur Bizimungu est un ancien membre des comités de salut public dont le but était de chasser les Tutsi du Rwanda au début de l'année 1973 quand il était jeune étudiant à l'Université de Butaré [18].

En récompense de son acharnement et de son engagement idéologique contre l'ethnie Tutsi, Pasteur Bizimungu fut nommé Directeur Général de la société Electrogaz après ses études, poste qu'il n'abandonnera qu'après l'assassinat de son ami, le Colonel Mayuya, ancien Commandant du camp des Para-Commandos de Kanombé, par le Président Habyarimana ou ses partisans pense-t-on.

Pourquoi le colonel Mayuya, pourtant très proche du Président Habyarimana avait-il été assassiné ? S'agissait-il d'un autre coup d'État en préparation ou d'une autre forme de trahison susceptible d'éclabousser son ami Pasteur Bizimungu ? Toutes ces questions demeurent jusqu'à ce jour sans réponse, mais il reste que Bizimungu gagna les rangs du FPR après cet événement.

Aujourd'hui, seul Pasteur Bizimungu sait pourquoi et comment il se sentit aussitôt menacé après l'assassinat de son ami. Mais il reste aussi vrai que le ralliement de Bizimungu au sein du FPR n'avait aucune motivation politique puisqu'avant cet assassinat, Pasteur Bizimungu était en bon terme avec le régime Habyarimana et bénéficiait encore de tous ses privilèges.

A l'instar du Colonel Kanyarengwe, le geste de Pasteur Bizimungu n'était qu'une réaction d'un Hutu acculé, comme toujours victime de ses propres contradictions. Le FPR récupérait tout naturellement cette caté-

---

18. Filip Reyntjens, *op. cit.*, p. 191.

gorie d'Hutu qui lui permettait de justifier l'existence d'un prétendu parti démocratique multi-ethnique, rassembleur des Rwandais.

Malheureusement, la succession des événements notamment les massacres des civils et réfugiés hutus, et la déclaration du Vice-Président Paul Kagame le 24 février 1996 à Accra surprendront plus d'un africain épris de paix.

En effet, plus de 2 000 déplacés hutus et plus de 118 autres civils hutus furent massacrés par l'Armée patriotique rwandaise respectivement le 22 avril 1995 à Kibeho et le 11 septembre de la même année à Kanama. Ces événements confirment le caractère ethnocentriste de la politique menée par le FPR qui s'efforce à son tour de neutraliser l'action des extrémistes hutus au Rwanda.

Lors de la visite officielle à Accra (Ghana) le 24 février 1996 du Vice-Président de la République rwandaise le Général major Paul Kagame, l'homme fort de Kigali avait déclaré qu'il n'y aura réconciliation nationale au Rwanda que lorsque la justice sera faite à l'encontre des auteurs du génocide.

A partir d'une telle déclaration, l'on comprend très bien que le soit disant gouvernement d'union nationale du 17 juillet 1994, n'était qu'un trompe œil pour les Hutu « modérés » qui s'y engagèrent imprudemment, et finirent par s'exiler pour rejoindre l'opposition des extrémistes hutus. Faustin Twagiramungu et Seth Sendashonga respectivement Premier ministre et ministre de l'Intérieur pour ne citer que ces deux là, furent les principaux Hutu qui firent une amère expérience de ce gouvernement d'union nationale du 17 juillet 1994.

B) LE MDR : SON HISTORIQUE, SA STRUCTURE ET LA PERSONNALITÉ DE SON PRÉSIDENT

• *Historique*

Quand 237 personnes signèrent un appel pour la relance et la rénovation du MDR à l'initiative de Faustin Twagiramungu en mars 1991, les signataires pensaient certainement à l'héritage de l'ancien parti du Mouvement de l'émancipation Hutu (Parmehutu), créé le 18 octobre 1959 et devenu parti unique MDR-Parmehutu sous le Président Grégoire Kayibanda, et qui ne sera aboli que par le coup d'État de 1973.

C'était malheureusement mal connaître la personnalité de l'initiateur de la création du MDR, M. Faustin Twagiramungu, devenu Président de ce parti.

En effet, au lieu d'opter pour la philosophie et l'esprit du parti de 1959, curieusement, le Président du MDR deviendra plutôt le défenseur des intérêts tutsis. Il vassalisera ainsi son parti qui demeurera pour long-temps, un précieux partenaire, un allié inconditionnel du FPR.

Le comportement de certains leaders politiques hutus a toujours sur-pris, mais cette fois-ci, celui de Faustin Twagiramungu sera à l'origine de graves conflits au sein du MDR, plusieurs Hutu se sentant trahis.

La principale conséquence de cette crise sera la scission du MDR dès 1993, au moment où tous les partis ayant participé aux accords de paix d'Arusha se préparaient pour l'installation du gouvernement de transition à base élargie, symbole du partage démocratique du pouvoir.

Ainsi, le secrétaire national du MDR, M. D. Murego et le 2e Vice-Président du même parti M. F. Karamira animeront l'aile extrémiste du moins celle restée fidèle à la philosophie du MDR-PARMEHUTU. C'est la tendance du MDR « Power » proche du MRND.

Faustin Twagiramungu continuera d'animer le MDR « rénové » allié du FPR.

Mais l'éclatement définitif du MDR ne se fera qu'après l'assassinat d'un membre du bureau politique du MDR et Président du MDR de Gikongoro, en la personne de Gapyisi Emmanuel.

En effet, la victime qui n'était favorable ni au MRND, ni au FPR, aurait pu être abattu par les tueurs de l'un de ces deux partis, comme c'est la coutume au Rwanda[19].

Rappelons que selon l'accord de paix d'Arusha et conformément aux prescriptions de son article 55, le poste de Premier ministre revenait au MDR. Le candidat à ce poste devrait être désigné par le bureau politique de ce parti.

Malheureusement, parmi les formations politiques qui devaient faire partie du gouvernement de transition à base élargie, le MDR était de loin le parti le plus divisé, le plus désorganisé, voire acéphale.

A la veille de la mise en place du gouvernement de transition à base élargie, le Président du MDR, Faustin Twagiramungu s'était curieuse-ment illustré par de multiples violations des statuts de son parti. Il n'avait en effet pas de choix, puisqu'il subissait les pressions de son parti allié le FPR, ne souhaitant voir à ce poste qu'une personne qui lui soit com-plètement favorable.

Toutes ces manipulations conduisirent aux pirateries statutaires sui-vantes, de la part du Président du MDR.

Au cours de la succession du gouvernement Nsengiyaremye venant à terme le 15 avril 1993 alors qu'on espérait à un heureux aboutissement

---

19. Parlant du MRND, Emmanuel Gapyisi déclarait que le Président Habyarimana était arrivé au bout de son cycle. Toujours selon Gapyisi, le FPR était une organisation anti-dé-mocratique voulant prendre le pouvoir par la force.

de l'accord de paix, les Présidents des partis politiques devant participer au gouvernement de transition à base élargie convenaient par le protocole additionnel du 13 avril 1993, de maintenir en place pour une période de trois mois, le gouvernement issu du protocole du 7 avril 1992.

Avant la fin de ce terme, le bureau politique du MDR dans sa majorité proposait le maintien du Premier ministre Nsengiyaremye pour une autre période transitoire. Devant le refus du gouvernement et alors que les Présidents des partis avaient déjà signé un second protocole additionnel le 16 juillet 1993, le Président Habyarimana nommait le 17 juillet 1993, Mme Agathe Uwilingiyimana au poste de Premier ministre sur proposition du seul Président du MDR Faustin Twagiramungu, et non sur proposition du bureau politique comme cela était prévu.

Cette première grosse irrégularité sera à l'origine de violentes protestations et entraînera la suspension du parti de M. Faustin Twagiramungu et de Mme Uwilingiyimana par le bureau politique, en application des textes en vigueur.

C'est dire qu'en réalité, du moment où ces deux personnalités n'avaient pas encore été réhabilitées par le bureau politique du MDR, elles n'avaient plus droit aux activités politiques rwandaises en tant que représentantes de ce parti.

Il est clair que tout ce que ces deux personnalités avaient cependant pu faire en totale violation des textes statutaires alors qu'elles ne faisaient plus partie du MDR, était irrégulier et illégal, et contribuait aussi largement au blocage des négociations pour l'installation du gouvernement de transition à base élargie.

Malheureusement, le Président désormais en titre du MDR ayant pris goût à l'amalgame, à l'illégalité politiques et aux coups d'états constitutionnels, continuera à se jouer des membres du bureau politique de son parti et des Rwandais.

Au moment où les négociations pour la signature d'un accord de paix allaient encore bon train et que le MDR devait s'atteler sérieusement à préparer le remplacement du Premier ministre Agathe Uwilingiyimana cette fois en toute régularité au niveau du bureau politique, Faustin Twagiramungu répétait son coup du 17 juillet 1993 en s'auto-désignant Premier ministre du gouvernement de transition à base élargie et en adressant une lettre au Président de la République et au Président du FPR[20].

---

20. Twagiramungu écrivait : « j'ai le plaisir de vous informer que le candidat au poste de Premier ministre du Gouvernement de transition à base élargie présenté par le MDR est M. Twagiramungu Faustin ». Et Twagiramungu d'ajouter : « certains membres du MDR ont désigné, dans un cadre purement informel, un autre candidat ».

Et pourtant, le 20 juillet 1993, un jour avant l'auto-désignation de Twagiramungu, le bureau politique du MDR à une écrasante majorité des trois quarts (3/4) avait proposé la

Après cette auto-désignation de Faustin Twagiramungu au poste de Premier ministre désigné, le MDR tint immédiatement un congrès extraordinaire les 23 et 24 juillet 1993 au cours duquel M. Twagiramungu et Mme Uwilingiyimana, par des décisions prises à très larges majorités, furent exclus du parti.

En même temps, l'auto-désignation de Faustin Twagiramungu comme candidat du MDR au poste de Premier ministre du gouvernement de transition à base élargie fut déclarée nulle et non avenue, tandis que la candidature de Jean Kambanda à ce poste était confirmée.

Quelque chose surprend dans l'évolution politique du MDR et de Faustin Twagiramungu en particulier. C'est qu'en dépit des multiples décisions de suspension et d'exclusion de ce dernier régulièrement prises par le bureau politique, Faustin Twagiramungu restera toujours Premier ministre du gouvernement de transition alors qu'il ne représentait plus aucun parti politique. En réalité, il n'était plus qu'un simple citoyen.

Pire encore, le gouvernement du FPR le nommera Premier ministre en juillet 1994, comme s'il s'agissait d'un gouvernement d'union nationale, ou comme si Faustin Twagiramungu représentait la moindre fraction des Hutu.

Comment Faustin Twagiramungu avait-il pu s'imposer en toute irrégularité et illégalité sans la moindre réaction, surtout du Président Habyarimana qui, curieusement, semblait être complice en avalisant des décisions politiques qui lui seront pourtant fatales, Agathe Uwilingiyimana et Faustin Twagiramungu étant radicalement opposés à Habyarimana et favorables au FPR[21] ?

Pourquoi Habyarimana avait-il pu supporter le leader d'un parti politique allié du FPR sans être trompé par d'autres obscures promesses ?

En tout état de cause, Faustin Twagiramungu fort de l'appui du FPR, avait su jouer et avait réussi à berner à la fois les dissidents extrémistes du MDR, du MRND et le Président Habyarimana lui-même pour tirer son épingle du jeu.

Après avoir fait partie du gouvernement FPR de Kigali en assumant les fonctions de Premier ministre, Faustin Twagiramungu peut se réjouir

---

candidature de M. Jean Kambanda au poste de Premier ministre du gouvernement de transition à base élargie.

21. – La nomination d'Agathe Uwilingiyimana au poste de Premier ministre désigné le 17 juillet 1993 sur la seule proposition du Président du MDR Faustin Twagiramungu et non du bureau politique.

– L'auto-désignation au poste de Premier ministre du Gouvernement de transition à base élargie par le même Faustin Twagiramungu alors qu'il était suspendu du parti après la désignation irrégulière d'Agathe Uwilingiyimana au poste de Premier ministre.

aujourd'hui d'avoir pleinement atteint son objectif : venger son beau-père Grégoire Kayibanda[22].

A propos de cette revanche du Président du MDR contre le Président de la République Juvénal Habyarimana, un de nos conseillers politiques à Kigali posa directement la question suivante à Faustin Twagiramungu au cours d'une séance de travail restreinte en février 1994 :

« Pouvez-vous nous expliquer, Monsieur le Président, les raisons des profondes déviations idéologiques du MDR "rénové" par rapport à l'esprit traditionnel du MDR-"PARMEHUTU" du défunt Président Grégoire Kayibanda, votre honorable beau-père, et surtout, aussi en votre qualité de son héritier spirituel ? »

Cette question n'embarrassa point M. Faustin Twagiramungu qui répondit calmement dans les termes suivants :

« Monsieur le Conseiller, imaginez aujourd'hui que vous soyez pourchassé par quelqu'un qui avait pris l'habitude de toujours vous pourchasser. Que feriez-vous de la personne qui pour n'importe quelle raison, combattrait à son tour votre oppresseur ? »

Par cette réponse digne d'un leader politique rwandais, Twagiramungu faisait allusion au Président Habyarimana qui avait chassé du pouvoir et fait tuer son beau-père, et au FPR qui combattait à son tour Habyarimana et son régime.

Dans ce contexte précis, Twagiramungu ne pouvait que collaborer le plus aveuglement possible avec le FPR pour abattre le régime Habyarimana ; il s'agissait pour lui de résoudre un problème personnel, et non un problème politique d'intérêt général. Ici, la logique avait pleinement confirmé sa règle : « l'ennemi de mon ennemi est mon ami ».

---

22. Faustin Twagiramungu est le gendre de l'ex-Président de la République rwandaise Grégoire Kayibanda, chassé du pouvoir, emprisonné et empoisonné par Habyarimana ou ses agents.

Comme le Rwanda est un pays où la vengeance est véritablement un plat qui se mange froid, Faustin Twagiramungu s'était juré de venger son beau-frère par tous les moyens. L'alliance avec le FPR était dans les circonstances de l'époque, le meilleur moyen lui permettant de réaliser son rêve.

L'alliance MDR « renové » de Faustin Twagiramungu et le FPR est donc une alliance d'intérêt personnel et non politique. Néanmoins, le FPR tente d'y tirer un intérêt politique en le nommant Premier ministre d'opérette, et en essayant ainsi de légitimer son gouvernement d'union nationale, où les Hutu majoritaires, occupent d'ailleurs les plus importants postes de Président de la République et de Premier ministre pour ne citer que ces deux là, mais en réalité sans avoir aucun pouvoir. Le Vice Président de la République, le Major-Général Paul Kagame d'ethnie tutsie reste le seul homme fort du Rwanda.

Pourtant personne n'est dupe et tout le monde sait qu'à Kigali, l'homme fort est aujourd'hui le Général-Major Paul Kagame, il décide de tout en sa double qualité de Vice-Président de la République et de ministre de la Défense.

• *La structure du MDR*

En réalité, la succession des événements n'avait pas permis au MDR d'asseoir une structure véritablement digne d'un parti politique. Les multiples violations des textes statutaires et réglementaires auxquelles se livrait son Président, furent à l'origine des contestations internes qui paralysèrent l'activité de ce parti.

Aussi depuis sa création en 1991 jusqu'au 6 avril 1994 date du début de la guerre civile qui portera le FPR au pouvoir, le MDR était le seul parti qui ne put s'organiser, et qui n'avait même plus de dirigeants, bien avant le déclenchement des hostilités.

• *La personnalité du Président du MDR M. Faustin Twagiramungu*

Faustin Twagiramungu est issu de l'ethnie Hutu au sud du Rwanda. A l'origine homme d'affaires défaillant et à qui l'on reprochait d'importants détournements de fonds publics, il est dit que Twagiramungu ne se reconvertit en politique que pour échapper aux poursuites judiciaires dont il était l'objet, d'une part, et pour venger son beau-père d'autre part.

Aucun engagement idéologique ne justifie donc l'action politique de M. Faustin Twagiramungu pour devenir par la suite, Premier ministre de circonstance du gouvernement FPR.

D'ailleurs l'ambiguïté, l'arbitraire et l'amateurisme qui caractérisent l'évolution politique de ce personnage dans un pays demeuré longtemps sans institutions fiables et stables, militent en faveur de cette thèse.

Le fait que Faustin Twagiramungu soit le genre du feu Président Grégoire Kayibanda fondateur du MDR-PARMEHUTU, avait été déterminant pour en faire le leader d'un parti politique, mais plutôt en souvenir de son beau-père qu'en fonction de ses compétences en la matière. D'ailleurs, l'échec du MDR « rénové » n'avait surpris personne.

En effet, dans un Rwanda déjà fissuré et déstabilisé où les partis politiques se créaient en fonction des rivalités personnelles et inter-ethniques et non pour l'intérêt national, la classe politique hutue était d'avance consciente du manque d'un réel engagement idéologique de la part du Président du MDR « rénové ».

C) LA STRUCTURE DU PARTI LIBÉRAL (PL) ET LA PERSONNALITÉ DE SON PRÉSIDENT M. JUSTIN MUGENZI

• *La structure du parti libéral*

Le Parti libéral était un parti composé essentiellement d'hommes d'affaires hutus et tutsis. C'est pour cette raison que son Président était Hutu et son Vice-Président M. Landoal Ndasingwa un Tutsi.

Mais l'esprit des affaires n'avait malheureusement pas empêché la scission ethnique du PL après le congrès national organisé par son Vice-Président, le 13 novembre 1993.

A l'issue de ce congrès, 4 Tutsi furent élus au sein du Comité exécutif du Parti et un Tutsi devint également candidat désigné par le PL pour la Présidence de l'Assemblée nationale de transition. Mais bien auparavant, le torchon brûlait déjà entre le Président et le Vice-Président du parti. Le second traitait le premier de dictateur et de tyran qui ne voulait entendre ni les voix, ni les doléances des autres.

De même, des conflits entre le Président du PL Mugenzi représentant l'aile hutue fidèle au MRND et à Habyarimana, et le Vice-Président Ndasingwa représentant l'aile tutsie du PL et proche du FPR au sujet de la répartition équitable des portefeuilles ministériels et des sièges des Députés devant faire partie du gouvernement et de l'assemblée nationale de transition à base élargie, se multiplièrent et finirent par paralyser complètement le fonctionnement du PL avant le début des hostilités le 6 avril 1994.

En effet, Mugenzi inconditionnel du Président Habyarimana pour des raisons sur lesquelles nous reviendrons, se méfiait de Ndasingwa qui était de surcroît, l'ami personnel du Président du MDR « rénové », M. Twagiramungu.

A toft ou à raison, Mugenzi considérait que ces deux personnalités étaient des sous-marins du FPR infiltrés dans les partis politiques hutus, favorables au Président Habyarimana, et susceptibles de lui faire perdre le contrôle de la majorité au sein de la future Assemblée nationale de transition. D'où des difficultés pour le partage des postes de Députés devant siéger à l'Assemblée nationale et pour la désignation des personnes devant faire partie du gouvernement de transition à base élargie.

Ces conflits avaient été les seules préoccupations des responsables du PL et objectivement, ce parti comme le MDR, ne pouvait avoir des structures convenables et stables jusqu'au 6 avril 1994, date du début de la guerre qui avait conduit le FPR au pouvoir.

• *La personnalité du Président du Parti libéral M. Justin Mugenzi*

Justin Mugenzi est Hutu. Emprisonné pour crime de droit commun, après avoir été reconnu coupable de l'assassinat de son épouse, Mugenzi ne sauvera sa tête qu'en prenant position en faveur du Président Habyarimana, au cours d'une visite d'Amnesty International, chargé d'enquêter sur les tortures et les mauvais traitements infligés aux prisonniers de toutes natures à Kigali.

En effet, lors de cette investigation qui était initiée par plusieurs organisations humanitaires et suite à plusieurs plaintes et dénonciations, Justin Mugenzi, en fin intriguant et parfait opportuniste, réussira à convaincre beaucoup de prisonniers et à les regrouper pour enfin témoigner que les prisonniers étaient très bien traités à Kigali et au Rwanda d'une manière générale et que les rumeurs de mauvais traitements ne relèveraient que des irresponsables qui souhaiteraient ainsi dénigrer le gouvernement, et tenter de porter atteinte à l'honorabilité du Président Habyarimana, Chef d'État humain et responsable.

Mugenzi et son groupe de prisonniers profitèrent même de la présence des responsables d'Amnesty International pour adresser une motion de soutien au Président Juvénal Habyarimana, en le priant de continuer à bien les traiter.

Après le départ de la mission, Habyarimana ne put que récompenser le criminel bagnard qu'était Mugenzi d'abord en le faisant sortir de la prison, mais surtout en faisant de lui un homme d'affaires, ensuite un Président d'un parti politique et enfin son ministre de Commerce.

Le Parti libéral n'était donc à ses origines qu'un parti de réaction immédiate contre le FPR. C'était un parti politique créé et financé par Habyarimana lui-même. Les hommes d'affaires tutsis et en particulier L. Ndasingwa le Vice-Président, ne pouvaient être que des trouble-fête. Ainsi, l'on comprend les raisons de la scission de ce parti et l'affiliation inconditionnelle de l'aile hutue de Mugenzi au MRND, le parti du Président Habyarimana lui-même.

En conclusion, Justin Mugenzi n'était en réalité, ni un leader hutu, ni un homme politique rwandais, ni même un homme d'affaires, mais un modeste citoyen qu'un drame familial avait projeté au-devant de la scène politique rwandaise.

On dirait qu'au Rwanda, la meilleure façon de rentrer en politique est de commencer par la prison, d'y prouver ses qualités de truand et enfin d'être coopté par une personnalité ou un parti qui vous utilise comme un objet.

C'est le cas du Président du PL resté parti satellite du MRND et du Président du MDR « rénové » lui aussi proche du FPR.

En réalité, la structure politique rwandaise était instable, affairiste et bicéphale. D'un côté, elle était composée d'amateurs hutus sans grande expérience ni conviction politique, et n'ayant de surcroît aucun intérêt ethnique commun. De l'autre côté, c'étaient des professionnels tutsis bien entraînés tant du point de vue politique que militaire, et défendant avec conviction et détermination les mêmes intérêts ethniques.

Il est évident dans ces conditions, que les Hutu ne pouvaient ni échapper aux multiples manipulations des Tutsi, ni espérer à une victoire politique ou militaire contre ces derniers.

D) LA STRUCTURE DU PSD ET LA PERSONNALITÉ DE SON SECRÉTAIRE EXÉCUTIF M. FÉLICIEN GATABAZI

• *La structure du PSD*

A l'instar des autres principaux partis d'opposition notamment le MDR et le PL, le PSD avait été agréé le 18 juin 1991.

Grâce à l'énorme expérience, à la maîtrise de la situation politique rwandaise et à l'ascendance de son secrétaire exécutif, le PSD était un parti qui jouissait des structures convenables et stables.

Au cours des différentes tentatives pour l'installation du gouvernement de transition à base élargie, période pendant laquelle le MDR et le PL surtout avaient connu des scissions, le PSD évoluait normalement.

Si le déclenchement des hostilités le 6 avril 1994 ne venait pas mettre un terme aux activités normales des partis politiques, rien ne laisserait supposer que le PSD aurait connu des conflits internes paralysants.

• *La personnalité du secrétaire exécutif du PSD, M. Félicien Gatabazi*

Félicien Gatabazi était un Hutu du sud originaire de Butaré. Ingénieur de formation, il assumait cumulativement avec ses responsabilités au sein d'un parti politique, les fonctions de ministre de l'Équipement et de l'Énergie.

Grand commis de l'État, intelligent, réservé et modéré, F. Gatabazi était l'unique leader politique hutu qui ne subissait des pressions politiques d'aucun autre parti et une telle autonomie n'était appréciée ni par le MRND, ni par le FPR.

Connu et accepté par les principaux pays occidentaux, F. Gatabazi était à l'époque le seul Rwandais capable de challenger pacifiquement Habyarimana et d'instaurer un gouvernement d'union national susceptible d'être accepté par tous les partis et par toutes les tendances.

Au moment où les Présidents Mobutu du Zaïre et Habyarimana étaient en froid avec la Belgique, Gatabazi entretenait de bonnes relations avec ce pays dont personne n'ignore l'envie de reconquérir, ou du moins de retrouver ses anciens privilèges dans l'ex-Zaïre et au Rwanda.

Dans cette perspective, Gatabazi devenu Président du Rwanda, aurait pu favoriser l'instauration des relations privilégiées entre la Belgique et le Rwanda et à partir de ce pays, la Belgique tenterait aussi d'avoir un pied au Zaïre. Gatabazi était donc un véritable danger tant pour les régimes d'Habyarimana et de Mobutu que pour les autres pays occidentaux qui avaient des intérêts au Rwanda, et n'auraient point apprécié l'éventualité d'un tel rapprochement. Mais d'un autre côté, Gatabazi était le seul leader hutu d'une grande envergure politique, intelligent et intègre, échappant à toutes les formes de manipulations tutsies, car il savait clairement ce qu'il voulait. Or, les Tutsi n'aimaient et n'aiment guère les Hutu d'une telle dimension.

Si la position de Félicien Gatabazi était une menace pour les Présidents zaïrois, rwandais et autres, son assassinat le 21 février 1994, vers 22 heures à l'entrée de sa résidence alors qu'il revenait d'une réunion de travail avec les leaders des autres partis politiques à l'hôtel Méridien de Kigali à la veille de l'installation du gouvernement de transition à base élargie (GTBE), pourrait être imputé à la fois aux hommes du Président Habyarimana, ou aux miliciens du Front Patriotique Rwandais (FPR).

La mort de ce grand leader hutu avait créé un vide politique, et cette situation arrangeait bien les deux camps antagonistes qu'étaient le FPR et le MRND déterminés à en découdre par la guerre[23].

4 – LA SITUATION POLITIQUE AU RWANDA DU 19 DÉCEMBRE 1988 JOUR DE LA RÉÉLECTION DU PRÉSIDENT HABYARIMANA, AU 6 AVRIL 1994 JOUR DE SON ASSASSINAT

Quand Juvénal Habyarimana se faisait réélire le 19 décembre 1988

23. Trois indices permettent de supposer que le ministre Félicien Gatabazi aurait été assassiné par les hommes d'Habyarimana :

a) Au cours de la séance de travail du 21 février 1994, Gatabazi avait officiellement confirmé son opposition au régime d'Habyarimana, et ce dernier ne pardonnait guère de pareils affronts, provenant de surcroît d'un Hutu.

b) Gatabazi était assassiné, alors que le Président Habyarimana revenait quelques semaines seulement de Goma (Zaïre) où il avait rencontré le Président Mobutu son ami. Beaucoup de rwandais affirment que le sort de Gatabazi s'était décidé au cours de cette rencontre secrète des deux Présidents qui le suspectaient depuis d'être le « sous-marin » des Belges.

c) Les moyens utilisés pour assassiner Gatabazi n'étaient dignes que d'un gouvernement. Deux véhicules régulièrement utilisés par les milices « interahamwé » ou la Garde Présidentielle, mais surtout, le boycottage de l'enquête par la Gendarmerie qui refusa de remettre à la Police de la MINUAR le gendarme blessé qui était un des Gardes de Corps du ministre Gatabazi et qui aurait pu dire la vérité sur les circonstances exactes de cet assassinat.

La Gendarmerie de Kigali avait prétendu devant la Police de la MINUAR qui avait essayé de mener des investigations pour traquer les auteurs de cet assassinat que le gendarme blessé était mort, mais on ne savait plus où son corps était enterré.

avec 99,98 % des voix comme c'était la règle dans la quasi-totalité des États africains où les dirigeants installés dans la dictature étaient habitués aux manipulations du vote, il ne pouvait imaginer que moins de deux ans plus tard, l'Occident allait imposer la démocratisation aux Africains (effet de la perestroîka et de la glasnost).

Mais auparavant, ces deux Présidents rwandais d'ethnie hutue Grégoire Kayibanda et Juvénal Habyarimana n'avaient jamais su se défaire du régionalisme et de l'ethnicisme pour instaurer un régime véritablement populaire au Rwanda. C'est dire qu'avant même le déclenchement de la guerre civile, le 6 novembre 1994, les Rwandais vivaient déjà dans une stabilité dans l'adversité, ponctuée par la violence, et notamment par de multiples assassinats téléguidés.

Avant la création du FPR et sa radicalisation et avant même la création des autres partis politiques qui s'en suivit à partir de 1991, les problèmes économiques et sociaux notamment la misère et la famine au sud du pays, avaient suffisamment miné le Rwanda qui n'était plus qu'une poudrière difficile à contrôler.

Le Président Habyarimana était en réalité incapable de trouver la moindre solution aux problèmes de ce pays où le désordre, la corruption et le népotisme s'étaient institutionnalisés.

Le problème des multiples réfugiés tutsis n'était qu'un bouc émissaire pour Habyarimana et son régime qui ne pouvaient justifier autrement l'échec de leur politique économique et sociale. D'où la naissance de « la menace tutsie », faux prétexte développé et utilisé par un Président acculé, et recherchant le soutien et l'unité de son ethnie (hutue) qu'il avait lui-même divisée.

En dressant ainsi gratuitement tout un peuple contre une ethnie de surcroît minoritaire, on ne pouvait que provoquer son organisation et sa détermination à se défendre par tous les moyens et en particulier par les moyens militaires.

Les Tutsi étaient par conséquent bien préparés à faire la guerre contre le régime d'Habyarimana, et surtout à la gagner, faute de quoi, ils disparaissaient définitivement du Rwanda.

En outre, dans un continent où le tribalisme et l'ethnicisme sont de règle, les Tutsi qui appartiennent à une ethnie minoritaire, savaient qu'ils n'accéderaient jamais au pouvoir au Rwanda par la voie démocratique. D'où leur grande aversion pour le verdict des urnes et leur préférence pour les solutions militaires.

Dans cette perspective, l'accord de paix d'Arusha qui ne représentait qu'une phase intermédiaire avant l'instauration d'un régime véritablement démocratique au Rwanda, ne faisait point l'affaire des Tutsi, bien que toutes les clauses importantes de cet accord leur soient largement favorables.

Le Président Habyarimana de son côté continuait à s'accrocher à un pouvoir qui était déjà très contesté et désavoué par une grande majorité des Rwandais, toutes ethnies confondues.

Habyarimana restait à tort ou à raison convaincu de l'appui inconditionnel de la France, bien que Paris ait retiré ses troupes et son Ambassadeur du Rwanda. Il comptait aussi sur l'appui des Forces Armées rwandaises et notamment sur la combativité et l'efficacité de la fameuse Garde Présidentielle et du célèbre Bataillon de Kanombé. Curieusement, les militaires de ces deux redoutables unités se rendirent sans combattre ou désertèrent purement et simplement lors des combats pour le contrôle de la ville de Kigali, en juin 1994.

Mais Habyarimana comptait aussi sur le soutien de toute l'ethnie hutue en sa qualité de défenseur de ses intérêts, face aux menaces des anciens monarques tutsis, oubliant peut-être aussi naïvement que l'esprit de vengeance est commun à tous les Rwandais.

Une fois de plus, le Président Habyarimana s'était encore trompé dans ses prévisions :

– du côté français, pas un seul soldat ne revint le soutenir ;

– face au professionnalisme et à la détermination des combattants du FPR déchaînés, les éléments de la Garde Présidentielle et du fameux Bataillon de Kanombé ne purent faire la différence. Ils prouvèrent plutôt leur faiblesse et leur manque de combativité en fuyant ou en se rendant à l'ennemi ;

– s'agissant du soutien de l'ethnie hutue, il n'eut pas lieu, tout au contraire ce fut l'occasion pour les Hutu du sud de se venger. Au sein des Forces Armées rwandaises (FAR) beaucoup d'officiers et soldats déserteront ou refuseront de combattre au côté d'Habyarimana. Certains regagneront même le camp du FPR bien avant le déclenchement du conflit. En effet, la situation politique du Rwanda augurait déjà la guerre, le régime en place et le principal parti de l'opposition armée le FPR, ayant développé une logique de guerre qui se ressentait par les multiples assassinats exécutés par leurs milices et d'intenses préparatifs militaires.

Habyarimana stockait ainsi des armes en provenance des pays occidentaux via l'Égypte, la Tanzanie ou le Zaïre à Kigali. Il convient de signaler à cet effet que le Représentant Spécial du Secrétaire Général des Nations Unies, Chef de la MINUAR I, soucieux de faire régner la paix, confisqua à l'aéroport de Kigali même, une cargaison d'armes de guerre d'une valeur de six millions de dollars en provenance de l'Égypte, et destinée au gouvernement d'Habyarimana. Selon le Chef de la MINUAR I, ces armes ne devraient parvenir au destinataire qu'après l'installation du gouvernement et de l'Assemblée nationale de transition à base élargie.

Cette mesure ou initiative avait pour but d'éviter que ces armes n'aillent alimenter les multiples cachettes des tueurs appartenant aux milices du MRND ou de la CDR.

A Mulindi, le FPR, de son côté, entassait d'énormes quantités d'armes en provenance des mêmes pays occidentaux, via l'Ouganda.

En réalité et selon l'expression du Président Habyarimana en personne, l'accord de paix d'Arusha « était un chiffon de papier » qui ne méritait plus qu'une poubelle.

A partir de tels propos, cet accord ne pouvait ni empêcher l'explosion de la violence, ni retarder le déclenchement de la guerre après le double assassinat des présidents rwandais et burundais le 6 avril 1994. Le régime d'Habyarimana et le FPR s'étaient préparés en réalité à régler leur différend par la guerre et cette guerre ne pouvait qu'avoir lieu, car les belligérants croyaient tous y trouver leurs intérêts politiques et nul ne pouvait empêcher cet événement tragique aux Rwandais prisonniers des ambitions personnelles de leurs politiciens.

D'autre part, le régime d'Habyarimana et les partis politiques autorisés en faisant appel aux Nations Unies afin qu'elles viennent les aider à mettre en place un gouvernement de transition à base élargie issu des accords de paix d'Arusha, savaient d'avance que la mise en place de ce gouvernement était impossible. D'où les multiples tergiversations et blocages.

Le Conseil de Sécurité était aussi victime des mensonges et du double langage des Rwandais. Ce serait probablement pour cette raison que bien qu'étant régulièrement informées le 11 janvier 1994 par le chef des casques bleus de la MINUAR, le Général Roméo Dallaire du projet de massacres à très grandes échelles des Tutsi, les Nations Unies n'envoyèrent au Rwanda qu'une mission de paix c'est-à-dire dénuée d'un mandat offensif.

Les casques bleus de la MINUAR ne purent malheureusement dans ces conditions, s'interposer entre les belligérants, et éviter les ignobles massacres des populations.

Il convient néanmoins de préciser que bien avant cette information du chef des casques bleus de la MINUAR, les Hutu et les Tutsi avaient déjà mis en place leurs stratégies guerrières respectives. Par des actions meurtrières sporadiques, les deux entités ethniques se rivalisaient en assassinats politiques à travers tout le Rwanda.

Sur ce point, il importe de rappeler entre autres assassinats, le massacre à caractère d'extermination perpétré le 15 mars 1994 dans la Sous-Préfecture de Kinihira, et dont furent victimes :

M. Nyinlinkwaya Nathaniel, directeur de la plantation de thé de Cyohola-Rukiri ;

Bukeye Justin ;

Safali Émile ;

Deffroy Bonaventure.

Les soldats de la patrouille de la MINUAR dépêchés sur les lieux du massacre le lendemain, trouvèrent des fragments de grenades et surtout, les douilles des cartouches tirées des fusils AK-47.

Ces personnes toutes d'appartenance ethnique hutue et de surcroît proches du Président Habyarimana, furent certainement assassinées par des miliciens extrémistes autres que ceux du MRND.

Ces quelques événements prouvent clairement aujourd'hui que bien avant le crash de l'avion du Président rwandais le 6 avril 1994, les populations rwandaises toutes entités ethniques confondues, étaient la cible des extrémistes de tous bords.

Il n'y avait donc pas que les Tutsi qui étaient assassinés, comme les extrémistes hutus n'étaient pas les seuls assassins au Rwanda.

C'est dire qu'avec ou sans la mort tragique du Président Habyarimana, une confrontation militaire généralisée opposant les Hutu aux Tutsi, était inévitable et ses préparatifs se faisaient au su de la communauté internationale.

Par conséquent, le général Roméo Dallaire aurait encore été plus précis, en parlant plutôt d'un projet inter-ethnique d'extermination systématique, dans lequel les leaders politiques hutus et tutsis avaient imprudemment engagé les populations rwandaises.

Pire encore, les deux missiles sol air qui avaient abattu l'avion des Présidents rwandais et burundais, étaient tirés à partir d'une zone contrôlée par les soldats des Nations Unies et jusqu'aujourd'hui, on n'a jamais su officiellement qui avait tiré ces missiles.

Sur ce point, des commentaires de tous genres alimentent les milieux politiques dont certains commencent à se douter de la capacité des Nations Unies à résoudre véritablement les conflits qui deviennent de plus en plus complexes surtout dans les pays en voie de développement.

S'agissant de la succession des génocides et l'attitude controversée de l'organe de décision qu'est le Conseil de Sécurité, un certain nombre de questions continuent à se poser aujourd'hui.

C'est ainsi que l'on se demande pourquoi le Conseil de Sécurité, régulièrement informé des préparatifs des massacres à très grande échelle et des risques d'une guerre généralisée au Rwanda par le chef des casques bleus de la MINUAR I en l'occurrence le Général Roméo Dallaire et ce, depuis le 11 janvier 1994, ne jugea pas utile de changer son mandat en le transformant en un mandat offensif, susceptible d'empêcher les tueries au Rwanda.

Pourquoi le même Conseil de Sécurité, après le déclenchement d'une guerre qui était prévisible et attendue, réduisit plutôt drastiquement les effectifs militaires de la MINUAR I en les ramenant de 2 500 à 270 hommes.

Pourquoi après la victoire militaire du FPR, alors que ce seul parti détenait et détient toujours le pouvoir à Kigali, le Conseil de Sécurité inondait enfin le Rwanda d'importants contingents pour ne s'occuper que des « missions humanitaires ».

Pourquoi ces casques bleus restèrent aussi indifférents et passifs face au massacre organisé et planifié de plus de 2 000 réfugiés hutus du camp de Kibeho, le 22 avril 1995 par l'Armée Patriotique Rwandaise.

Enfin, pourquoi le Programme Alimentaire Mondial (PAM) qui auparavant, s'occupa de quelques 200 000 déplacés internes tutsis, 400 000 déplacés éparpillés dans les camps des zones démilitarisées, 7 000 rapatriés spontanés provenant de la vallée du Mutara autour de Kerama, 9 000 rapatriés de Tanzanie à Nyaburishongezi dans le Nord du Rwanda tous Tutsi, ne cessait d'évoquer le manque de crédits au moment où il fallait absolument venir en aide aux réfugiés hutus.

Autant de contradictions qui conduisent aujourd'hui à se poser des questions sur l'objectivité et l'impartialité de certains organes des Nations Unies, surtout qu'en début du conflit, le gouvernement zaïrois sous le régime de l'ex-Président Mobutu les accusait d'être les complices des « Banyamoulengue », c'est-à-dire des zaïrois d'origine tutsie, armés par l'Ouganda, le Rwanda et le Burundi et qui assassinaient les populations des régions zaïroises d'Uvira et de Bukavu.

B – LA MINUAR (Mission des Nations Unies pour l'assistance au Rwanda)

1 – HISTORIQUE ET OBJECTIFS

La MINUAR est la transformation de la MONUOR (Mission d'observation des Nations Unies Ouganda/Rwanda créée le 22 juin 1993 par la résolution du Conseil de sécurité 846 (1993), suite aux lettres adressées séparément au Président du Conseil de sécurité par les gouvernements ougandais et rwandais, afin d'encourager et de faciliter la reprise des négociations entre le gouvernement rwandais et le FPR.

La MONUOR avait pour mandat d'observer la frontière entre l'Ouganda et le Rwanda afin de s'assurer qu'il n'y avait aucune assistance militaire susceptible d'appuyer le FPR et de nuire au gouvernement rwandais.

Après plusieurs événements illustrés par des accords de cessez-le-feu et notamment l'accord de paix entre le gouvernement rwandais et le FPR signé à Arusha le 4 août 1993, le conseil de sécurité, sur la base des rapports du secrétaire Général du 24 août et du 29 septembre 1993, décidait de créer la Mission des Nations Unies pour le Rwanda (MINUAR), par adoption de sa résolution 872 (1993) du 5 octobre 1993.

La MINUAR avait pour mandat :

– de contribuer à assurer la sécurité de la ville de Kigali et de ses alentours ;

– de superviser l'accord de cessez-le-feu appelant à la mise en place de points de cantonnements et de rassemblement et à la délimitation d'une nouvelle zone démilitarisée de sécurité, ainsi qu'à la définition d'autres procédures de démobilisation ;

– de superviser les conditions de la sécurité générale dans tout le pays pendant toute la période couvrant le mandat du gouvernement de transition jusqu'aux élections ;

– de contribuer au déminage et au programme de formation ;

– d'examiner à la demande des parties ou de sa propre initiative, les cas de non-application du protocole d'accord sur l'intégration des forces armées, en déterminer les responsables et faire rapport sur cette question au secrétaire Général ;

– de contrôler le processus de rapatriement des réfugiés rwandais et de réinstallation des personnes déplacées en vue de s'assurer que ces opérations sont exécutées dans l'ordre et la sécurité ;

– d'aider à la coordination des activités d'assistance humanitaire liées aux opérations de secours ;

– d'enquêter et faire rapport sur les incidents relatifs aux activités de la Gendarmerie et de la Police.

Sur ces huit points qui constituaient l'essentiel du mandat de la MINUAR, il reste fondamental de relever que le premier et le dernier point c'est-à-dire la sécurité de la ville de Kigali et les investigations n'avaient pas été respectés, puisqu'avant le déclenchement de la guerre le 6 avril 1994, Kigali voire tout le Rwanda étaient le théâtre de multiples assassinats quotidiens. Et aucune investigation n'était sérieusement menée, afin de débusquer les assassins et les neutraliser. Jusqu'à ce jour, les enquêtes diligentées par les Nations Unies elles mêmes pour trouver ceux qui tirèrent deux missiles sol air le 6 avril 1994 contre l'avion du Président Habyarimana, n'ont pas encore abouti. Et pourtant, ces missiles furent tirés à partir de la zone qui était sous le contrôle des casques bleus de la MINUAR.

C'est dans ce même contexte que la Police des Nations Unies qui devait collaborer avec la Police et la Gendarmerie locales, n'a jamais pu apporter des éclaircissements suffisants sur les conditions d'assassinat du Président Habyarimana ou du ministre Gatabazi en plein Kigali pour ne citer que ces deux illustres victimes. Et pourtant les Nations Unies à travers la MINUAR, avaient la responsabilité de la sécurité de la ville de Kigali. L'on se demande comment la MINUAR aurait pu assurer cette sécurité sans usage d'armes. D'où la contradiction flagrante entre les missions assignées à la MINUAR sans mandat offensif, et les nobles objectifs de paix préconisés par le Conseil de Sécurité.

D'autre part, les missions de reconnaissance initiées par le Secrétaire Général des Nations Unies en août et septembre 1993 en vue de renforcer l'action de la MINUAR, avaient certainement permis d'évaluer la structure des forces des parties en conflit, de se faire une idée sur leur matériel et armement, ainsi que de la topographie des lieux d'implantation des troupes respectives par voies terrestre et aérienne. Le rapport de ces missions était mis à la disposition du Conseil de Sécurité bien avant le déclenchement des hostilités, le 6 avril 1994. Tout laisse donc à croire que le Conseil de Sécurité, en refusant un mandat offensif à la MINUAR, avait tout de même des informations précises sur l'armement et les intentions belliqueuses du gouvernement rwandais et du FPR.

Pourquoi les Nations Unies ne prirent jusque là, aucune mesure pour éviter le déclenchement de la guerre au Rwanda ?

L'on ne comprend toujours pas pourquoi après le déclenchement de la guerre et les multiples assassinats qui s'en suivirent, le Conseil de Sécurité ne put toujours pas transformer le mandat de la MINUAR en un mandat offensif qui aurait permis aux casques bleus de s'interposer entre les deux belligérants et ainsi éviter les massacres des populations rwandaises. Outre les soldats des Nations Unies, les troupes des contingents belge et français restés à Kigali pour assurer l'évacuation de leurs ressortissants, étaient tout à fait capables de neutraliser les combattants du FPR et du gouvernement rwandais.

Et pourtant rien n'avait été fait dans ce sens. Était-ce par oubli, par négligence, par mauvaise information ou tout simplement par la volonté du Conseil de Sécurité de voir une des parties gagner la guerre et ainsi panser les plaies de la façon la plus unilatérale et embarrassante comme c'est le cas actuellement ?

Autant de questions que l'on ne cesse de se poser et où les meilleurs politologues se perdent en conjectures, sans jamais comprendre le pourquoi et le comment de l'enfer rwandais, quand et comment s'en sortir définitivement.

Il s'agit là d'une situation extrêmement délicate qui démontre certaines carences dans le système des Nations Unies, et égratigne incontestablement, l'objectivité du Conseil de Sécurité qui ne semble plus s'adapter aux nouvelles mutations planétaires. De nos jours, les cas du Rwanda, du Burundi, du Sahara ex-espagnol en Afrique ou de l'ex-Yougoslavie en Europe, ne sont que quelques exemples parmi tant d'autres, lesquels illustrent désormais la politique actuelle des Nations Unies, se caractérisant par le principe « deux poids, deux mesures ».

Le moins que l'on peut dire aujourd'hui est que la MINUAR avec son mandat de paix, ne pouvait empêcher ni le déclenchement de la guerre, ni les assassinats téléguidés, ni le pourrissement politique et social au Rwanda d'une part. D'autre part, que le Conseil de Sécurité en adoptant dans la nuit du 16 au 17 mai 1994 la résolution 917 autorisant le déploiement de 5 500 « casques bleus » au Rwanda, avec interdiction de recourir à la force à Kigali et dans le reste du Rwanda, recherchait préalablement une solution militaire et non une solution négociée. Alors dans ce cas, quelle était en réalité le but de la MINUAR ?

2 – LA POLÉMIQUE POUR LA DÉSIGNATION DU DÉPUTÉ DE LA CDR ET LA PLAINTE DU FPR CONTRE LE PATRON DE LA MINUAR I

Conformément aux prescriptions de l'article 80 de la Section 4 traitant du code d'éthique politique liant les forces politiques devant participer aux institutions de la transition, la CDR (Coalition pour la Défense de la République), parti extrémiste qui avait par ailleurs refusé de faire partie du gouvernement de transition à base élargie issu de l'accord de paix d'Arusha, ne devrait objectivement pas avoir de représentant au sein de l'assemblée nationale de transition.

Or par la lettre du 28 mars 1994[24] adressée au Premier ministre rwandais par les membres du gouvernement et ayant pour objet de préciser le rôle du gouvernement dans la mise en place des institutions de transition à base élargie, la CDR acceptait officiellement toutes les conditions du code d'éthique énoncées dans l'article 80, et pouvait par conséquent participer aux Institutions de transition à base élargie.

---

24. Voir la lettre de protestation du gouvernement adressée au Premier ministre en annexes C).

La même lettre faisait aussi état de la non désignation par le Premier ministre d'un Député du Parti Démocratique Islamique.

Cependant, le simple fait que le Représentant Spécial du Secrétaire Général des Nations Unies chef de la MINUAR à Kigali ait demandé au FPR d'assouplir à son tour sa position en acceptant un Député de la CDR afin de sortir de l'impasse, fut interprété d'office comme une prise de position partisane en faveur du régime d'Habyarimana, et une collaboration avec le parti extrémiste qu'était la CDR. La condamnation du FPR sur ce point était sans appel ainsi que l'atteste la virulence des termes de sa plainte adressée au Conseil de Sécurité[25].

Et pourtant, la même plainte ne fit la moindre allusion ni de l'absence du Député MDR « power », ni de la présence irrégulière du Député du PDI. Le FPR fit semblant d'oublier aussi vite, les nombreuses violations des statuts par le Président du MDR « rénové », et sans lesquelles les négociations auraient pu être bloquées depuis longtemps.

Les accusations du FPR au sujet du Député de la CDR, étaient tellement excessives que d'aucuns se demandent aujourd'hui si ce n'était pas un prétexte pour bloquer les négociations politiques qui allaient à moyen terme, conduire ou aboutir à une solution démocratique défavorable au FPR, alors que seule une solution militaire lui accordait le maximum d'avantages.

Cette hypothèse semble d'autant plus plausible que les faits reprochés au Représentant Spécial du Secrétaire Général des Nations Unies à Kigali n'étaient pas tous fondés, notamment le caractère partisan de son action en tant que chef de la MINUAR I.

D'ailleurs la note verbale des partis politiques MRND, MDR, PSD, PDC, PL, FPR du 21 février 1994 adressée au Représentant Spécial du Secrétaire Général des Nations Unies à la MINUAR bien avant le déclenchement de la guerre, ainsi que la lettre du Secrétaire Général des Nations Unies du 5 juillet 1994 après la guerre, adressée au Président de la République camerounaise pour féliciter l'action menée par son ex-ministre, confirment pleinement l'impartialité du Dr Booh Booh dans toutes les phases du règlement du conflit rwandais[26].

En outre, la plainte mettant en cause l'impartialité du Représentant Spécial du Secrétaire Général des Nations Unies à la MINUAR n'était

25. Voir la plainte du FPR adressée au Conseil de Sécurité en annexes D).
26. Voir la note verbale des partis politiques rwandais du 21 février 1994 adressée au Représentant Spécial du Secrétaire Général des Nations Unies à la MINUAR en annexes E).
Voir la lettre du Secrétaire Général des Nations Unies du 5 juillet 1994 adressée au Président de la République camerounaise en annexes F) et G).

rédigée que le 5 avril 1994, c'est-à-dire un jour seulement avant l'imprévisible assassinat du Président Habyarimana.

Était-ce une simple coïncidence des faits, ou bien le résultat d'une suite logique d'actions bien préparées et synchronisées d'avance ? Pour le moment, l'heure est encore aux interrogations et aux hypothèses, en attendant les résultats de l'enquête qui avait été confiée aux spécialistes des Nations Unies.

Il importe cependant de signaler qu'au moment où le Dr Booh Booh, ressortissant camerounais, prenait ses fonctions à Kigali, il était d'avance suspecté par les Tutsi car pendant la même période, il était dit qu'un autre haut diplomate camerounais était mêlé aux activités de trafic d'armes avec des hauts responsables du Zaïre, pays hostile aux intérêts tutsis. Dans ces conditions, la méfiance voire l'hostilité du FPR vis-à-vis des Camerounais de culture francophone surtout, n'était que légitime.

En réalité, le grand crime du Docteur Booh Booh avait été son obstination aveugle de vouloir à tout prix régler pacifiquement et rapidement un vieux conflit que les Rwandais eux-mêmes ne voulaient régler que par les armes, et en finir une fois pour toutes. C'est pour cette raison que les Nations Unies préférèrent elles aussi observer une certaine neutralité pendant la période d'intenses combats, malgré le nombre effroyable des victimes.

Ici, la célèbre formule de l'officier Prussien Clausewitz selon laquelle, « la guerre est une simple continuation de la politique par d'autres moyens », s'applique entièrement. Malheureusement, cette guerre continue et sa fin politique est loin d'être atteinte.

Dans tous les cas de figure, le chef de la MINUAR I était un sacrifié, un cobaye de la diplomatie internationale. S'il restait indifférent et passif au moment où les Rwandais s'entretuaient, il serait traité d'irresponsable. Ayant entrepris des négociations pour empêcher la guerre et tenter de régler pacifiquement un conflit millénaire, il avait été traité de partisan, les deux tendances voulant absolument la guerre. Les accords d'Arusha étaient donc un piège pour la communauté internationale et étaient de ce fait, pratiquement inapplicables.

C – LA GUERRE

1 – LA GUERRE ÉTAIT-ELLE UN ACCIDENT DE NÉGO-CIATION OU BIEN UNE ACTION PROGRAMMÉE ?

On ne saurait répondre à cette question, sans au préalable procéder à une courte analyse des événements imprévisibles qui intervinrent quelque temps avant la date de la mise en place du gouvernement de transition à base élargie, et qui rendirent impossible, la réalisation de cette promesse tant attendue par de nombreux Rwandais las de la violence, de la guerre et des tueries absurdes.

En effet, le Président Habyarimana boycottait habituellement la mise en place des Institutions de transition soit en s'absentant, soit en créant des nouvelles conditions politiques pratiquement inacceptables par le FPR. D'autre part, les fréquents assassinats de certaines personnalités politiques la veille des dates prévues pour la mise en place des institutions de transition étaient autant d'événements qui bloquaient l'évolution du processus politique engagé au Rwanda.

Le ministre Félicien Gatabazi, secrétaire exécutif du Parti Socialiste Démocratique (PSD), était assassiné dans ces conditions.

Un commando surarmé et suréquipé exécuta cet homme de compromis le 21 février 1994, alors que les cérémonies pour l'installation du énième gouvernement de transition à base élargie devrait avoir lieu le 22 du même mois. Ces cérémonies avortèrent ce jour en raison de la gravité du nouvel événement, et furent reportées au 25 mars 1994. A cette date et comme toujours, le Président Habyarimana brilla par son absence et rien ne fut fait.

Mais la riposte de l'opposition à ces genres d'intimidations ne se fit pas attendre. Le Président de la CDR Martin Bucyana fut assassiné en guise de représailles le 22 février 1994.

Rien ne pouvait stopper l'escalade de la violence, car le régime en place et l'opposition armée étaient convaincus de leurs positions extrêmes et du caractère irréversible de leurs décisions. Les deux parties ne pouvaient qu'évoluer vers la guerre qui restait leur seule planche du salut.

Pour le Président Habyarimana et les extrémistes, la guerre était la meilleure occasion leur permettant d'exterminer les Tutsi et pour le FPR sûr de la détermination et de l'efficacité de ses combattants, la guerre était la meilleure occasion qui lui permettait d'abattre le régime d'Habyarimana et d'accéder au pouvoir tout en assujettissant l'ethnie hutue, et c'est ce qui est arrivé.

Pour le régime d'Habyarimana comme pour le FPR, les enjeux politiques étaient de taille et il fallait en découdre par les armes. Il serait donc absurde aujourd'hui d'imaginer que la guerre au Rwanda était la conséquence de l'échec des négociations puisqu'en réalité, le Président Habyarimana et ses extrémistes n'avaient jamais accepté le principe même de l'accord de paix d'Arusha. Et les multiples séances de négociation pour faire semblant d'installer un gouvernement de transition à base élargie n'étaient qu'un leurre, une façon de tromper l'opinion nationale et internationale en laissant passer le temps.

La guerre était donc une certitude et l'assassinat programmé et planifié du Président Habyarimana n'avait servi que de détonateur.

2 – LA MISSION DE LA DERNIÈRE CHANCE DU REPRÉSENTANT SPÉCIAL DU SECRÉTAIRE GÉNÉRAL DE L'ORGANISATION DES NATIONS UNIES AU RWANDA

La mise en place du gouvernement de transition à base élargie ayant été compromise et reportée plusieurs fois à cause de l'intransigeance de la Coalition pour la Défense de la République (CDR) tenant absolument à s'offrir un siège de Député à la nouvelle assemblée nationale de transition avec l'appui du Président Habyarimana, le Représentant Spécial du Secrétaire Général des Nations Unies entreprit une opération de dernière chance pour tenter de débloquer la situation, le Conseil de Sécurité menaçant par ailleurs de suspendre la mission faute de progrès dans les négociations.

C'est dans ces conditions que le Représentant Spécial demanda à rencontrer le Président de la République, et ce dernier le reçut dans sa ville natale de Gisenyi le 3 avril 1994. A son retour à Kigali le 4 avril 1994, le Représentant Spécial me confia qu'il avait effectivement rencontré le Chef de l'État rwandais, mais n'avait pas réussi à le convaincre sur la question essentielle, celle du Député de la CDR qui bloquait l'application des accords de paix d'Arusha et la mise en place du gouvernement de transition à base élargie.

Le Représentant Spécial ajouta que le Président de la République avait cependant promis de le recevoir dès son retour de Dar-es-Salam, et qu'il allait s'adresser par la suite à la Nation rwandaise.

Malheureusement, l'avion qui ramenait le Président Habyarimana de Dar-es-Salam (Tanzanie), fut abattu en plein ciel de Kigali dans la zone aéroportuaire, par deux missiles sol air le 6 avril 1994 aux environs de

20 h 35, heure de Kigali. Le Président Habyarimana et tout l'équipage périrent dans le crash de l'appareil.

Après ce drame, personne ne sait aujourd'hui avec certitude, ce que le Président Habyarimana aurait voulu dire au Représentant Spécial, et personne n'a une idée précise du contenu du message qu'il aurait voulu adresser à la Nation.

Tout laisse cependant croire qu'en raison de la gravité du climat politique dominé par une insécurité devenue insupportable dans tout le pays, le Président Habyarimana allait peut-être cette fois là œuvrer dans le sens d'un certain assouplissement ; mais ce n'est qu'une hypothèse.

Il convient de préciser aujourd'hui que cette mission de la dernière chance fut malheureusement mal perçue par le FPR qui déjà, entretenait une certaine colère contre le Représentant Spécial à partir de l'affaire du Député improvisé de la CDR qu'il tenta naïvement de soutenir afin de débloquer les négociations. Passer quelques jours de mission au village natal du Président de la République, village réputé de surcroît être un bastion de l'extrémisme, était la dernière goutte qui déborda la vase, et le FPR estima que le Représentant Spécial collaborait avec le Président Habyarimana ; un Président désavoué et tenu à distance par toute la communauté internationale.

Pour le FPR qui suspectait déjà le Représentant Spécial, sa mission à Gisenyi hors de Kigali, confirmait certaines affinités et complicités entre ces deux personnalités, sans aucune autre preuve. Et pourtant, pour tenter d'empêcher la guerre et les tueries au Rwanda, le Représentant Spécial avait bloqué à l'aéroport de Kigali les tonnes d'armes commandées par le gouvernement et en provenance d'Égypte. Ces armes ne devraient être remises au gouvernement qu'après l'application des accords de paix d'Arusha.

Deux faits remarquables resteront cependant significatifs après cette mission de Gisenyi :

– un jour seulement après le retour du Représentant Spécial à Kigali et plus précisément le 5 avril 1994, le FPR mettait enfin officiellement en cause son impartialité, en lui portant plainte au Conseil de sécurité et en refusant désormais sa médiation ;

– enfin, un jour après l'envoi de la plainte qui était d'ailleurs faxée de Mulundi (siège du FPR à l'époque), l'avion du Président Habyarimana fut abattu le 6 avril 1994. Ce triste événement plongeait du coup le Rwanda dans une cruelle guerre fratricide qui risque de durer aussi longtemps que ce pays n'aura pas retrouvé ses repères ethniques et régionaux d'antan. Il s'agira notamment d'instaurer un système économique et politique favorable aux populations des deux ethnies antagonistes.

Ces deux principaux faits, minutieusement planifiés dans le temps et dans l'espace, exécutés des mains de maîtres sans la moindre faille, ne pouvaient que bénéficier d'une complicité des puissances étrangères, mais lesquelles ? Les Nations Unies étaient-elles au courant ? Sinon demeurent-elles aussi incapables jusqu'à ce jour pour désigner les responsables de cette tragédie qui a entraîné le Rwanda et le Burundi dans une guerre absurde visant en réalité, à déstabiliser toute l'Afrique noire à partir du Centre ? A qui profiterait alors un tel crime ?

S'agirait-il d'un complot impérialiste d'un style nouveau, savamment maquillé par les faux prétextes de tribalisme, d'ethnisme, de fascisme, de régionalisme, et je ne sais plus trop de quels « ismes », comme si ces fléaux n'étaient particuliers qu'en Afrique noire et particulièrement au Rwanda et au Burundi ?

La situation politique actuelle des pays de la région des Grands Lacs, se caractérisant par des génocides successifs, répond malheureusement en partie à cette question.

3 – LES IMPLICATIONS ÉTRANGÈRES DANS LE CONFLIT RWANDAIS

L'influence de la culture dans nos comportements, nos habitudes et nos goûts n'étant plus à démontrer, la notion ou le concept d'espace culturel devient aujourd'hui un important facteur de promotion économique pour les pays industrialisés toujours en quête de nouveaux débouchés.

Dans cette perspective, le Rwanda, le Burundi et l'ex-Zaïre qui sont situés dans une zone servant de lisière entre les pays de culture anglophone et les pays de culture francophone, et qui jouissent d'un des meilleurs climats d'Afrique voire du monde, font l'objet de vives convoitises de la part des pays industrialisés et en particulier, ceux de culture anglophone qui souhaiteraient les rattacher définitivement dans leur zone d'influence culturelle, économique et politique, laquelle s'étend provisoirement aujourd'hui de la Tanzanie en Ouganda en passant par le Kenya, et dans laquelle le Rwanda et la nouvelle République Démocratique du Congo se trouvent déjà engagés.

D'autre part, certains pays industrialisés ne s'abstiennent point de favoriser, d'attiser ou de provoquer des conflits dans les pays encore arriérés, afin de les déstabiliser en permanence, et ainsi y pérenniser leur exploitation économique et politique.

Pour le moment, aucun pays dépendant n'échappe à ces genres de conflits périphériques déstabilisateurs qui appauvrissent, ruinent, mais jamais n'exterminent, le principe étant de sauvegarder la main-d'œuvre utile, toujours indispensable pour la production et la reproduction.

Les causes de ces conflits restent multiples et variées, mais elles sont toujours liées aux faits coloniaux plus ou moins lointains. Dans une perspective des conflits externes, la guerre qui opposa l'Iran et l'Iraq et dont la cause principale fut la contestation des frontières héritées de la colonisation, nous offre le meilleur exemple des manipulations extérieures. Dans cette guerre qui fut cruelle et ravageuse, les pays industrialisés comme d'habitude, surent tirer leur épingle du jeu d'abord en vendant leurs armes aux belligérants, ensuite en obtenant des marchés pour la reconstruction des pays détruits après une guerre qu'ils avaient favorisée et enfin, en renforçant leur influence économique et politique dans ces mêmes pays.

Dans le cadre des conflits internes que nous vivons actuellement dans plusieurs pays du monde et surtout au Rwanda et au Burundi ; deux petits pays qui ont pourtant été à l'origine des plus grands génocides de ce demi-siècle, les pays industrialisés continuent d'exploiter directement leurs anciens pièges coloniaux soit par valorisation arbitraire des performances de certaines ethnies comme c'est précisément le cas au Rwanda et au Burundi, soit par surestimation arbitraire des potentialités économiques naturelles des régions d'un même pays en vue d'y créer des rivalités inter-régionales, et d'opposer les populations ou plutôt, les citoyens d'un même pays comme cela a été longtemps le cas pour l'Angola, le Cameroun ou le Nigeria pour ne citer que ces quelques pays en Afrique noire.

Cette énumération est loin d'être exhaustive, car des cas semblables sont légions en Afrique et dans d'autres pays dépendants du reste du monde.

Mais avec la fin de la guerre froide, les nouvelles exigences économiques et politiques d'un monde désormais unipolaire ont brisé ces barrières qui faisaient de certains pays dépendants, la chasse gardée d'autres pays développés et ce, en conformité avec les principes hérités des accords de Yalta, célèbres pour leur logique de balkanisation des pays arriérés.

Aujourd'hui, la guerre froide a cédé la place à la guerre « tiède » où les rivalités et les coups bas entre les pays industrialisés se confrontant pour s'assurer le contrôle d'un nombre maximum des pays dépendants, deviennent de plus en plus graves, atroces et cyniques.

En effet, dans l'exploitation quotidienne des multiples pièges coloniaux à la base des contradictions qui génèrent et entretiennent les troubles et la violence dans les pays périphériques, chaque pays développé s'efforce actuellement de se positionner dans le Tiers Monde, en soutenant parfois le plus arbitrairement possible, la tendance politique qui lui offre les meilleures garanties pour la préservation de ses intérêts économiques après son accession au pouvoir.

Il apparaît clair aujourd'hui que les leaders ou chefs des tendances politiques qui se rivalisent et s'affrontent dans les pays périphériques afin d'accéder au pouvoir par tous les moyens, s'engagent implicitement à servir plus ou moins les intérêts de leurs protecteurs que sont justement les pays industrialisés, et dont ils dépendent entièrement. Le prétexte des intérêts économiques et politiques des États respectifs que ces ambitieux prétendent défendre, ne rentre que dans la logique des discours politiques stériles, destructeurs et totalitaires. Il faut bien dire n'importe quoi pour tromper et manipuler les populations encore naïves des pays en voie de développement.

Faut-il rappeler à ce propos qu'il n'y a point de philanthropie en matière de développement économique et qu'en réalité, chaque État véritablement souverain, reste responsable de la survie de ses populations ? Et le Secrétaire d'État américain John Foster Dulles, ne l'avait-il pas si bien résumé en déclarant : « l'Amérique a des partenaires, mais l'Amérique n'a pas d'amis » ? Une formule sur laquelle s'est toujours appuyé le sinistre principe « trade not help », lequel caractérise très souvent les relations des États-Unis d'Amérique avec les pays de la périphérie.

C'est dans ce contexte que le Rwanda, ce vieux pays de culture pourtant francophone, tourne progressivement le dos à la francophonie, et les propos tenus le 3 novembre 1994 par son Premier ministre à la veille des rencontres franco-africaines de Biarritz en sont une parfaite illustration[27].

A ces propos de l'ancien Premier ministre Twagiramungu, il convient aussi d'ajouter ceux plus récents du Président de la République Démocratique du Congo Laurent-Désiré Kabila, qui enterrogé lors du sommet de la francophonie d'Hanoi (du 14 au 16 novembre 1997) où son pays n'était pas représenté, déclarait sans nuance que la francophonie était une extension du colonialisme.

Autant de propos qui montrent que la francophonie est aujourd'hui en

---

27. S'agissant de la mauvaise posture actuelle de la francophonie au Rwanda, rappelons que le Premier ministre rwandais de l'époque, Faustin Twaviramungu de culture francophone de surcroît, déclarait le 3 novembre 1994 à travers les ondes de Radio France Internationale (RFI) qui voulait comprendre sa réaction au sujet des rencontres franco-africaines de Biaritz où son pays n'était d'ailleurs pas invité, ce qui suit : « ce sont des rencontres pittoresques où l'on ne décide rien d'important pour mon pays ». Ces propos effrayants ne pouvaient qu'inquiéter, surtout quand on connait l'importance économique et politique de ces rencontres où l'essentiel se décide pour les pays de l'Afrique francophone. Pour le moment les vrais décideurs de Kigali n'ont encore rien dit, et la visite du ministre rwandais des Affaires Étrangères Anasthase Paris en février 1995 était un élément reconfortant qui levait partiellement toute équivoque diplomatique entre Kigali et Paris.

difficulté dans certains pays de l'Afrique noire, ceux de la région des Grands Lacs en particulier.

Les rivalités entre les pays industrialisés en vue de l'occupation économique du Tiers Monde se sont beaucoup accentuées ces jours, et tous les moyens sont désormais utilisés par les uns et les autres pour gagner du terrain, l'occuper et y rester.

S'agissant du Rwanda et du Burundi, pays jouissant de nombreux atouts naturels, les convoitises des pays industrialisés peuvent se comprendre en tant qu'un aboutissement logique du système planétaire d'exploitation où, en raison des contraintes politiques et économiques, les plus forts se trouvent obligés d'avaler les plus faibles. Aussi, l'implication indirecte des pays industrialisés dans les conflits des pays de la région des Grands Lacs est certaine. Pour s'en convaincre, il suffit de rappeler que ce sont les pays industrialisés qui fournissent à la fois les armes et les conseils aux régimes et aux opposants de ces mêmes régimes, et que les belligérants n'auraient jamais pu se livrer aux massacres et barbaries aussi odieux en n'utilisant que les seules armes traditionnelles propres aux Africains. Du moins, les massacres n'auraient pas connu la même ampleur.

D'une manière générale, les guerres périphériques permettent aux pays industrialisés non seulement de vendre des stocks d'armes devenues obsolètes en cette période de guerre électronique, mais aussi de se débarrasser en partie ou en totalité des surplus de productions agricoles déjà compensées par leurs gouvernements respectifs, et normalement destinées à la destruction, mais envoyées pour la circonstance aux pays en guerre par le biais de l'aide humanitaire et ce, en dépit de la qualité qui n'est toujours pas la meilleure.

Parlant des facteurs géostratégiques susceptibles de favoriser les convoitises et l'implication des pays industrialisés dans le « panier à crabes » des pays de la région des Grands Lacs, ils sont insignifiants, le Rwanda et le Burundi étant des petits pays enclavés, économiquement dépendant des pays de culture anglophone, notamment la Tanzanie et surtout le Kenya où la base militaire américaine de Mombassa permet le contrôle stratégique de cette région de l'Afrique.

4 – LE DÉCLENCHEMENT DE LA GUERRE ET SES ATROCITÉS

Comme la guerre était devenue une évidence au Rwanda, il fallait tout simplement un prétexte pour la déclencher, et ce prétexte survint hélas, le 6 avril 1994.

En effet, ce mercredi 6 avril vers 20 h 45, presque tous les Kigaliens veillaient encore quand se fit entendre deux violentes explosions. Pour beaucoup de citadins déjà habitués à ces genres d'explosions, c'étaient des tirs d'intimidation des célèbres « Interahamwé » ou des fameux « Impuzamugambi » [28] en mal de violence qui justifient de cette horrible façon, leur présence dans la ville.

Il n'en était pourtant rien puisqu'en moins d'une heure seulement, la radio nationale rwandaise et certaines radios étrangères commençaient déjà à diffuser la nouvelle du crash de l'avion Présidentiel, abattu par deux missiles sol-air au moment où l'appareil effectuait les manœuvres d'approche pour atterrir sur l'aéroport international Grégoire Kayibanda de Kigali. Quelques minutes plus tard, un coup de téléphone d'une autorité rwandaise nous confirmait le crash et la mort du Président Habyarimana avec tout l'équipage [29].

Vers 23 heures, arrivaient à la résidence du Représentant Spécial du Secrétaire Général des Nations Unies, le Chef commander, le Général Major Roméo Dallaire accompagné de deux officiers supérieurs de l'État-Major de l'Armée Rwandaise. Ces deux hauts responsables militaires à savoir : le Colonel Bagosora, Directeur de Cabinet du Ministère de la Défense et le Lieutenant-Colonel Ephrem Rwabilinda, Officier de liaison des Forces Armées Rwandaises (FAR) auprès de la MINUAR, vinrent demander au Chef de la MINUAR d'apporter son appui au gouvernement militaire qu'ils voulaient instaurer, suite à l'assassinat du Président Habyarimana.

A la réponse négative du chef de la mission qui alla même jusqu'à expliquer qu'une telle procédure était impossible car contraire à l'esprit de l'accord de paix d'Arusha, ces officiers désemparés rentrèrent découragés et très abattus.

Quand, peu avant minuit, la radio nationale annonça officiellement le crash et la mort du Président de la République, la panique et les inquié-

---

28. Les Interahamwé et les Impuzamugambi sont des appellations rwandaises des milices qui assassinent et qui appartiennent aux partis extrémistes MRND et CDR.

29. Furent victimes du crash de l'avion présidentiel, les personnalités suivantes :
– tous les membres de l'équipage composé d'officiers et sous officiers français ;
– le Président de la République burundaise appartenant à l'ethnie hutue ;
– le Président de la République rwandaise M. Habyarimana d'ethnie hutue lui aussi ;
– le Général Major Nsabimana Déo, chef d'État-Major de l'armée rwandaise ;
– le Major Bagaragaza, Commandant de la Garde présidentielle ;
– le Docteur Akingeneye Emmanuel, médecin personnel du Président Habyarimana.
Toutes ces personnalité rwandaises appartenaient à l'ethnic Hutue, ce qui fait croire que leur assassinat aurait pu être préparé par des professionnels.

tudes s'installèrent dans la ville, et l'idée d'une guerre ne fit plus l'ombre d'un doute.

Depuis 1991, les Rwandais se préparaient déjà à cette guerre fratricide. Ils l'attendaient avec peut être moins de certitude et d'anxiété ; mais elle était déjà là et devait être brutale, implacable et cruelle.

La guerre se déclencha effectivement le jeudi 7 avril 1994 dans la nuit, et s'illustra par de multiples exécutions des principaux opposants au régime du défunt Président Habyarimana, exécutions conjointement menées par les Forces Armées Rwandaises, les milices du MRND et de la CDR en guise de représailles dans un premier temps. En guise de réponse à cette tuerie, le FPR entreprit à son tour, des vagues d'exécution des barons du régime d'Habyarimana avant l'embrasement total du Rwanda.

A partir de cette nuit du 7 avril 1994, tous les opposants tutsis ou hutus furent ainsi systématiquement abattus, du moins, ceux qui n'eurent pas le temps de fuir. Les plus célèbres victimes de cette tuerie à Kigali, furent et restent incontestablement le Premier ministre Mme Agathe Uwilingiyimana et son époux. Quant au Premier ministre « auto-désigné » Faustin Twagiramungu, il n'eut la vie sauve que grâce à ses performances physiques, lesquelles lui permirent de se réfugier à temps dans l'enceinte du Quartier Général de la MINUAR d'où il fut évacué en toute sécurité à Nairobi (Kenya). Le bilan de ces premières représailles dépassait largement une soixantaine de victimes[30].

Le vendredi 8 avril 1994 au soir, le FPR prit très au sérieux l'ampleur du désastre et annonça à partir de son Quartier Général de Mulindi qu'il ne restera pas les bras croisés face à l'extermination de ses frères et alliés par les Hutu.

Moins d'une semaine seulement après cette déclaration, plus de 5 000 combattants du FPR entraient dans Kigali en provenance de Mulindi, protégés par un déluge d'obus tirés sur les objectifs militaires du gouvernement, notamment les camps de la Garde présidentielle et de la Gendarmerie.

Cette fois, la guerre devint totale non seulement dans la ville de Kigali, mais dans tout le Rwanda qui s'embrasa.

La riposte du FPR était d'autant plus meurtrière que ses combattants avaient d'ores et déjà repéré avec le maximum de précision, toutes les caches d'armes détenues par les responsables des partis extrémistes

---

30. Une liste d'une soixantaine de victimes d'ethnie tutsie et leurs sympathisants fut remise à la MINUAR une semaine après le déclenchement des hostilités. Les principales victimes étaients Mme Agathe Uwilingiyimana Premier ministre et son époux tous deux d'éthnie hutue, le ministre du Travail Landoal d'ethnie tutsie et son épouse. Voir la liste en annexe H.

MRND et CDR ; et ces caches d'armes n'étaient autre que les domiciles des miliciens ou les dépôts de leurs innombrables débits de boisson.

Le redoutable réseau de renseignements du FPR composé essentiellement des plus belles filles tutsies tant convoitées et aimées par les Hutu, n'eut aucune difficulté à infiltrer et à identifier les familles qui furent ainsi exterminées dès les débuts des opérations en guise de représailles pour venger à leur tour, les victimes tutsies et celles de leurs sympathisants hutus.

5 – LES PREMIÈRES VICTIMES POLITIQUES DE LA MINUAR ET LES RÉACTIONS DES AFRICAINS DE CULTURE FRANCOPHONE

Dès l'annonce officielle de la mort du Président Habyarimana, les représailles des Forces armées rwandaises ne se firent pas attendre, et les premières victimes furent les soldats de la paix, c'est-à-dire ceux de la MINUAR.

En effet, les soldats hutus des Forces armées rwandaises qui se rendirent immédiatement à l'aéroport Grégoire Kayibanda de Kigali ce soir du 6 avril 1994 pour la recherche de l'épave de l'avion abattu et des corps, s'en prirent très violemment aux soldats du contingent belge et en tuèrent plus d'une dizaine sur le champ, estimant que les Belges étaient les auteurs de l'assassinat de leur Président.

Les accusations de ces soldats se fondaient sur trois arguments et réfutaient totalement la thèse d'un complot des extrémistes hutus. Ces trois points étaient les suivants :

– le premier était que les Belges avaient l'entière responsabilité de la sécurité de l'aéroport ;

– pour le second, les Belges étaient seuls à avoir emmené des missiles sol-air « milan » dans cette mission de « paix » ;

– enfin le troisième argument était politique et économique. Pour ces soldats les Belges avaient assassiné le Président parce qu'ils l'accusaient de boycotter leurs influences politiques et leurs intérêts économiques au profit de la France.

Pour le moment, on ne peut ni confirmer, ni infirmer les propos des militaires des Forces armées rwandaises, sans l'avis de la commission technique qui avait été désignée pour faire la lumière sur l'assassinat des Présidents rwandais et burundais. Il reste cependant beaucoup de zones d'ombre dans ce conflit rwandais, et plus le temps passera, plus l'on s'en rendra compte. Peut-être que l'évolution future de la situation nous permettra d'appréhender tous les détails de ce conflit qui risque de durer encore plus longtemps que l'on ne le croyait.

Actuellement, deux faits attirent particulièrement l'attention de beaucoup d'Africains de culture francophone qui se demandent s'ils ne seraient déjà pas mis devant le diktat des pays africains de culture anglophone. La polémique tourne en effet sur les conséquences politiques immédiates après le déclenchement de la guerre au Rwanda.

Le premier fait est relatif aux conditions de remplacement de l'équipe dirigeante de la MINUAR I après le déclenchement de la guerre, et dont furent victimes :

– Jacques Roger Booh Booh, Représentant Spécial du Secrétaire Général des Nations Unies à la MINUAR, Camerounais de culture francophone ;

– le Général Major Roméo Dallaire, Commandant les Forces des Nations Unies à la MINUAR, Canadien d'une double culture anglophone et francophone.

Le second fait est le quasi-monopole laissé aux pays africains de culture anglophone, pour la prise des initiatives relatives aux solutions susceptibles de contribuer efficacement au règlement du conflit rwandais, un pays pourtant de culture francophone.

Pour le premier point, il y a lieu de relever que, tandis que le chef de la MINUAR I, contraint à la démission suite aux accusations portées contre lui par le FPR était remplacé par un non Africain de culture anglophone le Commandant des Forces des Nations Unies (chief Commander) du même organisme à Kigali, était remplacé un mois après par un autre général canadien de même culture.

Les Africains de culture francophone s'inquiètent sérieusement pour cette préférence accordée aux Canadiens et se demandent si cette option ne cacherait pas autre chose, ou si ce choix était tout simplement le fait d'un hasard au niveau du Conseil de sécurité qui, croit-on, décide en toute impartialité et objectivité.

Les mêmes Africains s'insurgeaient contre le fait qu'une mission d'une aussi grande importance et complexité, avait été entièrement confiée aux étrangers de culture anglophone alors qu'une solution à un problème africain ne devrait provenir que de l'Afrique ou des spécialistes des problèmes africains. Mais tel n'était pas le cas à Kigali où une victoire militaire politiquement mal exploitée, a étendu un conflit qui jusque-là n'était que rwandais.

Le second point qui est d'ailleurs lié au premier, était la condamnation par les mêmes pays africains de culture francophone, de cette propension des pays africains de culture anglophone, à vouloir toujours initier les solutions pour la recherche de la paix au Rwanda et au Burundi aujourd'hui, comme si les pays africains de culture francophone étaient dénués de toute logique de concertation et de négociations.

Ces pays ne comprenaient pas les raisons de l'improvisation du sommet de Nairobi du 7 janvier 1997, au moment où les souvenirs de l'échec de l'accord de paix d'Arusha étaient encore présents dans nos esprits[31]. Comme si ces pratiques arbitraires n'étaient déjà pas suffisantes, le Conseil de Sécurité désignait encore Arusha (Tanzanie) comme siège du Tribunal Pénal International pour le Rwanda.

Pour la majorité des pays de culture francophone, la dictature des pays de culture anglophone est manifeste. Elle est la conséquence de l'influence militaire des pays anglo-saxons au sein du conseil de sécurité, instance décisionnelle suprême de l'organisation des Nations Unies.

6 – LA CONDUITE DE LA GUERRE

Avant le déclenchement total de l'offensive du FPR, les deux belligérants se livrèrent tout d'abord à une guerre de position tout autour de Kigali. Cette guerre consistait à renforcer leurs positions sur les zones occupées en tuant systématiquement et sans distinction d'âge ou de sexe, toutes les personnes appartenant à l'ethnie hostile ou sympathisant avec elle.

C'est ainsi que les Forces armées rwandaises qui occupaient les riches quartiers de Kiovu et de Kimihurura, tuèrent tous les Tutsi et leurs sympathisants qui y habitaient. Le FPR qui contrôlait à son tour les quartiers de Remera et de Kacyiru en fit de même.

Durant cette période de la guerre de position qui dura moins d'un mois et qui favorisa beaucoup les sorties des Rwandais de leur pays devenu un enfer invivable, tout Rwandais qui ne se trouvait pas dans une zone qui lui était favorable, était automatiquement abattu, Hutu et Tutsi se livrant à des épurations ethniques systématiques dans les zones occupées.

Dans l'arrière pays, on avait observé les regroupements des popula-

---

31. Le sommet de Nairobi (Kenya) réunissait le 7 janvier 1995, les Chefs d'États de l'Afrique de l'Est et du Centre notamment le Kenya, la Tanzanie, l'Ouganda, le Rwanda, le Burundi et le Zaïre.

Le Président Zaïrois n'était pas venu, en réaction contre cette improvisation des pays africains de culture anglophone et contre l'imprécision des objectifs du sommet dont les buts étaient :

– la création d'un couloir humanitaire en vue de faciliter le retour des réfugiés rwandais ;

– la réinstauration d'un Tribunal International pour juger les criminels du génocide ;

– la recherche des solutions pour instaurer la paix au Rwanda et au Burundi.

tions par affinité ethnique ; mais beaucoup de Rwandais qui ne comprenaient vraiment pas les raisons de cette guerre, ne bougèrent pas et furent malheureusement assassinés lorsqu'ils ne se retrouvaient tout simplement pas dans la zone contrôlée par les combattants de leur ethnie.

La région de Kigali étant occupée par les Hutu et les Tutsi en dépit de la pression des combats, les Hutu redoutant la puissance du feu du FPR en provenance des frontières ougando-rwandaises, fuyaient vers l'ouest, le Nord-ouest, le Sud-ouest, le Centre et le Sud du Rwanda. D'où de fortes concentrations des populations hutues dans les villes de Gisenyi, Kibuye, Cyangugu, Gikongoro et Gitarama.

Le camp des réfugiés rwandais, en majorité hutus de Goma (Zaïre), est la conséquence de ces improbables déplacements humains.

Quant aux populations de l'ethnie tutsie craignant la réaction des Hutu du Burundi, elles préféraient se regrouper au Nord (Mulindi, Byumba), au Nord-Est (Nyagatare, Ngarama Gabiro), à l'Est (Rwamagana) et au Sud (Kibungo).

Avant l'offensive généralisée qui allait conduire le FPR à la conquête militaire de tout le pays, le Rwanda était déjà divisé en deux, suivant une ligne imaginaire qui allait de Manba à la frontière Sud avec le Burundi, à Kirambo vers la frontière Nord avec l'Ouganda. Cette ligne passait par Bugesera, Kigali et Rushashi.

A partir de cette ligne, on remarquait que la majorité des populations d'ethnie hutue étaient à l'Ouest et s'appuyaient sur le Zaïre, tandis que la majorité des populations d'ethnie tutsie étaient au Nord et au Nord-Est et s'appuyaient sur l'Ouganda et la Tanzanie.

Alors que les motifs n'en valaient pas la peine, les leaders politiques avaient ainsi réussi à transformer les revendications qui auparavant étaient économiques et concernaient toutes les ethnies rwandaises, en revendications politiques, à l'origine d'une guerre fratricide où les Hutu et les Tutsi se livrèrent aux violences et aux atrocités les plus extrêmes, et dans le silence complice de la communauté internationale. Il faudra attendre la fin du mois d'avril 1996, pour qu'enfin, le Secrétaire Général de l'organisation des Nations Unies lui-même reconnaisse la grande part de responsabilité de son organisme dans la succession des génocides rwandais.

Jusqu'à présent, on a toujours évoqué les exterminations ethniques rwandaises comme si avant le déclenchement de ce génocide, les Hutu et les Tutsi vivaient dans des communautés distinctes ou dans des zones séparées. Il n'en était pourtant rien, puisque ces populations avaient toujours cohabité et il n'en pouvait d'ailleurs être autrement, pour un pauvre pays dont les populations vivent essentiellement de l'agriculture et de l'élevage.

Cependant, il convient de préciser qu'en cette période d'hostilités et d'intense violence, les Hutu et les Tutsi s'étaient livrés aux assassinats et mutilations collectifs, aux multiples exécutions sommaires, aux tortures des populations civiles et des enfants en particulier.

Déjà en 1950, le chef tutsi Besengimana Barthélemy, rêvait de devenir Président d'une République tutsie dite des volcans, et composée du Rwanda, du Burundi et du Nord-est du Zaïre.

Aujourd'hui, le Président ougandais Yoweri Museveni nourrirait-il peut-être les mêmes ambitions et contribuerait-il aussi à la création de cet État tutsi de la région des Grands Lacs, lequel engloberait le Rwanda, le Sud de l'Ouganda, le Burundi, le nord-est et le sud-est de l'ex-Zaïre, majoritairement habités par les « Banyamoulengué », ces zaïrois d'origine tutsie immigrés au Zaïre depuis longtemps.

Le Président Yoweri Museveni appartient à la petite ethnie des Hima, une extension de l'ethnie tutsie en Ouganda. Museveni étant d'origine rwandaise du côté de son père dit-on, la création d'un État des Tutsi et Hima lui permettrait peut-être de quitter l'Ouganda où il est très contesté en ce moment et de s'associer avec ses frères du Rwanda, du Burundi et du Zaïre pour enfin vivre dans un État homogène, c'est-à-dire composé des seules populations tutsies.

Quant à la réaction de l'Ouganda devant une éventuelle partition de son territoire national, c'est une autre paire de manches et nul ne peut pour l'instant la prévoir.

Pour le moment, il n'y a aucune preuve officielle pour l'avènement d'un tel État. Mais des rumeurs persistantes vont dans ce sens, et il y a lieu de les prendre au sérieux tant que le Rwanda et le Burundi connaîtront des troubles ethniques, et que l'armée burundaise à majorité tutsie s'opposera à l'envoi des casques bleus au Burundi au moment où les populations civiles hutues sont en cours d'extermination.

A) *LA SOLIDARITÉ ETHNIQUE*

Si les ethnies hutue et tutsie peuplent essentiellement les pays de la région des Grands Lacs en particulier le Rwanda, le Burundi et le nord-est du Zaïre (Goma), l'ethnie tutsie a l'avantage d'avoir une extension en Ouganda, les Hima.

Cette particularité constitue un avantage de poids pour l'ethnie tutsie dont les populations ont toujours pu s'organiser et se mobiliser dans les trois pays afin de mieux prévenir ce qu'elles appellent le « péril hutu ». L'actuel conflit burundais n'est qu'une conséquence de cette organisation fortement structurée au Rwanda et au Burundi, depuis que les anciens colonisateurs belges avaient favorisé l'accession au pouvoir à la majorité hutue du Rwanda. Les Hutu quant à eux, amorçaient une timide organisation sous le règne du Président Habyarimana. Avec la mort de ce dernier, l'ethnie hutue est aujourd'hui sous surveillance au Rwanda et au Burundi.

Avant la colonisation, le Rwanda et le Burundi avaient connu des évolutions politiques différentes, contrairement à ce qui se passait sous l'administration coloniale.

Au Rwanda, l'ethnie majoritaire hutue avait pris le pouvoir et s'était hélas enlisée dans la vengeance contre l'ancienne monarchie des Tutsi, sans toutefois penser à consolider son armée et ses structures politiques. Les Tutsi persécutés au Rwanda, se réfugièrent ainsi en Tanzanie, au Kenya mais surtout au Burundi et en Ouganda où ils s'organisèrent politiquement et militairement pour reconquérir le pouvoir grâce à l'aide de leurs frères au pouvoir dans ces pays. Il faut préciser que les Tutsi contrôlent plus de 85 % de l'armée au Burundi, et détiennent ainsi indirectement le pouvoir, quand bien même un Hutu serait Président de la République, comme c'est d'ailleurs le cas actuellement au Rwanda.

Le Président de la République, d'ethnie hutue, Melchior Ndadaye, qui tenta de rompre ce traditionnel équilibre militaire en injectant beaucoup de sujets hutus dans l'armée, fut impitoyablement assassiné en 1993.

Après la décolonisation, le pouvoir politique était revenu au Burundi à la minorité tutsie qui monopolisa tous les appareils répressifs de l'État où la présence de rares Hutu n'était que symbolique.

Les Hutu qui ne supportaient plus les rigueurs du régime burundais, pouvaient s'exiler facilement au Rwanda sous le régime d'Habyarimana, comme ils pouvaient aller en Tanzanie ou au Kenya, mais jamais en Ouganda sous le régime de Museveni. Les Hutu s'exilaient tout juste pour survivre et non pour s'organiser à l'instar des Tutsi du Rwanda, dans la perspective d'une éventuelle reconquête du pouvoir.

Avec la défaite des troupes du Président Habyarimana et la prise du pouvoir au Rwanda par les Tutsi en juillet 1994, les Hutu se retrouvèrent du coup en difficulté dans tous les États de la région des Grands Lacs qui sont aujourd'hui directement ou indirectement contrôlés par les Tutsi numériquement minoritaires, mais majoritaires dans les armées des trois pays du front que sont le Rwanda, le Burundi et l'Ouganda. Dès lors, l'évolution politique du Burundi ne pouvait obéir qu'à la logique tutsie, celle qui vise à instaurer un certain hégémonisme tutsi dans tous les États de la région des Grands Lacs, faute d'y proclamer une République.

Il ne s'agit pour le moment que d'une hypothèse, mais cette hypothèse trouve son fondement dans la prolifération des assassinats organisés et planifiés des leaders hutus tant du Rwanda que du Burundi, pour ne citer comme principales victimes que les noms des Présidents Habyarimana et Ntaryamira, respectivement Président du Rwanda et du Burundi, assassinés avant le déclenchement de la guerre au Rwanda. Aujourd'hui, la liste des victimes d'ethnie hutue ne cesse de s'allonger au Rwanda, au Burundi et dans l'ex-Zaïre où l'on déplore encore des massacres systématiques des Hutu[32].

---

32. Au cours du seul mois de mars 1995, deux personnalités hutues avaient été assassinées :
– dimanche 5 mars 1995, des « inconnus » assassinaient au Rwanda, le Préfet de Butaré, d'ethnie hutue, son fils et son chauffeur ;
– le vendredi 10 mars 1995, les mêmes « inconnus » assassinaient au Burundi, le ministre de l'Énergie d'ethnie hutue ;
– au cours du même mois toujours au Burundi, des inconnus enlèvent et exécutent le colonel Lucien Sakubu d'ethnie tutsie, en guise de représailles.
Tous ces assassinats qui semblent planifiés et synchronisés, permettent de croire qu'il y aurait des concertations très suivies entre les leaders tutsis du Rwanda, du Burundi et de l'Ouganda. En effet, les Tutsi ont toujours su coordonner leurs actions en temps de paix comme en temps de guerre.
A tous ces événements sanglants anciens, il convient d'ajouter les assassinats des Hutu au nord du Burundi au début du mois d'avril 1995 par l'Armée burundaise à majorité tutsie, mais et surtout, le massacre organisé de plus de 2 000 réfugiés hutus rwandais selon les sources concordantes des organisations humanitaires et des casques bleus de la place, au camp de Kibeho (sud-ouest du Rwanda), par l'Armée du FPR, le samedi 22 avril 1995.
Il y a lieu de reconnaître aujourd'hui l'existence du double péril hutu et tutsi lequel hante cruellement les esprits des populations des pays de la région des Grands Lacs, le Rwanda et le Burundi en particulier, où la cohabitation pacifique entre les deux ethnies est actuellement impossible, et le restera tant que ces deux ethnies se détesteront aussi cruellement.
Au Rwanda et au Burundi en effet, l'ethnie qui contrôle l'armée détient le pouvoir. Ainsi, la sécurité et la stabilité politique de ces deux pays sont aujourd'hui interdépendantes. Aucun de ces pays ne peut vraiment connaître la paix si l'autre est en guerre, car ce sont des entités ethniques qui se battent entre elles pour la défense de leurs intérêts à travers toute une région, et dont l'action ne peut être circonscrite ou limitée à un seul État. L'épuration ethnique à laquelle se livrent aujourd'hui les Armées rwandaise et burundaise et dont les vaincus hutus sont victimes, n'est autre chose qu'une tentative de « tutsification » intégrale des territoires de la région des Grands Lacs.
Dans ce contexte, le Gouvernement FPR de Kigali au Rwanda, sera toujours en insécurité, tant que les Hutu afficheront une certaine résistance au Burundi, comme c'est le cas actuellement avec la rébellion hutue du Burundi et son aile combattante des Forces pour la défense de la démocratie (FDD).
Le Rwanda et le Burundi ne seront vraiment en sécurité et ne connaîtront la paix que lorsque la même ethnie détiendra le pouvoir dans les deux pays d'une part, et d'autre part, lorsque les populations de l'ethnie hostile ou antagoniste seront complètement réduites à l'impuissance, tant à l'intérieur qu'à l'extérieur. D'où l'extension des conflits rwandais et burundais au Zaïre, pays abritant les réfugiés hutus, et servant de base à leur rebellion armée.
Si l'ethnie tutsie détient effectivement le pouvoir actuellement au Rwanda et au Burundi pays où les Tutsi contrôlent l'armée et le reste des appareils répressifs à plus de 85 %, l'ethnie rivale hutue n'est pas pour autant complètement détruite ou réduite à l'impuissance au Burundi, pays où les Hutu continuent d'opposer une certaine resistance politique et

A y regarder de près, ces multiples assassinats des leaders hutus étaient le début d'une conspiration, j'allais dire d'un plan bien arrêté, visant à éliminer ces personnalités, susceptibles de constituer des obstacles à la reprise du pouvoir par le parti tutsi qu'est le FPR.

B) LE COMPORTEMENT DES BELLIGÉRANTS : INTOLÉRANCE ET CRUAUTÉ

Après la courte phase de la guerre de position consistant essentiellement aux tirs d'obus et de mitrailleuses sur des objectifs plus ou moins précis situés dans les camps adverses, vint celle de la guerre de mouve-

---

militaire par des actions parfois assez significatives,chaque fois que les intérêts de leur ethnie sont en danger.

Pour la minorité tutsie du Burundi qui tente d'imposer sa « solution démocratique », il faudrait que les Hutu du Burundi connaissent aujourd'hui le même sort que ceux du Rwanda, pays ayant opté pour une solution négociée, laquelle l'avait malheureusement conduit dans une impasse politique et au génocide. D'où l'intensification de la terreur militaire actuelle de la part des Tutsi du Burundi, en vue d'imposer à leur tour, une formule gouvernementale similaire à celle du Rwanda, c'est-à-dire, susceptible de pérenniser la marginalisation politique de l'ethnie hutue.

Au Rwanda et au Burundi, chaque ethnie s'accroche strictement à la forme du Gouvernement qui sauvegarderait au mieux ses intérêts.

C'est ainsi que les Hutu majoritaires privilégient la formule démocratique basée sur le principe « un homme une voix », tandis que l'ethnie minoritaire tutsie préfère quant à elle les solutions négociées en fonction du résultat des opérations militaires. Cette option a été très payante au Rwanda, puisqu'elle a permis au FPR d'accéder au pouvoir.

Le bras de fer hutu-tutsi, se situe de nos jours par rapport à cette curieuse conception démocratique. Mais en attendant la médiation des Instances Internationnales, le sang continuera à couler au Rwanda et surtout au Burundi. Les centaines de milliers de réfugiés et exilés continueront à mourir de faim et de maladie, ou à errer à travers le monde quand ils ne seront pas lâchement massacrés comme cela a été le cas à Kibeho (Rwanda) ou dans le centre du Burundi.

Du point de vue évolution anthropologique, le Rwanda et le Burundi sont en réalité, deux États situés dans une zone où se confrontent encore deux sociétés gentilices, reputées depuis la nuit des temps pour leur pratique de la vendetta. En effet, dans l'interminable processus de vengeance en cas de meurtre d'un membre de la gens, justice n'était faite que lorsqu'un sang lavait un autre sang.

Il importe de relever ici que si l'administration coloniale avait imposé en Afrique noire une organisation politique moderne fondée essentiellement sur le territoire, elle n'avait pas pour autant extirpé toutes les survivances de l'organisation sociale ancienne, fondée sur les gentes, les phratries et les tribus.

D'où aujourd'hui, l'importance des relations de consanguinité et d'appartenance à un même ancêtre, pour les ethnies qui ne veulent pas se dépasser, et qui continuent de privilégier leur origine historique par rapport au concept de la Nation où elles ne se retrouvent pas pour le moment. Les Hutu et les Tutsi du Rwanda et du Burundi se battent dans ce contexte, et ils se battront encore aussi cruellement et aussi longtemps qu'ils ne se débarrasseront pas de la conception ancienne et barbare de la société.

ments qui se caractérisait par quelques actions offensives et de nombreux coups de main.

C'est au cours de ces opérations macabres très souvent effectuées pendant la nuit, que les Rwandais offrirent à l'humanité toute entière, le spectacle d'une exceptionnelle cruauté. En effet, les belligérants n'épargnaient aucune vie humaine lors de leurs incursions dans les zones ennemies. Indistinctement, ils tuaient les enfants même les bébés, les femmes, les vieillards et les animaux domestiques. Mais le comble dans toute cette barbarie était que, chez les Rwandais, l'ennemi n'est vraiment mort que si sa tête a été proprement tranchée par une machette ou une hachette, armes traditionnelles que porte régulièrement tout Rwandais engagé dans ces opérations d'exterminations ethniques.

Cette horrible ritualisation des supplices, avait valu aux Rwandais la qualification peu honorable pour le continent, de « monstres de l'Afrique noire ».

Devant l'ampleur du désastre, je voulus un jour savoir à Kigali pourquoi les belligérants s'en prenaient aussi aux bébés qui n'avaient rien à voir dans ce conflit, et dont les vies devraient normalement être épargnées. Je m'adressai à cet effet en aparté à un jeune Hutu et à une jeune Tutsi.

Le jeune Hutu me répondit en ces termes :

« Nous avons des problèmes maintenant, parce que nos parents avaient justement épargné la vie des jeunes Tutsi. Voyez vous, Kagame qui nous dérange aujourd'hui était parti en Ouganda à l'âge de deux ans. On l'aurait tué à temps que le Rwanda serait en paix aujourd'hui ».

Quant à la jeune fille tutsie, sa réponse fut brève mais très significative ; elle était la suivante : « de toutes les façons Monsieur, l'ennemi n'a pas d'âge ».

Ces deux réponses montrent que les atrocités de la guerre venaient de créer un extrémisme au sein des deux ethnies hutue et tutsie qui désormais, resteront inconciliables pour très longtemps.

Auparavant, les Hutu et les Tutsi se détestaient comme c'est généralement le cas pour les ethnies des autres pays de l'Afrique noire, partout ailleurs, mais au moins, ils cohabitaient et se mariaient entre eux. De nos jours, ces deux ethnies se haïssent à tel point que les mariages interethniques d'autrefois y deviennent quasiment impossibles et leur cohabitation sans violence n'est plus certaine. Actuellement, un véritable État multi-ethnique avec des Hutu et des Tutsi, sans violence, n'est envisageable ni au Rwanda, ni au Burundi.

En vérité, les Hutu et les Tutsi ne se firent pas de cadeau dans l'expression de la cruauté et de l'intolérance pendant la période des hostilités.

Rien de comparable avec ce qui se passait en Angola, en Yougoslavie ou même en Tchétchénie.

La violence et la détermination avec lesquelles les belligérants se livrèrent aux massacres, avaient conduit à des absurdités car, finalement, les Hutu ne tuèrent pas que les Tutsi, comme les Tutsi ne tuèrent pas que les Hutu.

Avec la radicalisation de la haine, les Hutu et les Tutsi exécutèrent impitoyablement et sans distinction d'appartenance ethnique, toute personne soupçonnée de collaborer avec l'ennemi. Pour les Hutu, l'ennemi était tous ceux qui se rapprochaient des Tutsi, et pour les Tutsi, l'ennemi c'étaient tous les Rwandais qui n'étaient pas militants ou sympathisants du FPR.

Sans me livrer à une énumération exhaustive, il convient tout simplement de citer quelques noms des personnalités rwandaises, victimes de cette boucherie.

7 – LES VICTIMES

A) LES VICTIMES TUTSIES

– *Cas des Tutsi tués par les Hutu*

Après l'annonce de la mort du Président Habyarimana, le 6 avril 1994, au moins une centaine de Tutsi et quelques Hutu modérés furent immédiatement massacrés par les extrémistes Hutu à travers tout le Rwanda en guise de représailles. La plus célèbre victime tutsie de ce massacre fut Landoal Ndasingwa, Vice-Président du Parti Libéral (PL) et ministre du Travail. Il fut assassiné avec son épouse dans la nuit du 6 au 7 avril 1994.

– *Cas d'un Tutsi tué par les Tutsi (il s'agit là d'un cas exceptionnel)*

M. Seburikoko, un industriel tutsi propriétaire d'une briqueterie à Kigali, s'était réfugié à l'hôtel Amahoro de Kigali pendant la guerre.

Le FPR qui estimait que ce dernier collaborait avec le régime d'Habyarimana, l'emmena à Byumba et l'exécuta.

Plusieurs Hutu modérés qui tentèrent de se réfugier à Byumba dans la zone contrôlée par le FPR y furent exécutés et à ce propos, j'ai toujours de l'appréhension pour l'Ambassadeur Bonaventure Ubalijoro, Hutu très particulier par sa modération qui s'opposa à la guerre avec toutes ses énergies, et qui finit par se réfugier avec son épouse à Byumba[33].

B) *LES VICTIMES HUTUES*

– *Cas des Hutu tués par les Hutu*

Mme Agathe Uwilingiyimana, Premier ministre, est la plus importante victime hutue de cette boucherie. Hutu modérée, elle fut tuée avec son époux dans la même nuit du 6 au 7 avril 1994 par les extrémistes hutus.

M. Mujyanama, Hutu, ex-ministre de la justice du Président Habyarimana, fut exécuté à Kigali par les Forces armées rwandaises, les milices du MRND ou du CDR parce que soupçonné d'être proche du FPR. Pire encore, son épouse hutue et ses enfants qui avaient fui à Byumba dans la zone contrôlée par le FPR où ils croyaient être en sécurité, y furent à leur tour impitoyablement exécutés et mutilés. L'implacable haine entre les Hutu et les Tutsi ayant atteint son paroxysme, la moindre pitié n'était plus faite aux êtres humains.

Ce geste est en outre une preuve que les leaders hutus du FPR auraient pu être tués depuis longtemps s'ils n'étaient en réalité des instruments politiques au service de la cause tutsie, bref, des figurants.

Le Major Nkundiye, Hutu, Commandant des opérations de la région de Mutara et marié à une fille tutsie, fut sommé par ses soldats lui demandant d'exécuter sa femme et ses enfants hutsis. Sur le refus de cet officier supérieur, ses soldats exécutèrent purement et simplement la malheureuse femme et ses enfants conformément aux ordres du MRND et du CDR. Confus, démoralisé et découragé, le Major Nkundiye abandonnera le champ des opérations pour être exécuté à son tour par les mêmes milices du MRND et du CDR.

– *Cas des Hutu réfugiés et tués chez les Tutsi*

Outre le cas de Madame Mujyanama et de ses enfants, il y a lieu de signaler le cas de l'ex-Commissaire de Police d'Habyarimana Grégoire Kayinamura qui préféra aussi se réfugier à Byumba pendant la guerre, croyant y être en sécurité puisque son fils y combattait dans les rangs du FPR. Hélas, le pauvre Kayinamura y fut immédiatement exécuté le jour même de son arrivée, sans qu'on veuille tenir compte des services rendus par son fils au FPR et à la cause tutsie.

---

33. Voir la teneur du mémorandum adressé au Représentant Spécial du Sécrétaire Général des Nations Unies à partir de l'Hôtel Méridien de Kigali où il était réfugié, et la lettre annonçant son départ pour Byumba en annexes I.

– Cas d'un Hutu tué par les Tutsi

Le Colonel Rusatira, ancien Secrétaire Général du ministère de la Défense, qui sauva beaucoup de Tutsi pendant la guerre et rentra volontairement à Kigali après les hostilités, fut traduit devant un tribunal par le FPR et l'on ignore aujourd'hui le sort réservé à cet officier. En effet, il y a lieu de s'inquiéter car le Lieutenant-Colonel Ephrem Rwabilinda, officier de liaison des Forces Armées Rwandaises (FAR) auprès de la MINUAR I, était exécuté par le FPR juste après sa victoire.

En outre, à la veille de la victoire militaire finale du FPR vers la fin du mois de juin 1994, les populations d'ethnie hutue étaient encore confrontées à d'autres contradictions.

Les Hutu restés au Rwanda pendant la guerre, considéraient les autres Hutu réfugiés à l'extérieur et notamment au Kenya, pays où le FPR avait une base d'entraînement à Mombassa, comme des sympathisants, voire des espions à la solde du FPR. Mais paradoxalement, le FPR et les Tutsi considéraient ces réfugiés hutus comme étant tous des anciens membres des milices interahamwé en mission pour le compte des Forces Armées Rwandaises (FAR).

Dans cette grande confusion, la défaite militaire et politique des Hutu était inévitable, et dans la perspective d'une éventuelle revanche de la part des mêmes Hutu actuellement déstructurés et éparpillés, la victoire ne semble guère probable sans au préalable, une ultime réorganisation ethnique assortie éventuellement d'une sévère formation politique et militaire des populations.

Aujourd'hui, les Hutu modérés, qu'ils soient à l'extérieur ou à l'intérieur du Rwanda, restent exposés à la haine des extrémistes de tous bords.

A l'extérieur, les extrémistes hutus assassinent les Hutu modérés qui tentent de rentrer au Rwanda. A l'intérieur du Rwanda, les Hutu modérés qui s'y trouvent, sont exposés aux balles des extrémistes tutsis qui veulent aussi définitivement en finir avec les Hutu. C'est vraisemblablement dans ces circonstances que Pierre Clavel Wangabo, Préfet de la région de Butaré, avait été assassiné avec son fils et son chauffeur, le samedi 5 mars 1995, alors qu'ils revenaient de Kigali en voiture.

Avec les défections successives des Hutu « modérés » du gouvernement FPR, la tendance à la radicalisation des extrémistes tutsis s'était encore accentuée au point où il est impossible aujourd'hui d'imaginer que les quelques 2 000 000 environ des réfugiés hutus de l'ex-Zaïre et de la Tanzanie, puissent être en sécurité au Rwanda s'ils y rentraient volontairement ou par contrainte, ainsi que le Haut Commissariat aux Réfugiés (HCR) l'avait préconisé.

Il reste néanmoins fondamental de rappeler que plus de quatre ans déjà après la victoire militaire définitive du FPR suivie de l'instauration du premier gouvernement d'Union Nationale à Kigali le 19 juillet 1994, le sang des innocentes victimes continue de couler au Rwanda.

A propos, des nouvelles attaques viennent aujourd'hui corroborer nos analyses, et il s'agit notamment :

– de l'assassinat les 8, 9 et 10 août 1997 au Nord-Ouest du Rwanda dans la région de Gisenyi, de plusieurs centaines de civils hutus suspectés d'être en intelligence avec la rébellion, par les soldats de l'Armée Patriotique rwandaise ;

– du massacre à la machette et au fusil dans la nuit de jeudi à vendredi du 21 au 22 août 1997, d'environ 124 réfugiés tutsis du camp de Mutendi, toujours dans la même région de Gisenyi par des bandes non identifiées, que le gouvernement rwandais croit appartenir à la rébellion hutue ;

– de l'exécution de plus de 8 000 civils hutus dans une grotte des environs de Gisenyi en octobre 1997, par les éléments de l'Armée Patriotique rwandaise.

La ligue rwandaise des Droits de l'homme condamnera ce massacre le 28 novembre 1997 à Bruxelles ;

– de l'attaque le 19 novembre 1997, de la prison de Gisenyi par les rebelles hutus. Cette attaque qui avait fait au moins 300 morts, était suivie par d'autres coups de main des rebelles dans les régions de Ruhengeri et de Kibuye ;

– des affrontements le 11 décembre 1997 à Bukavu (ex-Zaïre), entre les soldats de l'Armée congolaise encore encadrée par des officiers rwandais, et les éléments armés venus des montagnes de Masisi, et voulant se rendre au Rwanda, probablement pour attaquer la ville rwandaise voisine de Cyangugu. Cet affrontement avait fait au moins 5 morts.

– de l'attaque des rebelles hutus le vendredi 19 décembre 1997, toujours dans le Nord-Ouest du Rwanda. Cette attaque avait fait environ 81 morts selon les déclarations du gouvernement rwandais, dont 50 rebelles, 30 réfugiés tutsis et un soldat de l'Armée Patriotique rwandaise ;

– de l'attaque dans la nuit du dimanche 21 au lundi 22 décembre 1997 par les rebelles hutus,des populations de la commune de Nyakabanda dans la Préfecture de Gisenyi.

Cette attaque qui avait été perpétrée presqu'à la veille de Noël, fit 35 victimes, dont 17 membres d'une famille de Pasteur tous assassinés. Des attaques similaires sont quotidiennement perpétrées du côté du Burundi voisin, et l'attaque du 1er janvier 1998 de l'aéroport de Bujumbura avec un bilan de plus de 300 tués, reste la plus spectaculaire.

– de l'attaque du 19 janvier 1998, d'un car transportant les employés d'une brasserie aux environs de Gisenyi (nord-ouest du Rwanda).

Le bilan de cette attaque s'élevait au moins à 35 tués, un car incendié et à plusieurs blessés.

Interrogé en direct à travers les ondes de Radio-France Internationale (RFI) sur ce sanglant attentat depuis Bruxelles où il se trouvait en visite officielle, le Vice-Président rwandais Paul Kagame reconnaissait l'existence de l'insécurité dans son pays, mais précisait cependant que cette insécurité n'était circonscrite que dans le Nord-Ouest, et que le reste du Rwanda était en sécurité.

Le Sous-Préfet de Gisenyi pour sa part, commentait le même événement en prétendant que l'attentat était perpétré par les anciens soldats des Forces Armées rwandaises, infiltrés parmi les réfugiés hutus venus de l'ex-Zaïre.

Ces deux commentaires dénotent aujourd'hui l'embarras des autorités rwandaises, face à l'intensification et à la radicalisation des attaques de la rébellion hutue, que certains croyaient pourtant enterrée avec la chute du régime du Maréchal Mobutu.

En reconnaissant l'existence de l'insécurité dans une partie du Rwanda, le Vice-Président Kagame, confirmait ainsi implicitement que son pays était gangrené et partant, en insécurité dans sa totalité.

La reconnaissance de la pertinence de l'attaque des rebelles hutus par le Sous-Préfet de Gisenyi, démontre tout au moins que le système de sécurité rwandais n'était pas aussi efficace qu'on le croyait, et que le Rwanda ou en général les pays de la région des Grands Lacs seront en insécurité tant que les affrontements inter-ethniques perdureront.

Ici, les lieux de provenance des attaquants importent peu, qu'il s'agisse des rebelles venus de l'intérieur ou de l'extérieur. Il est même impensable d'insinuer la présence des rebelles armés hutus infiltrés parmi les refugiés hutus, quand on connaît dans quelles conditions ces réfugiés furent transférés de l'ex-Zaïre au Rwanda.

A travers une telle assertion, le Sous-Préfet de Gisenyi ne donnerait-il pas un prétexte de représailles aux éléments de l'Armée Patriotique rwandaise (APR) ? Représailles dont seraient victimes les civils hutus comme c'est très souvent le cas en pareilles circonstances ?

En s'attaquant ainsi à la région qui constitue en réalité ce qu'on conviendrait d'appeler le grenier du Rwanda, on a l'impression que la rébellion hutue veut affamer tout le pays, et ainsi provoquer un mécontentement général ou du moins, contraindre les régimes tutsis du Rwanda et du Burundi à venir sur la table des négociations.

Après la succession de ces attaques meurtrières qui ne s'estompent presque plus tant au Rwanda qu'au Burundi, le gouvernement et toutes les entités ethniques rwandais, semblent enfin prendre conscience de la relative sécurité de leur régime et de leur pays.

Aussi, les populations rwandaises défilèrent-elles pour la première fois à Kigali, en condamnant les violences de tous bords, et en réclamant la paix.

Œuvrant dans le même sens, le Président ougandais M. Museveni, mentor des chefs d'États tutsis de la région des Grands Lacs en visite de travail au Rwanda du 9 au 11 janvier 1998, interpellait lui aussi les populations rwandaises, les invitant à la réconciliation nationale, au cours de son discours prononcé devant les étudiants de l'Université de Butaré.

Ce brusque changement d'attitude de la part des hommes forts de Kampala et de Kigali, augurerait-il aujourd'hui une subtile amorce dans le sens de la recherche d'une solution politique objective et définitive dans les pays de la région des Grands Lacs, au Rwanda et au Burundi en particulier ?

S'agirait-il au contraire d'une simple disposition tactique visant à canaliser les vagues successives d'offensives de la rébellion hutue, dont les actions de plus en plus spectaculaires commencent sérieusement à inquiéter les régimes tutsis de la région des Grands Lacs ?

En effet, le Rwanda plus particulièrement, se trouve aujourd'hui dans une phase de violence beaucoup plus inquiétante par rapport aux autres régimes tutsis de la région des Grands Lacs. L'intensification des attaques de la rébellion hutue provoque en ce moment, d'énormes déplacements des populations dans certaines régions du Rwanda.

C'est dans ces conditions que plus de 7 000 personnes fuyant les combats, avaient abandonné leurs villages pour aller se réfugier à Gitarama le 28 avril 1998, créant ainsi de graves problèmes logistiques et sanitaires pour leur accueil aux autorités locales.

Les mêmes déplacements humains restent observés au nord et au nord-ouest du Rwanda, où les attaques de la rébellion hutue deviennent permanentes.

Il faut surtout signaler que ces mouvements des populations s'étaient accentués après les exécutions publiques du 24 avril 1998, exécutions intervenues simultanément dans les localités de Kibongo, Gikongoro, Nyamata et au quartier de Nyamirambo à Kigali. Au cours de ces exécutions, 22 condamnés à mort jugés par les tribunaux rwandais pour avoir participé au génocide de 1994 furent passés par les armes.

Par crainte d'éventuelles représailles de la part de la rébellion hutue, beaucoup de paysans tutsis fuient en ce moment vers les villes où ils se sentent mieux en sécurité.

Cependant, nul ne peut prévoir à l'heure actuelle avec certitude, l'impact réel sur le comportement ultérieur de la rébellion hutue, de ces exécutions publiques pourtant condamnées par la communauté internationale, mais qualifiées « d'exemple pédagogique » par les seules autorités rwandaises.

Mais les extrémistes hutus n'ayant plus rien à perdre, l'on peut craindre que ces exécutions ne créent plutôt un effet dévastateur susceptible de conduire à la radicalisation de la rébellion.

Un tel événement compromettrait gravement et pour longtemps, les minces chances de réconciliation entre les Hutu et les Tutsi, renvoyant du coup aux calendes grecques, l'instauration de véritables gouvernements d'union nationale au Rwanda et au Burundi.

Les fréquentes attaques de la rébellion hutue demeurent aujourd'hui des preuves qui illustrent sa détermination à déstabiliser voire, détruire systématiquement et sans autres concessions, les régimes tutsis du Rwanda et du Burundi. Cet objectif serait même en passe de devenir un préalable pour la stabilité et la survie du régime Kabila en République Démocratique du Congo, très impliqué dans la stratégie des régimes tutsis des États de la région des Grands Lacs.

S'acheminerait-on dans ces conditions vers l'embrasement généralisé dans la région des Grands Lacs où la communauté internationale continue de jouer les dons Quichotte ?

Sur ce point, il convient de rappeler qu'auparavant, les attaques de la rébellion hutue qui ne se limitaient qu'au nord-ouest du Rwanda, deviennent aujourd'hui beaucoup plus meurtrières et connaissent une progression qui menace de s'étendre très rapidement sur tout le pays.

Pour s'en convaincre, il suffit de se référer aux plus récentes attaques de la rébellion hutue tant au Rwanda qu'au Burundi, et il s'agit notamment :

– de l'assassinat le 31 janvier 1998, d'un prêtre d'origine croate en pleine ville de Kigali par des « inconnus » armés ;

– de l'attaque du village de Musambera (Préfecture de Gitarama) dans la nuit du 9 au 10 avril 1998 au centre du Rwanda. Cette attaque spectaculaire fit 24 victimes et au cours de la même semaine, l'on dénombrait plus d'une centaine d'autres victimes dans les diverses localités rwandaises ;

– de l'attentat contre le véhicule du Préfet de Gitarama le 11 avril 1998, lequel attentat fit 5 victimes et plus d'une douzaine de blessés dans les autres véhicules du cortège ;

– de l'attaque le 26 avril 1998 au nord du Rwanda, avec un bilan d'au moins 6 tués et de plusieurs blessés parmi les populations civiles.

Le Burundi de son côté, subit la même pression des attaques de la rébellion hutue dans ses campagnes et dans sa capitale. D'intenses combats opposant l'armée burundaise à la rébellion hutue sont fréquents tout autour de la capitale Bujumbura. La plus récente attaque dans cette province eut lieu le 22 avril 1998. Cette attaque se solda par un bilan de 26 tués du côté des populations civiles, et d'environ 40 rebelles abattus par les forces armées burundaises.

Dans la Province de Bubanza, plus de 100 000 paysans se déplacèrent et allèrent se réfugier près des camps militaires.

Parlant toujours de la violence et de l'insécurité dans la région des Grands Lacs devenue un véritable volcan en ébullition et dont l'imprévisible explosion risquerait d'éclabousser plusieurs États africains, rappelons que l'Ouganda et la nouvelle République Démocratique du Congo connaissent à leur tour, une violence et une insécurité d'une autre nature.

L'Ouganda fait face aux assauts répétés de la rébellion de l'Armée du Seigneur dans ses frontières nord, nord-ouest et sud-ouest. Ce mouvement semble étendre en ce moment ses attaques dans tout l'Ouganda, et l'attentat perpétré le 4 avril 1998 dans deux cafés de la capitale Kampala par des « inconnus » qui y jetèrent des grenades en tuant 4 personnes et en blessant 12 autres, en est une parfaite illustration.

La République Démocratique du Congo redevenue à son tour une véritable poudrière, reste confrontée à la contestation toujours croissante de sa population et de la communauté internationale [34] qui estiment au-

---

34. S'agissant du régime de la République Démocratique du Congo, le rapport d'avril 1998 de M. Roberto Garetton, Rapporteur Spécial des droits de l'homme des Nations Unies, accuse expressement le Président Kabila d'avoir confisqué tous les droits aux Congolais, alors que l'ex-Président Mobutu en partant, avait laissé le pays dans un début de démocratisation.

Roberto Garetton déplore le régime militaire du Président Kabila, un régime dont la structure reste fondée sur un parti – État omniprésent, dans lequel s'exerce l'écrasante domination des ressortissants de deux ethnies à savoir : les Luba du Katanga, et les Tutsi qui ne sont surtout pas Congolais aux yeux d'une grande majorité des Congolais authentiques.

Le même rapport fait état des assassinats, des tortures, des violations graves des droits de l'homme et de dictature en s'appuyant sur quelques exemples tels :

– le rétablissement de la peine de mort qui existait sous le régime de Mobutu, sans toutefois être exécutée. Le rapport invoque à cet effet, les exécutions massives le 11 septembre 1997 à Kinyongote, de plus de 500 guérilleros des ethnies Mai Mai et Bahutu qui s'étaient pourtant livrés de leur propre gré aux forces armées congolaises ;

– l'exécution dans la même localité de Kinyongote le 7 novembre 1997, de quatorze Bahutu qui tentaient d'enterrer trois de leurs camarades morts de tortures en prison ;

– l'exécution à Lala en août 1997, de 9 prisonniers soupçonnés de pratiquer la sorcellerie ;

– l'exécution d'une vingtaine de personnes dans la même localité et au cours du même mois, accusées d'activités politiques ;

– l'assassssinat de Mme Nicole Bute le 20 mai 1997, soupçonnée d'avoir volé un miroir.

Le rapport dénonce l'instauration de la terreur et de la torture se caractérisant par l'utilisation de la matraque électrique, les bastonnades, l'urine dans les bouches des prisonniers, le viol des femmes dont sont particulièrement victimes, les populations des ethnies hutue et bembe.

(*Libération* du 16 avril 1998, n° 5259.)

jourd'hui que le Président Kabila n'a jusque-là rien changé, notamment dans les domaines de la corruption, des violations des droits de l'homme, du clientélisme, du népotisme, des comportements tribalo-opportunistes, de l'économie et surtout de la démocratie, favorise aujourd'hui un certain effritement.

Cet effritement s'accentue quotidiennement, et les événements suivants viennent le confirmer, il s'agit :

– de la bataille dans la caserne de Kokolo du 27 au 28 novembre 1997, au cours de laquelle s'opposèrent les soldats d'ethnie katangaise (ethnie d'appartenance du Président Kabila) et les soldats d'autres composantes ethniques congolaises. Cette bataille fit au moins 11 morts ;

– de l'occupation suivie des pillages, des villes portuaires de Matadi et de Boma le 22 janvier 1998 par les soldats congolais non payés, leurs salaires ayant été détournés par des officiers ;

– des arrestations, détentions et condamnations de certains leaders politiques congolais. L'universitaire Mathieu Kalele, un proche de Tschisekedi, avait été ainsi condamné le 23 janvier 1998, à deux ans de prison ferme, pour tentative d'activités politiques.

A ces événements, s'ajoutent d'autres faits qui viennent alourdir le climat politique congolais et ce sont :

– l'assassinat de Kasasse Ngandou en janvier 1997 ;

– le limogeage suivi de l'internement en novembre 1997 du commandant Masasu Ningaba chef d'État-Major par intérim de l'armée congolaise, suspecté de fomenter un coup d'État par les Katangais qui, en ce moment où la guerre fait rage dans la région du Kivu, font difficilement confiance aux soldats et officiers issus des autres groupes ethniques congolais ;

– le maintien permanent au sein du gouvernement et de l'armée, des ministres et soldats tutsis de nationalité rwandaise ou ougandaise.

Le problème tutsi en général, embarrasse encore le Président Kabila, et le met devant une impasse.

Kabila ne saurait décevoir de si tôt ceux qui l'avaient aidé à devenir chef d'État sans conséquences. Mais il ne saurait non plus continuer indéfiniment à les servir, sans décevoir les populations de son propre pays, et c'est le cas actuellement.

En effet, beaucoup de congolais suspectent aujourd'hui le Président Kabila, et pensent qu'il serait le commanditaire lointain d'un certain nombre de crimes, notamment l'élimination ou la neutralisation de tous les leaders congolais authentiques de l'AFDL qui pourtant, l'aidèrent à conquérir le pouvoir.

Sur ce point, rappelons que les premières bases de l'AFDL furent jetées à Memera dans le sud Kivu, le 18 octobre 1996 par quatre mouvements à savoir :

– le parti révolutionnaire du Peuple (PRP) de Laurent-Désiré Kabila, originaire du Tshaba, et qui opérait uniquement dans son petit maquis « Hewa Bora » (notre terre) ;

– l'Alliance Démocratique des Peuples (ADP) de Déogratias Bugera, un Tutsi de Masisi ;

– le Mouvement Révolutionnaire pour la Libération du Zaïre (MRLZ) de Masasu-Ningaba, un Bashi du sud Kivu ;

– le Conseil Régional de Résistance pour la Démocratie (CRRD) de Kasasse Ngandu.

Parmi ces quatre leaders de l'AFDL, Kasasse Ngandu avait été assassiné par des « inconnus », Masasu-Ningaba limogé et déporté. Il ne reste plus que Kabila et Déogratias Bugera d'ethnie tutsie.

Cette situation peu claire, demeure insupportable pour les ethnies non tutsies du sud Kivu, qui estiment ainsi être victimes d'un complot visant à les éliminer systématiquement du centre du pouvoir. D'où leur hostilité au régime de Kabila et aux Tutsi, et leur soutien à la rébellion hutue, par solidarité ethnique et par nécessité économique et politique.

La rébellion hutue bénéficie dans ces circonstances, des appuis de diverses origines, tant nationales qu'internationales, et en particulier :

– de l'appui de certains éléments de l'ex-division spéciale présidentielle du feu Maréchal Mobutu ;

– de l'appui de la coalition de toutes les entités ethniques du Kivu, hostiles à la présence tutsie sur les terres du Masisi ;

– de l'appui des congolais hostiles au régime du Président Kabila, et s'attaquant ainsi aux Tutsi qui le soutiennent du point de vue militaire et idéologique ;

– et surtout, de l'appui indirect du Soudan, selon le principe « l'ennemi de mon ennemi est mon ami ».

Ceci, pour dire que les alliances politiques artificielles et circonstancielles qui regroupèrent l'Ouganda, le Rwanda, le Burundi, la Zambie et l'Angola, et qui permirent le renversement du régime du feu Maréchal Mobutu, n'ont jusque là, réussi à l'emporter totalement sur les alliances ethniques naturelles ou du sang, notamment dans la région du Kivu.

En Afrique noire plus particulièrement, le respect de la tradition implique que chaque famille, chaque clan, chaque tribu, chaque ethnie et chaque groupe ethnique, puisse défendre jusqu'à la dernière goutte de sang, la terre de ses ancêtres. Laisser cette terre entre les mains des étrangers revient à se livrer soit même, et à s'exposer aux éternelles malédictions des ancêtres qui nous observent à partir de l'au-delà, car chez beaucoup d'africains, les morts ne sont jamais morts.

La réalité est aujourd'hui que les mêmes ethnies ou groupes ethniques, se prolongent et s'interpénètrent généralement d'un pays à un autre en Afrique noire, en dépit des frontières artificielles héritées de la colonisation.

Ces frontières n'ont heureusement pas constitué des barrières infranchissables au point d'altérer la cohésion naturelle des populations de ces ethnies ou groupes ethniques arbitrairement séparés, qui en cas de menaces majeures, se regroupent et se défendent.

Nous le constatons aujourd'hui dans toutes les phases des génocides rwandais et burundais. La coalition des Tutsi de la région des Grands Lacs sans distinction des États, a aussitôt provoqué celle des Hutu. Cette bipolarisation ethnique demeure un paramètre social, dont l'appréciation s'avère désormais indispensable dans les règlements des conflits ethniques en Afrique noire.

A titre d'édification, il faut rappeler que quand les Tutsi du Rwanda étaient persécutés et massacrés sous le régime du feu Président Habyarimana, leurs frères de l'Ouganda, de l'ex-Zaïre et du Burundi, vinrent à leur secours et les libérèrent de l'oppression.

Aujourd'hui que c'est le tour des Hutu de se retrouver acculés au Rwanda et au Burundi, leurs frères de la République Démocratique du Congo ne sauraient rester les bras croisés. Ils les aideront eux aussi, accomplissant ainsi leur devoir sacré de solidarité ethnique. Il en sera ainsi, de génération en génération, tant que l'Afrique noire restera enfermée dans le carcan rétrograde de la tradition, et des considérations tribales et ethniques.

Dans ces conditions, il est clair que les conflits ethniques qui opposent les Hutu aux Tutsi, persisteront et s'aggraveront tant que chacune de ces deux entités ethniques n'aura pas retrouvé ses équilibres économiques, politiques et sociales d'antan, ou tant que l'une de ces deux ethnies antagonistes, ne sera pas complètement exterminée.

Cette dernière hypothèse n'étant ni probable, ni possible, ni acceptable.

Ce sombre constat montre cependant que les entités ethniques hutue et tutsie restent fondamentalement déterminées dans leur volonté à s'entre-tuer. Et que peut-on faire des ethnies hostiles, irréversiblement inconciliables si ce n'est de les séparer ?

Cependant, en attendant une solution définitive, le sang hutu et tutsi continuera de couler dans la région des Grands Lacs, et le développement économique du Rwanda et du Burundi en souffrira.

II
Le Burundi

1 – PRÉSENTATION GÉOGRAPHIQUE, ÉCONOMIQUE ET ANTHROPOLOGIQUE

Les données géographiques, économiques ainsi que la structure des populations du Burundi sont presque semblables à celles du Rwanda voisin.

Le Burundi est l'un des plus petits et plus denses États africains. Sa population est d'environ 5 900 000 habitants selon le recensement de 1993, pour une superficie de 27 834 km^2 et une densité de 295 habitants au km^2.

Les Burundais restent donc confrontés au problème d'espace vital, au même titre que leurs voisins du Rwanda. C'est un grave handicap économique pour un pays qui est naturellement pauvre, dont 80 % de la population travaillent dans l'agriculture sur les pentes des collines souvent arides.

Les seules ressources d'exploitation sont :
– le café qui représentait 89 % des exportations avant la guerre,
– le thé, le coton et le cuir.

Le produit national brut (PNB) avant le conflit actuel était de 210 dollars par habitant. Comme au Rwanda, la population burundaise est composée d'environ 85 % des Hutus, 14 % des Tutsis et 1 % des pygmées Twa.

2 – PRÉSENTATION POLITIQUE

Au Burundi, l'assassinat en 1961 par le pouvoir colonial belge du Prince nationaliste tutsi et conciliateur Rwagasore, fut à l'origine de graves rivalités entre Tutsi et Hutu pour la succession à la tête du parti indépendantiste UPRONA (Union pour le progrès national).

La mort du Prince Rwagasore un an seulement avant la proclamation de l'indépendance burundaise le 1er juillet 1962, favorisa l'accession d'un Hutu Pierre Ngendandumwe au poste de Premier ministre. Il bénéficiait surtout de l'appui du pouvoir colonial alors en froid avec les leaders tutsis jugés un peu trop libéraux et exigeants.

Mais la crise ne fut pas pour autant finie, car la persistance des rivalités entre Tutsi et Hutu, déboucha très vite sur l'assassinat du Premier ministre Pierre Ngendandumwe en janvier 1965 par les Tutsi.

En guise de représailles, les Hutu massacrèrent les Tutsi au Centre du pays (Muramuya).

Des élections législatives, seront organisées en mai de la même année ; ces élections connaîtront la victoire massive des Hutu. En dépit de cette victoire, le roi nommera un Premier ministre tutsi, provoquant ainsi le mécontentement des Hutu.

En octobre toujours de la même année, la gendarmerie de l'époque majoritairement hutue, tentera vainement de s'emparer du pouvoir par la force. La répression déclenchée par les Tutsi sera extrêmement violente, et toute l'élite politique hutue sera décapitée.

En juillet 1966, le roi tutsi du Burundi est déposé par son propre fils Ntare V. Il nomme un Tutsi Michel Micombero Premier ministre.

En novembre 1966, le Premier ministre Michel Micombero renverse le roi et proclame la République. Il renforce les effectifs des Tutsi dans l'Armée et la gendarmerie au détriment des Hutu et déclenche une implacable répression contre leurs dissidents, ceux-ci, de 1965 à 1972, tentèrent de renverser les gouvernements tutsis par des coups d'État.

Il convient de relever que la dernière tentative de coup d'État hutu, celle d'avril 1972 était fatale ; elle fut impitoyablement réprimée dans un bain de sang. Plus de 200 000 Hutu y furent massacrés tandis que plus de 300 000 autres furent contraints à l'exil dans les pays voisins, et au Rwanda en particulier où le régime d'Habyarimana, leur était favorable.

En réalité, l'année 1972 marque le début des tentatives de « tutsification » du Burundi sous l'impulsion de :
– Michel Micombero de 1966 à 1976 ;
– Jean-Baptiste Bagaza de 1976 à 1987 ;
– Pierre Buyoya de 1987 à 1993. Ce dernier reviendra au pouvoir

trois ans après, par le coup d'État du 25 juillet 1996. Ces trois Présidents tutsis sont tous originaires du Sud-Burundi, de la même Commune (Rutovu) et appartiennent au même clan (Hima). Ceci explique pourquoi ils se passaient le pouvoir par des pseudo-coups d'États sans effusion de sang.

Pour les pays voisins jouissant des mêmes données anthropologiques et des structures politiques, économiques et sociales presqu'identiques, l'effet de contamination était inévitable aussi, le Président hutu Habyarimana du Rwanda, en créant le 5 juillet 1975 son parti extrémiste du MRND, s'engageait lui aussi dans la voie de l'«hututification» du Rwanda. Malheureusement, la plus grosse erreur de ce dernier fut de ne considérer comme Hutu que les seuls Hutu ressortissants du Nord et en particulier de Gisenyi, et de confondre les autres Hutu aux Tutsi.

En 1976, il y eut une passation de pouvoir par un prétendu coup d'État toujours sans effusion de sang entre Michel Micombero et Jean-Baptiste Bagaza. Celui-ci prendra ainsi le pouvoir pour continuer la politique ethniciste de son prédécesseur et sera même élu à la tête de l'État en 1984.

Le 3 septembre 1987, toujours par le biais d'un coup d'État sans effusion de sang, Jean-Baptiste Bagaza sera renversé à son tour par l'un de ses proches, le Major Pierre Buyoya qui ne changera rien dans la ligne politique de ses prédécesseurs.

Mais le Major Pierre Buyoya sera confronté à la dissidence de la majorité hutue, décidée à participer par tous les moyens à la gestion du pays. C'est ainsi qu'au cours d'une opération de « maintien de l'ordre », les forces de sécurité à majorité tutsie massacreront plus de 20 000 civils hutus dans le Nord du Burundi.

Après ce drame, les pressions des bailleurs de fonds contraindront Buyoya à s'engager dans la voie de la démocratisation. Il nommera ainsi le 19 octobre 1988, un gouvernement paritaire tutsi-hutu, en approuvant la formation d'un gouvernement où les ministres des deux entités ethniques devront siéger en nombre égal. Mais bien qu'un Hutu Sibomana soit nommé Premier ministre, les Tutsi demeureront toujours majoritaires dans l'Armée et le reste des institutions au détriment des Hutu.

Néanmoins, la constitution du 10 mars 1992 et la promulgation du décret-loi sur les partis politiques le 15 avril 1992, favoriseront l'instauration du multipartisme au Burundi et deux grandes échéances électorales auront ainsi lieu en 1993.

Les élections présidentielles eurent lieu le 1er juin 1993. Furent candidats à ces élections :

– le Major Pierre Buyoya, Tutsi et Président de la République sortant, soutenu par le parti tutsi de l'UPRONA et son satellite le RADDES ;

– Melchior Ndadaye, Hutu, présenté par le parti hutu FRODEBU et soutenu par d'autres petits partis hutus tels le RPB, le PP et le PL ;
– Pierre-Claver Sendegeya, lui aussi Hutu, présenté par le PRR.

A l'issue de ces consultations populaires, Melchior Ndadaye fut élu Président de la République avec une écrasante majorité de 64,75 % de voix. Les candidats Buyoya et Sendegeya n'obtinrent respectivement que 32,39 % et 1,44 % de voix. Melchior Ndadaye sera le premier Président hutu du Burundi élu démocratiquement.

Aux élections législatives qui eurent lieu le 29 juin 1993 pour élire les 81 Députés de la nouvelle Assemblée Nationale, le FRODEBU, parti de Melchior Ndadaye obtint 71,40 % de voix, soit 65 sièges. L'UPRONA, principal parti rival n'obtint que 21,43 % de voix, soit 16 sièges. Les autres partis obtinrent moins de 2 % de voix et ne purent être représentés à l'Assemblée Nationale.

Les résultats des élections tant présidentielles que législatives étaient largement favorables au FRODEBU. Cette victoire était une menace sérieuse pour l'élite tutsie qui s'exprimait jusque-là à travers l'UPRONA désormais mise en minorité. Depuis 1965, l'UPRONA avait gouverné le Burundi sans concurrence, et voilà qu'un exercice démocratique vient de mettre brusquement fin à son mythe de l'unanimité.

D'ores et déjà, l'on redoutait une opposition des Tutsi aux réformes constitutionnelles qui viendraient mettre fin à leur hégémonisme politique et menaceraient ainsi la survie de leur ethnie.

Le nouveau Président Burundais était conscient de cette réalité, et c'est pour cette raison que malgré l'écrasante victoire de son parti, Melchior Ndadaye par souci de stabilité, nommera une Tutsi Mme Sylvie Kinigi au poste de Premier ministre. Rien d'étonnant dans tout cela car au Burundi comme au Rwanda, l'ethnisme a été érigé en instrument de gestion étatique, et ses principes bien qu'arbitraires priment sur ceux de la démocratie. Il faut tenir compte de ce paramètre si on veut entretenir un certain équilibre. Mais cette recherche d'équilibre et de justice ne suffira malheureusement pas pour éviter la mort du premier Président hutu élu.

Le 21 octobre 1993, le Président Melchior Ndadaye tombait sous les balles des militaires tutsis, plongeant de nouveau le Burundi dans un tourbillon de violence. La communauté hutue en guise de représailles, se livrera aux massacres aveugles des Tutsi. L'armée contrôlée majoritairement par les Tutsi, déclenchera à son tour, une brutale répression contre les Hutu. Au moins 500 Hutu seront tués, et 700 autres se réfugieront dans les pays voisins, à l'exception de l'Ouganda où le FPR pourchasse à son tour les Hutu.

L'ancien ministre de l'Agriculture Cyprien Ntaryamira, un Hutu, sera finalement accepté par l'opposition tutsie pour remplacer Ndadaye. Mais

Ntaryamira mourra lui aussi le 6 avril 1994 à Kigali, dans l'attentat qui visait le Président rwandais Habyarimana et peut-être les deux, étant donné que la guerre entre les ethnies hutue et tutsie n'était plus circonscrite à un seul territoire. En effet, les « Hima » de l'Ouganda, les « Banyamoulengué » du Zaïre, les Tutsi du Rwanda et du Burundi combattaient déjà côte à côte les Hutu du Rwanda et du Burundi, et la succession des événements que nous vivons aujourd'hui dans les pays de la région des Grands Lacs notamment la solidarité tutsie face à la rébellion hutue le confirme.

Il revenait maintenant à un autre Hutu d'assurer l'intérim de la présidence, et c'est Sylvestre Ntibantuganya, le numéro deux du FRODEBU, Président de l'Assemblée nationale qui devenait Président du Burundi jusqu'au 25 juillet 1996, date à laquelle le Major Pierre Buyoya le chassera du pouvoir par un coup d'État condamné par toute la communauté internationale.

Buyoya revient aux affaires et prétend rétablir l'ordre au Rwanda où la rébellion hutue enfin organisée et dirigée par Léonard Nyangoma, ancien ministre de l'Intérieur de l'ex-Président Ndadaye, intensifie des actions de guérilla dans tout le Burundi et refuse toute négociation avec le gouvernement illégal de Buyoya.

La communauté internationale fait pression sur Buyoya et décrète un embargo contre le Burundi où les assassinats inter-ethniques ne cessent de se multiplier et de s'aggraver.

3 – CHRONOLOGIE DES PRINCIPAUX FAITS AYANT MARQUÉ LA VIE POLITIQUE BURUNDAISE A PARTIR DU 25 JUILLET 1996

– 25 juillet 1996

Démission du Premier ministre d'ethnie tutsie du gouvernement Buyoya. Il reconnaît avoir échoué dans sa collaboration avec le Président hutu renversé, et déclare désormais apporter tout son soutien au nouveau Président tutsi Pierre Buyoya.

– 31 juillet 1996

Le Président Buyoya nomme Pascal Firmin Damira, un Hutu, membre du parti tutsi UPRONA au poste de Premier ministre.

A l'instar de Faustin Twagiramungu au Rwanda, Damira ne pourra que mieux défendre les intérêts tutsis. Les pays de la région des Grands Lacs réunis à Arusha, condamnent le putsch, exigent l'instauration de la démocratie et de l'ordre constitutionnel et menacent d'asphyxier le Burundi par un embargo.

– 10 août 1996

Une attaque des rebelles hutus fait environ 22 tués au Nord-Ouest du Burundi.

– 9 septembre 1996

Assassinat du Prélat du Burundi, Monseigneur Joachim Ruhuna, Évêque de Gitega par des « inconnus ».

Le gouvernement du Major Buyoya accuse la rébellion hutue qui accuse les extrémistes tutsis. Dans ce dialogue de sourds, il ressort en réalité que cet Évêque tutsi modéré et épris de paix, aurait pu être tué par les extrémistes de tous bords, ceux-là même qui croient régler le conflit burundais par les armes et non par le dialogue ; exactement comme ce fut le cas au Rwanda. Au moment où je rédigeais cet ouvrage, le Burundi se trouvait déjà au seuil d'une guerre civile généralisée, caractérisée par des institutions chaotiques et des massacres inter-ethniques toujours croissants. En attendant le dénouement qui n'est pas pour demain, le pays reste noyé dans la violence, la terreur, l'insécurité et la misère. Cependant, la communauté internationale bien qu'embarrassée à partir du récent exemple du Rwanda, tente quand même d'engager des timides négociations en interpellant :

– le gouvernement Buyoya qui ne peut rien dire qui soit différent du programme du parti tutsi qu'est l'UPRONA, c'est-à-dire le maintien des avantages politiques, notamment la suprématie tutsie au sein des forces armées burundaises ;

– la rébellion hutue animée par Léonard Nyangoma, fondateur du Conseil national pour la défense de la démocratie (CNDD), qui refuse pour le moment toute négociation avec le gouvernement illégal de Buyoya ; et insiste sur l'instauration d'un régime véritablement démocratique au Burundi, c'est-à-dire un régime où l'ethnie majoritaire hutue sera représentée dans toutes les structures de l'État et notamment dans l'Armée, dans des justes proportions ;

– d'autres mouvements hutus tels le DALIPEHUTU et le FROLINA qui sont radicalement opposés à la dictature de la minorité tutsie au Burundi. Bref, toute l'opposition burundaise estime que les populations hutues représentent plus de 85 % de la population totale burundaise, et que les Hutu en respect des principes démocratiques, ont le droit de contrôler la majeure partie du pays. Aussi, proclame-t-elle la lutte armée pour prendre le pouvoir et ainsi renvoyer aux calendes grecques, la convention de gouvernement du 10 septembre 1994, celle qui définissait justement le partage du pouvoir à part égale entre Hutu et Tutsi. En effet, cette convention imposée n'avait jamais été acceptée par la majorité des Hutu. C'est dire que même en cas de négociation, le Burundi ne connaîtra une paix durable qu'avec la prise en compte ou l'acceptation des exigences de la rébellion hutue par l'UPRONA. Mais une telle acceptation aura des conséquences directes sur le régime rwandais, où les extrémistes hutus et l'opposition en exil risqueraient de formuler les mêmes exigences, en cas d'éventuelles négociations.

Réuni le 26 septembre 1996 à Kigali, le Comité de suivi des sanctions imposées au Burundi par les pays de la région des Grands Lacs avait fait le point sur l'évolution de la situation politique au Burundi. Il estima que bien que le Président Buyoya ait autorisé l'activité des partis politiques, il devra faire davantage pour bénéficier de la levée totale de l'embargo.

Ce comité de suivi qui sera élargi aux représentants du pouvoir en place à Bujumbura et à l'opposition notamment à la rébellion hutue, avait projeté de se retrouver à Arusha (Tanzanie) le 8 octobre 1996. Cette rencontre et même d'autres eurent effectivement lieu, malheureusement, n'aboutirent à aucune solution concrète, susceptible de changer aujourd'hui les points de vue toujours divergents, voire irréductibles du Président Buyoya et du Chef de la rébellion hutue Léonard Nyangoma. Si actuellement le Président Buyoya ne pose visiblement aucun problème pour engager les pourparlers avec l'opposition, tel n'est pas le cas pour le Président du Conseil national de la défense de la démocratie (CNDD) Léonard Nyangoma, qui refuse de dialoguer avec un gouvernement illégal et insiste sur l'instauration d'un véritable régime démocratique où la majorité hutue devra désormais avoir droit à la gestion politique de la majeure partie du Burundi. Un régime pareil impliquerait la restructuration de l'armée actuelle à majorité tutsie, par l'injection des militaires d'ethnie hutue à concurrence de 85 % des effectifs de l'armée burundaise.

C'est là peut-être l'une des causes de l'assassinat du Président Melchior Ndadaye qui tenta de restructurer les effectifs de l'armée sur la base de la représentativité ethnique. Nyangoma y réussira-t-il à son tour quand on sait que si les Tutsi sont neutralisés dans l'Armée au Burundi par un jeu démocratique, il ne leur restera plus qu'à subir la politique de la majorité hutue ?

Une telle situation ne ferait pas l'affaire du gouvernement FPR de Kigali confronté aujourd'hui à la rébellion des extrémistes hutus, car l'armée burundaise assure la sécurité du sud Rwanda. C'est dire que tous les Tutsi des pays de la région des Grands Lacs combattent aujourd'hui les Hutu où qu'ils se trouvent. Aussi, l'occupation de la région ex-zaïroise du Kivu vers la fin du mois d'octobre 1996 par les rebelles « Banyamoulengué » appuyés par les armées rwandaise, burundaise et ougandaise, confirme cette assertion.

En outre, le Président de la République rwandaise Pasteur Bizimungu, en rappelant le 28 octobre 1996 que l'actuelle région zaïroise du Kivu appartenait autrefois au Rwanda et que, si le Zaïre ne voulait plus des « Banyamoulengué », qu'il les rende au Rwanda avec leurs terres, compliquait encore le conflit, en y introduisant une dimension territoriale. Le Président Bizimungu qui connaît mieux que quiconque la charte de l'OUA préconisant l'intangibilité des frontières héritées de la colonisation, ne la violait-il pas ainsi en soutenant l'action des « Banyamoulengué » ?

Il reste clair aujourd'hui que l'entrée du Zaïre en guerre aurait pu transformer un conflit ethnique auparavant circonscrit au Rwanda et au Burundi, en un conflit régional susceptible d'opposer les États et éventuellement leurs alliés, n'eût été l'isolement du régime du Maréchal Mobutu par la quasi-totalité des pays occidentaux. Sans parler d'une possible internationalisation du conflit dans les pays de la région des Grands Lacs, rappelons quand même que le Zaïre est l'un des pays les plus riches en minerais et en pierres précieuses, et de ce fait, tout pouvait arriver en raison des convoitises économiques des pays industrialisés. C'est quand même grâce à l'uranium zaïrois que l'Amérique produisit sa première bombe atomique en 1945.

Mais auparavant, l'occupation de la région du Kivu avait compromis les maigres chances d'une négociation pacifique des conflits ethniques au Rwanda et au Burundi. Cette occupation laissait en effet transparaître des intentions expansionnistes ou annexionnistes tutsies dans la région des Grands Lacs, bien que la création d'une zone de sécurité le long de la frontière qui sépare l'ex-Zaïre du Rwanda et du Burundi, fut son ultime but. L'éventuelle annexion ultérieure du Kivu ne pouvait être qu'un objectif secondaire, et non essentiel.

Les combattants de la rébellion hutue qui opéraient au Rwanda et au Burundi, transitaient auparavant par ces zones occupées par la coalition des armées tutsies du Rwanda, du Burundi et de l'Ouganda. Avec la destruction des camps des réfugiés hutus, l'action de la rébellion fut sérieusement ébranlée, mais pas anéantie.

Cependant face au péril tutsi, les tribus et ethnies zaïroises auparavant divisées et opposées, constituèrent immédiatement un bloc pour la défense de l'intégrité de leur territoire. Cette attitude favorisa la montée des réactions xénophobes, et la haine contre les Tutsi atteignit son paroxysme à Kinshasa la capitale zaïroise, où les Tutsi furent attaqués par les jeunes zaïrois demandant leur départ du pays.

Dans un contexte aussi houleux, il était objectivement inhumain d'envisager de si tôt, le retour forcé des réfugiés hutus du Zaïre et de la Tanzanie dans leurs pays respectifs, le Rwanda et le Burundi. Les Tutsi et Hutu ne s'aimant pas et restant toujours animés de la même volonté d'extermination, les réfugiés hutus rentrés malgré eux au Rwanda et au Burundi, ne pouvaient échapper aux tortures des extrémistes tutsis. C'est dire que les 700 réfugiés hutus burundais et rwandais qui furent expulsés de force au Rwanda dans les débuts du mois de septembre 1997 par les nouvelles autorités de la République démocratique du Congo, ne pouvaient que subir les mêmes tortures et humiliations à Kigali.

De même, bien que la constitution zaïroise sous le régime de l'ancien Président Mobutu avait refusé l'attribution de la nationalité zaïroise aux Tutsi à l'exception de ceux nés d'un père zaïrois, renvoyer aujourd'hui les « Banyamoulengué » installés dans la République Démocratique du Congo au Rwanda, alors que certains d'entre eux vivent dans cette région congolaise du Kivu bien avant le tracé des frontières coloniales, serait une absurdité. Mais aussi, laisser sans garde fous les « Banyamoulengué » au Zaïre alors qu'ils ne s'étaient jamais considérés zaïrois ainsi que le confirme leur complicité avec les armées des régimes tutsis de l'Ouganda, du Rwanda et du Burundi dans l'occupation d'une partie du territoire national zaïrois, est inconcevable.

Par leur comportement, les « Banyamoulengué » avaient prouvé qu'ils restaient plus attachés à leur ethnie et aux États que leurs confrères dirigeaient dans la région des Grands Lacs qu'au Zaïre. C'est pour cette même raison que bien avant le déclenchement de la guerre au Rwanda le 6 avril 1994, les « Banyamoulengué » bénéficiaient déjà d'une double formation politique et militaire à Kampala en Ouganda, où grâce à l'appui des États-Unis d'Amérique, le Président Museveni d'ehnie tutsie prit le pouvoir. Et à Mombasa au Kenya, dans le Centre d'entraînement militaire du FPR.

Toutes ces préparations étaient faites dans la perspective des inévitables combats que les Tutsi de la région des Grands Lacs allaient livrer aux régimes d'Habyarimana du Rwanda et de Mobutu dans l'ex-Zaïre, toujours avec la bénédiction évidente des États-Unis d'Amérique qui entre autres objectifs, opéraient ainsi leur pénétration dans cette région de l'Afrique noire, pour mieux contenir le Soudan, et étendre leur influence dans le reste du continent.

Aujourd'hui, l'ethnie tutsie semble devenir le véritable bras armé de l'unique superpuissance mondiale que sont les États-Unis d'Amérique dans la région des Grands Lacs, en Ouganda, au Rwanda, au Burundi et dans l'ex-Zaïre en particulier. Et le Président Kabila de l'actuelle République démocratique du Congo, sans être totalement un figurant ou une caisse de résonance tutsie, ne pourrait cependant échapper à l'influence de cette entité ethnique. C'est justement pour ces raisons que laisser les « Banyamoulengué » sans garde fous préalables dans les Provinces zaïroises qui avaient été occupées, ou les laisser indéfiniment dans les institutions politiques et militaires de la République Démocratique du congo, reviendrait en quelque sorte à avaliser l'extension de l'Ouganda, du Rwanda et du Burundi sur le territoire congolais.

Devant une telle impasse, la communauté internationale ne se limitait qu'aux traditionnelles condamnations et aux stériles propositions sans rien faire de concret pour éviter un désastre humanitaire qu'on croirait souhaité, voulu, et même provoqué. Il faut reconnaître qu'ici, l'urgence humanitaire n'avait pas joué en faveur des populations sacrifiées dans l'Est du Zaïre.

Par conséquent :

– le mea culpa du Président Bill Clinton à Kigali (Rwanda) lors de son périple africain du mois de mars 1998 ;

– le mea culpa du gouvernement belge au cours de la même année ;

– la reconnaissance d'une faute personnelle par l'ancien Secrétaire Général des Nations Unies M. Boutros Boutros-Ghali ;

– la reconnaissance par l'actuel Secrétaire Général des Nations Unies M. Kofi Annan à l'époque chef des opérations du maintien de la paix, que l'Organisation des Nations Unies avait totalement failli à sa mission ;

– les accusations portées aujourd'hui contre la communauté internationale et les grandes puissances en particulier par M. Kofi Annan qui estime que la communauté internationale ne lui donna pas les moyens lui permettant de faire intervenir les casques bleus au moment où un génocide se commettait au Rwanda ;

– la constitution d'une mission d'information parlementaire par le gouvernement français, afin d'établir les éventuelles responsabilités sur les tragiques événements du Rwanda, sont aujourd'hui autant de regrets, d'aveux, de pieuses déclarations et d'actions qui illustrent la gravité et la complexité de la situation qui prévaut actuellement dans la région des Grands Lacs en général, mais au Rwanda et au Burundi en particulier.

S'agissant de la mission d'information parlementaire du gouvernement français, précisons que les auditions des différents responsables politiques et militaires entendus jusque-là, vont dans le sens d'un dégagement de l'implication de la France dans le déclenchement du génocide rwandais.

A travers ces cascades de réactions à la fois précipitées, improvisées, démagogiques et relevant plutôt d'une pure diversion politique que d'une réelle volonté d'extirper les inévitables conséquences d'un drame voulu et vraisemblablement programmé, la communauté internationale apparemment acculée dans sa propre logique, tente désespérément de jouer au pyromane-pompier, pour sauver ne serait-ce que les apparences.

Face hélas à ses devoirs, la communauté internationale ne parvient plus à juguler l'escalade d'une violence qu'elle avait pourtant su favoriser pour d'obscurs intérêts de certaines grandes puissances.

Cette hypothèse semble d'autant plus plausible que le chef des opérations du maintien de la paix dans le système des Nations Unies, reste toujours sous les ordres hiérarchiques du Secrétaire Général de l'Institution qui à son tour, ne peut rien décider ou entreprendre sans l'accord préalable du Conseil de Sécurité qui initie, programme et contrôle son activité.

Aussi, en accusant aussi ouvertement la communauté internationale et les grandes puissances, M. Kofi Annan ne renvoie t-il pas de cette manière la balle dans le camp du Conseil de Sécurité, seul responsable des décisions politiques planétaires ?

Mais sachant que les grandes puissances et les superpuissances qui composent l'élément essentiel du Conseil de Sécurité ont rarement les mêmes intérêts économiques, politiques ou stratégiques, à qui profite aujourd'hui les génocides rwandais ou d'une manière générale, la violence qui s'est installée dans la région des Grands Lacs ?

Parlant toujours du Rwanda, il est fondamental de préciser que les tous premiers conflits ethniques meurtriers qui opposèrent les Hutu aux Tutsi, datent de 1962, année de l'accession du Rwanda à l'indépendance nationale sous le Président d'ethnie hutue Grégoire Kayibanda. Et depuis cette date, le sang n'a cessé de couler au Rwanda.

En outre, la France n'avait signé les accords de défense avec le Rwanda qu'en 1975, sous le Président toujours d'ethnie hutue Juvénal Habyarimana. Mais auparavant, les confrontations inter-ethniques entre les Hutu et les Tutsi faisaient déjà rage. Les mariages entre les filles tutsies et les jeunes hutus étant interdits, une grande majorité des Tutsi fut chassée du Rwanda.

Quand aujourd'hui, M. Emmanuel Gasana, Conseiller politique du Vice-Président rwandais déclare que « la France a du sang rwandais sur les mains »[1], à qui ce haut responsable imputerait-il le sang rwandais qui a coulé bien avant 1975 ?

M. Emmanuel Gasana à travers son assertion, estimerait-il que la France serait la seule puissance qui aurait éventuellement entraîné, assisté et armé les extrémistes rwandais de tous bords qui se massacrent au-

---

1. *Le Monde* du 25 avril 1998, n° 16561.

jourd'hui ? Les mêmes Hutu et les mêmes Tutsi s'affrontent et s'exterminent pourtant au Burundi dans des conditions à peu près identiques qu'au Rwanda.

A quel autre pays imputer le sang des innocentes victimes burundaises de cette aveugle violence inter-ethnique ?

Les Rwandais eux-mêmes n'auraient donc selon la logique de M. le Conseiller Emmanuel Gasana, aucune goutte du sang de leurs propres frères et sœurs sur leurs mains, et seraient-ils ainsi totalement irresponsables du drame qui se joue pourtant dans leur propre pays ?

Si les implications directes ou indirectes étrangères sont évidentes dans les conflits inter-ethniques qui endeuillent les populations de la région des Grands Lacs, les nationaux qui subissent et entretiennent ces manipulations extérieures pour leurs intérêts personnels, ne sont pas moins responsables des conséquences pourtant prévisibles de leurs comportements intéressés.

Il n'est donc pas objectif, du moins rationnel de toujours chercher à rendre les étrangers responsables de l'irresponsabilité de certains leaders africains irresponsables, qui suffisamment au courant de la situation, ne veulent ou ne peuvent pas assumer pleinement et objectivement leurs devoirs.

S'agissant enfin du rôle des Nations Unies dans les règlements des conflits, faudrait-il rappeler que l'Organisation des Nations Unies fut créée pour régler les conflits entre les États, et non les querelles inter-ethniques internes, dont le règlement relève normalement de la compétence des chefs d'États respectifs ?

Dans ce contexte, les virulentes protestations du gouvernement rwandais condamnant la passivité de l'Organisation des Nations Unies pendant le génocide de 1994 contre son Secrétaire Général Kofi Annan de passage à Kigali le 7 mai 1998, sont humainement acceptables, mais non légitimes.

III
Les conséquences de la crise

Le Rwanda et le Burundi sont aujourd'hui deux pays dévastés et ruinés, aux structures économiques et sociales détruites, aux populations désemparées et psychologiquement choquées par les horribles souvenirs de la guerre et méritant une thérapie sociale. Au Rwanda plus particulièrement, plusieurs cas d'hystérie post-traumatique avaient été observés dans certaines écoles maternelles et primaires.

Même si certains pays industrialisés et notamment les États-Unis d'Amérique et le Canada s'efforcent actuellement de redresser l'économie de ce pays où tout est à refaire, un tel sacrifice ne pourra avoir de sens que si ces efforts trouvent des structures d'accueil favorables, c'est-à-dire un climat politique serein ou augurant tout au moins une paix à moyen terme.

Tel n'est malheureusement pas le cas au Rwanda aujourd'hui, où l'on semble plutôt s'acheminer vers de nouvelles confrontations, peut-être plus violentes encore [1].

---

1. L'attaque des soldats hutus des ex-FAR regroupés au Zaïre du 11 janvier 1995 dans le Sud-Ouest du Rwanda en est une preuve. Le chef de la MINUAR prit très au sérieux cette attaque et estima qu'elle pouvait être le début d'une guérilla, bien que le porte-parole du Gouvernement FPR de Kigali M. Wilson Rutaysire, maintint pour sa part que c'étaient des actions de voyous sans cause, n'ayant rien à offrir aux réfugiés de Goma et de Bukavu. Cependant, l'attaque du 19 novembre 1997 de la prison de Gisenyi par les rebelles hutus, laquelle attaque avait eu un bilan de plus de 300 morts, les incessantes attaques des régions de Ruhengeri et Kibuye par les mêmes rebelles plus de 4 ans après la victoire militaire du

Personne ne souhaite une nouvelle tragédie. Cependant l'hypothèse de cette violence devient d'autant plus plausible que les réfugiés hutus risquent de donner, eux aussi, à court ou moyen terme une réplique en faisant la même chose que les anciens réfugiés tutsis qui réussirent à prendre le pouvoir par les armes. Il y va même de l'honneur d'une ethnie dont les populations errent aujourd'hui à travers toute l'Afrique comme des nomades.

Après tout, si l'on part du principe que « le pouvoir est au bout du canon », cette formule révolutionnaire s'appliquerait aussi bien aux Tutsi qu'aux Hutu. Et les Hutu peuvent toujours estimer que si la minorité tutsie avait gagné la guerre à partir de l'extérieur, pourquoi la majorité hutue ne la gagnerait-elle pas à son tour à partir de l'extérieur ?

Il ne s'agit que d'une approche dialectique, mais les Hutu ayant tout perdu au Rwanda où la situation est actuellement figée, l'on est en droit de s'attendre à tout dans cette petite partie d'Afrique où la communauté internationale tente vainement d'imposer la cohabitation de deux ethnies naturellement différentes et opposées, devenues avec le temps, politiquement inconciliables pour constituer de si tôt un État ou des États unitaires sans de profonds amendements constitutionnels.

Ce n'est un secret pour personne qu'après tout ce qui venait de se passer au Rwanda et dont la principale conséquence est la cristallisation ethnique, la cohabitation entre les populations hutues et tutsies restera désormais compromise pour très longtemps.

Aujourd'hui, le Gouvernement FPR fort de sa victoire militaire, considère que, outre les biens des Hutu confisqués, les négociations politiques devraient aussi être à son avantage comme le juste prix à payer par les extrémistes hutus qui avaient tant torturé et massacré les Tutsi.

D'où l'intransigeance de l'État-major de l'Armée Patriotique Rwandaise (APR), qui affirmait en outre ne jamais reconnaître les généraux nommés pendant la guerre au sein des Forces armées rwandaises laissées par le Président Habyarimana, dans la perspective d'une reprise des négociations politiques pour la constitution d'un éventuel Gouvernement d'Union Nationale.

Un tel préalable était inacceptable par les Hutu qui avaient cruellement perdu leurs deux Généraux-Majors dans le crash de l'avion présidentiel du 6 avril 1994, et qui risquaient ainsi de voir la nouvelle armée rwandaise passer sous le commandement de l'unique Général-Major d'ethnie tutsie, Paul Kagame, actuellement Vice-Président de la République et

---

FPR, sont autant de faits qui viennent contredire aujourd'hui les propos de M. Rutaysire, qui aurait certainement été trop hâtif dans l'appréciation de la situation politique rwandaise.

Source : Le Monde du 13 janvier 1995, n° 15541, page 7.

ministre de la Défense du Rwanda, bref, seul homme fort du nouveau régime de Kigali.

Le Rwanda deviendrait aussi à son tour comme le Burundi où l'ethnie tutsie, avec moins de 15 % de la population contrôle 85 % des effectifs militaires et manipule en permanence, toute l'ethnie hutue quasiment désarmée et désemparée.

Mais les Hutu ayant été battus, et toute perspective d'un gouvernement d'Union Nationale étant exclue, le Rwanda est aujourd'hui un pays des compromis, d'incertitudes et d'insécurité où le Gouvernement en place s'efforce vainement de légitimer un système qui pour le moment, ne convainc personne et n'offre aucune garantie démocratique susceptible d'intéresser véritablement les investisseurs. Le risque politique y demeure encore aussi élevé qu'auparavant. Les Nations Unies qui assistent ce Gouvernement, se retrouvent elles aussi devant une double impasse : une impasse diplomatique et une impasse humaine.

– Une impasse diplomatique en ce sens que face à un résultat militaire, l'on ne pouvait objectivement engager des négociations politiques avec une seule tendance ethnique au pouvoir, sans être taxé de partisan comme cela avait été le cas en Croatie, où l'objectivité des Casques bleus des Nations Unies avait été mise à rude épreuve par le Président de la République, qui alla même jusqu'à demander le départ des soldats de la paix de son pays. Il revint heureusement sur sa décision après d'intenses tractations.

Aujourd'hui, il faut remplacer la solution militaire provisoire du Rwanda par une solution politique définitive. A défaut, nous risquerons de vivre de nouveaux conflits dont les préparatifs vont bon train tant du côté des anciens militaires des FAR réfugiés à l'extérieur du Rwanda que du côté de l'APR qui ne cesse de renforcer son arsenal militaire de l'intérieur, et d'intensifier ses réseaux de renseignements de l'extérieur afin de traquer et de neutraliser tous ces anciens militaires des FAR. Les confrontations frontalières zaïro-rwandaises de septembre 1996 dans la région de Bukavu confirment cet état de choses. Mais, peut-être, ce n'était qu'un avant goût du début du dénouement d'une situation trop complexe, aux conséquences toujours imprévisibles.

Une impasse humaine parce que les Nations Unies n'avaient plus intérêt à rester au Rwanda après l'échec de l'accord de paix d'Arusha et à apporter un appui unilatéral à la seule ethnie qui y prendrait le pouvoir par les armes. Une telle présence était contraire à l'objet même de la mission de paix confiée à la MINUAR par le Conseil de Sécurité, et au principe de la « neutralité » qui doit dominer toutes les actions menées par les Nations Unies.

Mais pour des raisons humanitaires évidentes, les Nations Unies ne pouvaient quitter aussi hâtivement le Rwanda, alors que les populations y mouraient de faim, de maladies et de balles. Un tel retrait aurait été une sorte de non assistance à un pays ou à une communauté en danger de mort.

Les Nations Unies étaient tombées dans le piège rwandais, et leur mission dans ce pays était d'autant plus difficile qu'aucune solution acceptable n'était trouvée pour restaurer la paix dans cette partie de l'Afrique suffisamment affectée, où à leur tour, l'Ouganda et le Kenya s'enlisaient dans des conflits politiques non négligeables. Rappelons qu'entre autres, l'affaire du Brigadier Général Ondongo a toujours refroidi les relations entre les Présidents Museveni et Arap Moi[2].

L'action de l'équipe au pouvoir à Kigali, se caractérise aujourd'hui soit par des propos irréels quand il faut minimiser une éventuelle escalade de la violence initiée par les anciens soldats des FAR, soit par de multiples contradictions quand il faut présenter le programme et les objectifs politiques du Gouvernement FPR.

En général, l'on constate très souvent que le nouveau Gouvernement en place à Kigali se rétracte régulièrement après certaines déclarations, ou ne fait toujours pas ce qu'il promet.

Rappelons quelques faits parmi tant d'autres pour illustrer ces remarques :

– A peine nommé Président de la République, Pasteur Bizimungu réclamait d'urgence l'instauration d'un Tribunal Pénal International pour juger les criminels de guerre rwandais. Quelques mois plus tard et précisément le 3 novembre 1994, le Gouvernement rwandais renonçait à aller dans cette voie, et réclamait plutôt et très timidement cette fois-ci, la création d'un Tribunal national pour juger les criminels et responsables du génocide. La raison invoquée par les autorités rwandaises était le manque de juges.

L'on comprend finalement aujourd'hui que les hésitations du Gouvernement rwandais à accepter la création d'un Tribunal Pénal International qui jugerait sans distinction tous les responsables du génocide, visaient tout simplement à protéger Pasteur Bizimungu, actuel Président de la République rwandaise, ancien membre des comités de salut public depuis

---

2. S'agissant de la généralisation des conflits ethniques en Afrique et plus particulièrement en Afrique de l'Est, il importe de signaler que le Kenya qui apparemment semble être un pays tranquille, est pourtant au bord de l'explosion.

Le 10 janvier 1995, une attaque de l'ethnie massai dans un village de l'ethnie Kikuyu, avait fait 10 morts. De 1991 à ce jour, les affrontements inter-ethniques ont déjà fait au moins 1 500 morts au Kenya.

Le Brigadier Général Ondongo est l'opposant kenyan le plus redoutable. Il est réfugié en Ouganda où le Président Museveni refuse son extradition au Kenya.

1973, et Alexis Kanyarengwe, ancien Colonel et ministre de l'Intérieur d'Habyarimana, actuel Vice Premier ministre rwandais, tous deux appartenant à l'ethnie hutue, et fortement soupçonnés d'être impliqués directement ou indirectement dans le génocide rwandais.

En effet, l'objectif des membres des comités de salut public dont faisait partie Pasteur Bizimungu depuis 1973, était la diffusion d'une idéologie ethniciste visant à l'extermination des Tutsi du Rwanda.

En ce qui concerne le Colonel Alexis Kanyarengwe, il est impossible d'avoir été Colonel et ministre de l'Intérieur d'Habyarimana, et de n'avoir pas exécuté ou fait exécuter des Tutsi. D'ailleurs on ne devenait officier et ministre sous Habyarimana que pour cette ultime fin.

Le moins que l'on puisse dire à ce propos, est que le Gouvernement FPR installé à Kigali a beaucoup de difficultés pour défendre ces quelques Hutu qui avaient su retourner leur veste afin d'échapper aux éventuelles poursuites.

Il est fondamental de préciser que les propos, comportements et actes ethnicistes n'auraient jamais existé au Rwanda, si des responsables rwandais n'avaient pas initié leur création et leur promotion dans le temps et dans l'espace.

Et ces responsables ne sont autres que ces intellectuels et politiciens hutus qui créèrent et animèrent les fameux comités de salut public, et apprirent ainsi aux populations hutues à tuer les Tutsi. D'ailleurs, l'existence des milices « interahamwé » et « impuzamugambi » des partis extrémistes hutus MRND et CDR, n'étaient que des extensions de ces comités de salut public. Les miliciens, simples instruments de l'extrémisme mis à la disposition des personnes responsables qui les utilisaient, avaient agi dans l'aveuglement idéologique et parfois la contrainte économique.

Par conséquent, si ces miliciens sont humainement responsables, ils le sont moins pénalement, d'abord en raison de leur jeune âge, ensuite par le fait qu'ils étaient de simples exécutants. Les vrais responsables du génocides rwandais, sont en réalité les pionniers de l'extermination de l'ethnie tutsie à travers justement les comités de salut public qu'ils animaient.

Ils sont aujourd'hui connus et ce sont entre autres :
– L. Mugesera,
– A. Nduwayezu,
– P. Mugabe,
– J. Nzirorera,
– F. Nahimana,
– P. Bizimungu.

Avec enfin la création d'un Tribunal Pénal International en janvier 1995 suivie de l'interpellation de Léon Mugesera résidant au Canada et soupçonné de génocide sur la seule base des propos incitant à la haine ethnique prononcés à Kalaya en novembre 1992 au moment où le Rwanda était déjà plongé dans la violence, on a l'impression aujourd'hui que d'aucuns oublient le fait que le génocide rwandais est un vieux processus organisé, planifié de longue date et exécuté sans discontinuité depuis 1973.

Dès lors, on ne saurait juridiquement et objectivement dissocier dans le temps, les actes criminels des responsables de ce génocide, dont la solidarité en matière de crime contre l'humanité n'est plus à démontrer.

Aussi, Léon Mugesera mérite d'être interpellé et soupçonné de génocide non seulement sur la base de ses récents propos tenus en 1992, mais et surtout, à cause de sa participation à l'initiation idéologique de l'extermination d'une ethnie, en tant que membre des comités de salut public depuis 1973.

Cette inquiétude est d'autant plus fondée que l'on se demande comment l'actuel Gouvernement rwandais pourrait se débarrasser de son Président de la République d'ethnie hutue.

Cette interpellation aura malheureusement pour conséquence logique, l'incrimination de tous ceux qui ont agi comme L. Mugesera et en particulier, le personnage le plus en vue, le Président Pasteur Bizimungu.

Outre ces principaux responsables, le Tribunal Pénal International tiendra aussi compte des nombreux auteurs des massacres et tortures collectifs de civils, surtout des enfants et prêtres rwandais pendant la période de la guerre entre le 6 avril et juillet 1994, sans oublier les auteurs du génocide des réfugiés hutus du camp de Kibeho du 22 avril 1995, ceux des massacres présumés des Hutu et refugiés hutus dans l'ex-Zaïre, pendant la conquête du pouvoir par les « Banyamoulengué », et les auteurs des massacres des refugiés tutsis par les rebelles hutus.

Sur ce point, les leaders politiques et officiers hutus et tutsis sont concernés, car dans le déclenchement absurde de leur haine, leurs combattants ne lésinèrent point sur l'utilisation des moyens les plus atroces.

Pour tenter de soustraire certains commanditaires et initiateurs du génocide des poursuites du Tribunal Pénal International, l'Assemblée nationale rwandaise avait adopté en août 1996, un projet de loi qui prévoyait de ne juger tous les responsables des génocides qu'ils soient Hutu ou Tutsi, que pour la période comprise entre le 1er octobre 1990 date du début de la guerre civile au Rwanda, et le 31 octobre 1994. Alors dans ces conditions, que faire des responsables des autres génocides ? Doit-on conclure qu'au Rwanda, seuls les Hutu furent génocidaires et sont aujourd'hui les seuls responsables de la crise dans les pays de la région des Grands Lacs ?

Il est fondamental de préciser sur ce point que les mineurs hutus qui étaient ou sont encore enfermés à Kigali et à qui l'on risque de faire endosser la responsabilité du génocide, étaient en général des orphelins ou des déshérités comme il y en a tellement au Rwanda, que les extrémistes hutus avaient enrôlés de force dans leurs milices.

Il m'avait même été dit au cours des investigations avant la guerre que plus de 90 % des mineurs hutus engagés dans les milices du MRND et du CDR étaient des orphelins dont les parents étaient assassinés pendant l'occupation de Byumba par les combattants du FPR. Il en était de même pour les jeunes tutsis engagés dans les rangs des combattants du FPR, et dont les parents furent aussi assassinés par les milices des partis extrémistes hutus.

Ceci, pour conclure que les mineurs rwandais avaient été entraînés de force dans les activités criminelles, et que les vrais commanditaires de ces crimes, ceux qui méritent d'être poursuivis pour crime contre l'humanité ou autres, sont les leaders politiques et les responsables militaires des ethnies antagonistes hutue et tutsie.

Selon le principe de l'égalité des citoyens devant la loi, les juges internationaux déjà dépêchés au Rwanda, ont à faire face à une tâche extrêmement délicate et capitale pour l'instauration d'une paix véritable, c'est-à-dire durable au Rwanda. Mais d'ores et déjà, l'on s'inquiète du fait qu'à présent, seul Léon Mugesera soit interpellé, alors que ses six autres complices de la liste, vivants et connus, sont en liberté. Cette inquiétude est d'autant plus fondée que l'on se demande comment l'actuel Gouvernement rwandais pourrait livrer à la justice internationale, un Président qui symbolise le compromis politique et légitime les revendications de la cause tutsie.

En tout état de cause, le Tribunal Pénal International ne saurait juger que les seuls responsables de l'ancien génocide commis sous le régime du défunt Président Habyarimana, et laisser les auteurs des nouveaux génocides de Kibeho du 22 avril 1995 et de Kanima du 12 septembre 1995 commis sous le régime de l'actuel Président rwandais Pasteur Bizimungu, sans pour autant être qualifié de partisan, car les génocides dans la région des Grands Lacs vont au-delà, et intéressent toutes les ethnies.

Était-ce vraiment suffisant pour justifier une telle rétractation, ou bien alors le FPR reconnaîtrait-il ainsi implicitement, l'existence d'initiateurs et d'exécutants des génocides dans ses propres rangs, et ne pouvait ou ne peut dans ces conditions, accuser les autres partis extrémistes sans s'accuser.

Ensuite, le nouveau Gouvernement du FPR prétend avoir pris toutes les dispositions pour extirper les considérations ethniques au Rwanda, notamment la suppression de la mention ethnique portée sur les cartes nationales d'identité.

Si toutes ces dispositions étaient effectives, il ne serait plus question de nos jours d'évoquer le problème ethnique dans la mise en place des nouvelles structures d'État au Rwanda.

Et pourtant, le 7 novembre 1994, par les ondes de Radio France Internationale (RFI), le Colonel Diarra Chef de la Police civile de la MINUAR et Responsable de la formation des gendarmes à Kigali, répondait dans les termes suivants, au journaliste qui voulait savoir dans quelles conditions se faisait le recrutement dans la Gendarmerie :

« Le recrutement des gendarmes s'était fait sans considération ethnique. Hutu et Tutsi cohabitent et collaborent franchement. »

La réponse de ce brillant officier supérieur appelle à plus d'une remarque :

D'abord si les considérations ethniques n'existaient plus au Rwanda, comment le Colonel Diarra s'était-il pris pour se rendre compte du degré de dosage ethnique entre les candidats hutus et tutsis lors du recrutement ? Il ne pouvait se servir que d'un document écrit, certains Hutu et Tutsi ayant parfois les mêmes traits physiques et en particulier les Hutsi.

Si les Hutu, les Tutsi, les Hutsi et les Twa collaboraient réellement et franchement ainsi que le prétendait cet officier supérieur instructeur, le Rwanda serait aujourd'hui un îlot de paix, surtout après ce génocide qui avait exposé toutes les populations rwandaises, toutes les ethnies confondues aux souffrances.

Les Hutu n'auraient même aucune raison de se rebeller contre les Tutsi ou de leur en vouloir, puisque dans l'actuel Gouvernement du Rwanda, le Président de la République est Hutu et de la même région que le défunt Président Habyarimana. Les Hutu devraient tout simplement se réjouir et dire « le roi est mort, vive le roi ». Ce n'est pas tout, le Premier ministre et le Vice-Premier ministre de l'époque étaient Hutu pour ne citer que ces quelques personnalités.

Si malgré tout, les réfugiés hutus de l'extérieur continuent de défier le régime, c'est qu'il n'y a réellement pas d'entente entre les deux ethnies, et que leur prétendue collaboration et cohabitation ne sont qu'artificielles, voire tactiques.

La réalité aujourd'hui est qu'à l'extérieur, le MDR « power » prépare malgré tout la reconquête du pouvoir, tandis qu'à l'intérieur du Rwanda, le FPR consolide son pouvoir et renforce son armée qui reste prête à faire face à toute éventualité. A cet effet, l'expédition punitive de Kanama du 12 septembre 1995, demeure le meilleur exemple, et le plus récent. Il est probable que d'autres expéditions aussi meurtrières suivront tant que les Hutu ne cesseront de se battre pour reconquérir le pouvoir.

Enfin, le Gouvernement du FPR promet toujours de garantir la sécurité aux réfugiés hutus qui rentrent dans leur pays. Pourtant, beaucoup d'Hutu sont maltraités et d'autres tués, surtout ceux qui osent revendiquer leur ancien emploi, ou leurs biens devenus désormais propriétés des Tutsi. Le témoignage d'un ancien employé du Centre de recherches de Karisoké dans le parc des volcans va dans ce sens[3].

Les experts en matière de droit de l'homme mandatés par les Nations Unies, n'avaient cessé de dénoncer les multiples cas d'exécutions sommaires des Hutu et autres actes de cruauté commis par les soldats du FPR pendant et après la guerre. L'ex-Premier ministre Faustin Twagiramungu et le Président de la République Pasteur Bizimungu, rejetaient régulièrement toutes ces dénonciations qu'ils qualifiaient de fantaisistes.

Pire encore, lors du génocide du camp de Kibeho le 22 avril 1995, génocide dont l'ampleur des massacres des réfugiés hutus par l'armée du FPR bouleversa le monde entier, Twagiramungu et Bizimungu affichèrent toujours une indifférence déconcertante à travers leurs propos, d'abord en tant qu'hommes politiques, ensuite Hutu d'origine.

Une fois de plus, l'on remarqua que ces deux personnalités n'avaient pas la liberté d'expression, et qu'elles répétaient tout simplement ce que les vrais chefs tutsis du FPR et le Général-Major Paul Kagame en particulier, leur demandaient de dire.

Pour le Premier ministre Twagiramungu interrogé à chaud depuis Bruxelles où il se trouvait en mission, il déclara purement et simplement que les soldats du FPR étaient en état de légitime défense, qu'ils avaient riposté aux tirs des réfugiés hutus du camp de Kibeho, et regrettait néanmoins qu'un tel incident se soit produit.

Comment objectivement, le Premier ministre Twagiramungu pouvait-il évoquer le cas d'une légitime défense alors qu'il ne se trouvait même pas sur les lieux pour l'apprécier ? A partir de Bruxelles, comment pouvait-il déterminer que les premiers tirs provenaient du camp des réfugiés hutus de Kibeho ? Toutes ces absurdités confirment le fait que Twagiramungu ne déclarait à la presse que ce que le FPR lui demandait de dire et rien d'autre.

Quant au Président de la République Pasteur Bizimungu qui se rendit en personne sur les lieux du drame en costume bleu trois pièces, il réfuta la gravité des massacres et demanda qu'on lui apporte des preuves en

---

3. François qui avait tenté de regagner son ancien emploi de Gardien au Parc des volcans, avait assisté caché derrière un arbre aux tortures et à la mort de deux de ses camarades, assimilés aux miliciens ou espions de l'ancien régime d'Habyarimana par les soldats du FPR. Il n'échappa à cette mort qu'en dormant en brousse, et il dut regagner le Zaïre devant l'impossibilité de vivre au Rwanda son pays natal.

Source : Le Monde du 28 décembre 1994, n° 15527, page 4.

déterrant les corps des réfugiés hutus qu'on prétendait être jetés dans des fosses communes.

Pour terminer, Bizimungu ajouta cyniquement que les responsables des massacres étaient ceux qui avaient initié la politique de la machette au Rwanda, oubliant peut-être qu'il était lui-même un des principaux initiateurs idéologiques de cette politique.

Après tant de sacrifices et de dévouement pour le FPR et la cause de l'ethnie tutsie en particulier et ce, au détriment de sa propre ethnie, il est ridicule aujourd'hui que l'ex-Premier ministre Twagiramungu qui était en réalité viré de son poste le 31 août 1995 par le FPR, ait insinué une quelconque démission volontaire, laquelle serait fondée sur les problèmes de sécurité, et la non application des accords d'Arusha (Le Monde du 30 août 1995).

En effet, Twagiramungu avait été limogé de son poste parce qu'il avait cessé de servir de caution politique, laquelle permettait au FPR de légitimer un prétendu gouvernement multi ethnique englobant les Tutsi et les Hutu, bref toutes les tendances ethniques rwandaises.

Bien avant l'assassinat du Président Habyarimana le 6 avril 1994, Twagiramungu était régulièrement et officiellement suspendu, puis exclu du parti politique MDR pour violations graves et répétées des statuts du parti : c'est après cette radiation qu'il s'était auto-désigné comme Premier ministre de transition avec la bénédiction du FPR qu'il s'engagea désormais à servir comme Président d'un MDR « rénové », mais en réalité, une extension du FPR.

Comment Twagiramungu qui était toujours favorable à la cause tutsie, peut-il aujourd'hui prétendre défendre les vies des populations hutues sans se mettre en contradiction avec lui-même ? Après avoir fermement maintenu que les soldats de l'Armée Patriotique Rwandaise (APR) qui avaient perpétré le génocide du camp de Kibeho du 22 avril 1995, était en état de légitime défense, comment Twagiramungu put-il déclarer le 27 novembre 1995 à Bruxelles, qu'il détenait enfin des preuves du massacre d'environ 250 000 Hutu par l'APR.

S'agissant de l'application des accords de paix d'Arusha, il les avait toujours torpillés et c'est pour cette raison qu'il s'auto-désigna Premier ministre de transition contre l'avis de son parti, créant ainsi une nouvelle crise qui allait conduire à la guerre.

Enfin, quand bien même les accords de paix d'Arusha seraient appliqués, ils n'intéresseraient plus Twagiramungu qui était déjà exclu du parti et de la scène politique rwandaise en tant que leader ou militant du MDR.

La situation de Faustin Twagiramungu n'est pas particulière ; c'est une situation commune à tous les Hutu qui servent aujourd'hui dans les gouvernements du Rwanda et du Burundi, où les Tutsi majoritaires dans l'armée détiennent le vrai pouvoir et soumettent à volonté certains Hutu. Pour les Hutu du Rwanda ou du Burundi qui ne le supportent pas ou le supportent mal, ils peuvent encore s'exiler et ce fut le cas pour le Directeur de Cabinet de l'ex-Premier ministre rwandais Twagiramungu exilé au Kenya, du Procureur Général de Kigali exilé en Belgique, du ministre de l'Intérieur Seth Sendashonga exilé au Kenya, ou du ministre Burundais de transport Innocent Nimfaga exilé en Tanzanie et j'en passe.

Cette situation reste préoccupante aujourd'hui dans les pays de la région des Grands Lacs où les assassinats inter ethniques deviennent quotidiens. Il est regrettable qu'au moment où il fallait les endiguer pour faire régner la paix comme cela s'était passé dans l'ex-Yougoslavie, les Nations Unies réduisirent plutôt les effectifs des casques bleus servant au Rwanda de plus de la moitié. De 5 500, le nombre des soldats de la paix passait à 1 800, juste de quoi assurer la sécurité du personnel civil. Une telle décision ne pouvait que favoriser de nouveaux assassinats et exécutions sommaires, de nouveaux génocides que les Nations Unies dénoncent aujourd'hui comme si cette situation était imprévisible.

L'exemple du Rwanda devrait permettre à la communauté internationale d'éviter la répétition des mêmes drames au Burundi où toutes les conditions sont déjà réunies pour le déclenchement d'une guerre civile encore plus violente, le Burundi étant un pays sans institutions démocratiques, où un Président contesté par la quasi-totalité de la communauté internationale, gère aujourd'hui une violence quotidienne.

L'invasion par les forces armées tutsies du Rwanda, du Burundi et de l'Ouganda de la région zaïroise du Kivu avec pour objectif principal la neutralisation de la rébellion hutue, ne saurait ramener pour autant, une paix durable ni au Rwanda, ni au Burundi. Elle aura plutôt aggravé le conflit, dans la mesure où elle aura favorisé les alliances des autres ethnies du Kivu hostiles aux Tutsi avec la rébellion hutue. Même les fameux couloirs humanitaires préconisés de façon démagogique par les uns et les autres, n'auraient été qu'une solution provisoire, dès lors que les casques bleus des Nations Unies ne seraient pas restés éternellement dans cette région pour surveiller et assister les populations.

En réalité, tant que les réfugiés hutus délogés des camps du Kivu ne seront pas tous exterminés et tant qu'il y aura encore quelques Hutu au Rwanda, au Burundi et à l'extérieur, il y aura toujours des complicités qui permettront à plus ou moins long terme aux Hutu de s'organiser et de relancer la rébellion au Rwanda et au Burundi. Ils ne gagneront peut-être pas, mais de par leur nombre, ils déstabiliseront en permanence les régimes tutsis du Rwanda et du Burundi.

IV
L'extension de la crise

1 – BREF APERÇU DE L'ÉVOLUTION POLITIQUE DU ZAÏRE APRÈS L'INDÉPENDANCE

A) GÉNÉRALITÉ

Comme beaucoup d'autres pays africains, le Zaïre accéda à l'indépendance le 30 juin 1960, au moment où il manquait cruellement des cadres. En effet, l'administration coloniale belge de 1885 à 1960, y avait institué un système éducatif extrêmement rétrograde, abrutissant et avilissant, confié aux seuls missionnaires spécialement formés pour servir dans les colonies.

L'extrait de la causerie du ministre belge des Colonies M. Jules Renquin avec les premiers missionnaires catholiques du Congo belge (actuel RDC) en 1920 ci-dessous, se passe de commentaires et explique en partie la situation actuelle de l'ex-Zaïre.

Les devoirs des missionnaires dans notre colonie

« Révérends Pères et Chers compatriotes,
Soyez les bienvenus dans notre seconde patrie le Congo Belge. La tâche que vous êtes conviés à y accomplir est très délicate et demande beaucoup de tact. Prêtres, vous venez certes pour évangéliser. Mais cette

évangélisation doit s'inspirer de notre grand principe : tout avant tout pour les intérêts de la métropole *(Belgique).*

Le but essentiel de votre mission n'est donc point d'apprendre aux Noirs à connaître Dieu. Ils le connaissent déjà. Ils parlent et se soumettent à un Zambe ou un Nvindi-Mukulu, et que sais-je encore. Ils savent que tuer, voler, calomnier, injurier... est mauvais.

Ayons le courage de l'avouer, vous ne venez donc pas leur apprendre ce qu'ils savent déjà. Votre rôle consiste essentiellement à faciliter la tâche aux administratifs et aux industriels. C'est donc dire que vous interpréterez l'évangile de la façon qui sert le mieux nos intérêts dans cette partie du monde.

Pour ce faire, vous veillez entre autres à :

– Désintéresser nos "sauvages" des richesses naturelles dont regorgent leur sol et sous sol pour éviter que s'y intéressant, ils ne nous fassent une concurrence meurtrière et rêvent un jour à nous déloger. Votre connaissance de l'évangile vous permettra de trouver facilement des textes qui recommandent et font aimer la pauvreté. Exemple : "Heureux sont les pauvres, car le royaume des cieux est à eux" et "il est plus difficile à un riche d'entrer au ciel qu'à un chameau d'entrer par le trou d'une aiguille". Vous ferez donc tout pour que ces Nègres aient peur de s'enrichir pour mériter le ciel.

– Les contenir pour éviter qu'ils ne se révoltent. Les administratifs ainsi que les industriels se verront obligés de temps en temps, pour se faire craindre, de recourir à la violence (injurier, battre...).

Il ne faudra pas que les Nègres ripostent ou nourrissent des sentiments de vengeance. Pour cela, vous leur enseignerez de tout supporter. Vous commenterez et les inviterez à suivre l'exemple de tous les saints qui ont tendu la deuxième joue, qui ont pardonné les offenses, qui ont reçu sans tressaillir les crachats et les insultes.

– Les détacher et les faire mépriser tout ce qui pourrait leur donner le courage de nous affronter. Je songe ici spécialement à leurs nombreux fétiches de guerre qu'ils prétendent les rendre invulnérables. Étant donné que les vieux n'entendraient point les abandonner, comme ils vont bientôt disparaître, votre action doit porter essentiellement sur les jeunes.

– Insister particulièrement sur la soumission et l'obéissance aveugles. Cette vertu se pratique mieux quand il y a absence d'esprit critique. Donc évitez de développer l'esprit critique dans vos écoles. Apprenez-leur à croire et non à raisonner. Instituez pour eux un système de confession qui fera de vous de bons détectives pour dénoncer tout Noir ayant une prise de conscience et qui revendiquerait l'indépendance nationale.

– Enseignez leur une doctrine dont vous ne mettrez pas vous-mêmes les principes en pratique. Et s'ils vous demandaient pourquoi vous com-

portez-vous contrairement à ce que vous prêchez, répondez leur que "vous les Noirs, suivez ce que nous vous disons et non ce que nous faisons". Et s'ils répliquaient en vous faisant remarquer qu'une foi sans pratique est une foi morte, fâchez-vous et répondez : heureux ceux qui croient sans protester.

— Dites leur que leurs statuettes sont l'œuvre de Satan. Confisquez-les et aller remplir nos musées : de Tervueren, du Vatican. Faîtes oublier aux Noirs leurs ancêtres.

— Ne présentez jamais une chaise à un Noir qui vient vous voir. Donnez-lui tout au plus une cigarette. Ne l'invitez jamais à dîner même s'il vous tue une poule chaque fois que vous arrivez chez lui.

— Considérez tous les Noirs comme de petits enfants que vous devez continuer à tromper. Exigez qu'ils vous appellent tous "mon père".

— Criez au communisme et à la persécution quand ils vous demandent de cesser de les tromper et de les exploiter.

Ce sont là, Chers Compatriotes, quelques-uns de ces principes que vous appliquerez sans faille. Vous en trouverez beaucoup d'autres livres et des textes qui vous seront remis à la fin de cette séance.

Le roi attache beaucoup d'importance à votre mission. Aussi a-t-il décidé de faire tout pour vous la faciliter. Vous jouirez de la très grande protection des administratifs. Vous aurez de l'argent pour vos œuvres évangéliques et vos déplacements. Vous recevrez gratuitement des terrains de construction, pour leur mise en valeur vous pourrez disposer d'une main-d'œuvre gratuite.

Voilà donc révérends Pères et Chers Compatriotes, ce que j'ai été prié de vous faire savoir en ce jour.

Main dans la main, travaillons donc pour la grandeur de notre Chère Patrie.

Vive le Souverain,
Vive la Belgique[1] »

C'est dire que les populations de l'ex-Congo belge dans leur majorité, n'étaient préparées ni politiquement, ni économiquement au moment où la Belgique leur accordait l'indépendance, contrainte par un excessif réveil de nationalisme observé dans toute l'Afrique. En effet, l'ex-Congo belge accéda à l'indépendance, dans un climat de guerre civile et de totale insécurité.

Dans l'ex-Congo Belge, les quelques leaders des mouvements indépendantistes évoluaient soit au sein des associations à caractère culturel

---

1. Extrait de AIMO (Affaires indigènes et de main-d'œuvre).
Daniel Monguya Mbengue : *De Leopold II à Mobutu : Une conspiration internationale.*
D/1993/ Daniel Monguya Mbengue, Éditeur, pp. 133-136.

et c'est le cas de Joseph Kasavubu qui créa l'ABAKO (Association des Bakongo) en 1952, soit au sein des partis politiques indépendantistes et c'est le cas de Patrice Émery Lumumba qui le 10 octobre 1958, fonda le MNC (Mouvement National Congolais).

Au moment de la proclamation de l'indépendance, l'ex-Congo belge était déjà miné par la doctrine religieuse des missionnaires catholiques, et par les rivalités inter-ethniques constamment attisées par l'administration coloniale belge. D'ailleurs, la société concessionnaire belge l'Union minière qui avait le monopole de l'exploitation des gisements de cuivre du Katanga (aujourd'hui Shaba) ne manqua pas d'exploiter ces lacunes en finançant la faction de Moïse Tschombé qui le 11 juillet 1960, imposait la sécession de la riche Province du Katanga, avec l'appui officiel d'officiers et des troupes belges, des mercenaires français, allemands et sud-africains. Le Premier ministre Lumumba fera appel aux casques bleus de l'ONU pour venir à bout de cette sécession.

D'autres leaders congolais s'inspirèrent évidemment de l'exemple de Tschombé pour proclamer des éphémères indépendances de leurs Provinces respectives, et sur la base ethnique. Ce fut le cas pour :

– Albert Kalondji qui se proclama empereur des Balubas et Chef de l'État autonome de la Province minière du sud-Kasaï le 9 août 1960.

– Christophe Gbenye, entouré des Lumumbistes Gizenga et Mulelé qui instaurèrent une République populaire à Stanleyville (aujourd'hui Kisangani) le 7 septembre 1964.

Mais par quel miracle le Zaïre n'éclata-t-il pas définitivement au cours de ces quatre premières années, les plus difficiles qui suivirent son indépendance ? A quoi tient jusqu'à ce jour le maintien de l'intégrité territoriale de l'ex-Zaïre, cet immense État de 2 344 885 km², comptant environ 46 680 000 habitants au recensement du 1er juillet 1984, et trois cents tribus regroupées dans cinq groupes ethniques de cultures différentes que sont les Pygmées, les Bantous plus nombreux, les Soudanais, les Nilotiques peu nombreux, et les Hamitiques représentés par plusieurs groupes Bahima et Batutsi ?

Le bref aperçu historique qui suit nous permettra de répondre à ces deux questions.

B) ÉVOLUTION POLITIQUE DU ZAÏRE A PARTIR DU 30 JUIN 1960, DATE DE SON ACCESSION A L'INDÉPENDANCE

L'évolution politique de l'ex-Congo Belge devenu indépendant le 30 juin 1960, reflète le climat socio-économique et politique qui prévalait à cette époque au Zaïre. C'est aussi l'illustration du rôle politique joué par chacun des principaux pionniers de l'indépendance zaïroise que sont Joseph Kasavubu, Patrice Émery Lumumba et Joseph Désiré Mobutu, et qu'il convient de présenter.

– Kasavubu Joseph, né en 1913 dans la Province du Bas-Zaïre, appartenait à l'ethnie Muyombé. Il créa en 1952, une association à caractère ethnique et culturelle à Léopoldville (aujourd'hui Kinshasa), l'ABAKO (Association des Bakongo), groupe ethnique alors largement majoritaire dans la capitale Kinshasa et dans ses environs. L'ABAKO avait pour but, l'unification des Bakongo, la conservation et surtout l'expansion de la langue bakongo dans tout le Zaïre. En 1954, Joseph Kasavubu devenait Président de cette association qui avait déjà exposé ses intentions ethnicistes et expansionnistes dans un Zaïre sérieusement fissuré.

La première manifestation politique de Joseph Kasavubu, fut la revendication d'un poste administratif de « Chef de cité » devenu vacant, à l'administration coloniale belge. Dès lors, Joseph Kasavubu va se lancer dans l'activisme politique, et l'ABAKO va jouer désormais un rôle déterminant lors des élections municipales organisées à Léopoldville et dans les autres villes du Congo.

C'est ainsi que de 1958 à 1960 au cours de la lutte pour l'indépendance, Joseph Kasavuku et l'ABAKO se retrouveront au premier rang, bien que n'ayant pas de programme politique précis. Cette lacune était favorable à l'administration coloniale belge en quête d'une personnalité de compromis et capable de sauvegarder les intérêts économiques coloniaux à la veille de l'indépendance.

– Patrice Émery Lumumba est né en 1925 dans la Province du Kasaï orientale et appartenait à l'ethnie Batete.

Confronté au nationalisme ethnique farouchement défendu par Joseph Kasavubu et les siens, Lumumba contacte des nationalistes Congolais de tous bords comprenant notamment des prêtres, de simples chrétiens et des syndicalistes. Tous organisent une action politique d'envergure à l'échelon national, et publient « le manifeste de la conscience africaine » le 1er juillet 1956 à Léopoldville. Désormais, tous les nationalistes de toutes les régions du Congo se rassembleront autour de Patrice Émery Lumumba qui créera le 10 octobre 1958, le Mouvement National congolais (MNC), premier parti politique congolais, nationaliste et populaire.

Le programme politique et économique de Patrice Émery Lumumba par rapport à celui de Joseph Kasavubu était précis : l'indépendance totale ; le partenariat économique et non l'assistanat. Par rapport à celui de Kasavubu, il représentait une véritable menace pour l'administration coloniale belge voire, pour toutes les puissances industrielles occidentales ayant des intérêts au Congo.

Dans ces conditions, bien que le Mouvement National Congolais ait réellement et largement gagné les élections organisées par l'administration coloniale belge, les résultats furent malheureusement proclamés en faveur de Joseph Kasavubu qui devint ainsi le premier Président de la République du Congo le 30 juin 1960, tandis que Patrice Émery Lumumba se contentait, la mort dans l'âme, du poste de Premier ministre et pour combien de mois ?

Il s'agit là d'un événement sans précédent, qui marque le point de départ du désordre, de la violence et du manque de démocratie dans l'évolution politique du Zaïre.

– Joseph Désiré Mobutu (aujourd'hui Mobutu Sese Seko Kuku Ngbendu wa za Banga)[2] est né le 14 octobre 1930 à Lisala, une petite localité au nord du Congo dans l'actuelle Province de l'Équateur. Il appartient à l'ethnie Nguandi qui s'étend en République Centrafricaine.

Diplômé de l'École des sous-officiers de Luluabourg où il entra en 1950 et sortit en 1954 avec le grade de sergent, Mobutu, se libérera des obligations militaires en 1956 après deux ans seulement de service militaire actif, pour devenir reporter puis éditioraliste dans l'hebdomadaire congolais « Actualités africaines ».

Joseph Désiré Mobutu militera au sein du MNC de Lumumba, et c'est ce dernier qui le propulsera sur le devant de la scène politique et militaire par la suite dans le premier gouvernement du Congo, en le nommant tour à tour Secrétaire d'État à la Présidence du Conseil le 24 juin 1960 et le 4 juillet de la même année, Chef de l'État-major général, avec le grade de colonel.

C) CHRONOLOGIE DE L'ÉVOLUTION POLITIQUE ZAÏROISE

– 30 juin 1960 : proclamation de l'indépendance de l'ex-Congo belge et départ des cadres belges.

– 5 juin 1960 : mutinerie de la Force publique à l'incitation des grandes sociétés minières et des colons tenant à déstabiliser le gouvernement de patrice Émery Lumumba, suspecté d'être opposé aux intérêts des grandes sociétes industrielles.

– 7 juillet 1960 : début de la guerre civile et intervention des militaires belges pour mater la mutinerie de la Force publique et protéger la vie des belges. Le désordre et l'insécurité s'installent dans tout le Congo, l'administration devient chaotique et l'économie s'effondre.

– Le 11 juillet, le 9 août 1960 et le 7 septembre 1964 sont des dates qui marquent respectivement : la sécession du Katanga, la proclamation

2. Sese seko kuku Ngbendu Wa Za Banga signifie en Lingala : Le coq qui chante victoire, le guerrier qui va de conquête en conquête sans que l'on puisse l'arrêter.

de l'éphémère Empire des Balubas, et l'instauration de la brève République populaire à Stanleyville.

Cette sombre période pour la jeune République congolaise s'étendait sur presque cinq ans, et se caractérisait par l'anarchie, la violence, les intrigues de toutes sortes et les luttes d'influence qui opposèrent très tôt les partisans du Président de la République Joseph Kasavubu, à ceux du Premier ministre Patrice Émery Lumumba. Les conséquences inéluctables de ces rivalités étaient inévitables pour les institutions qui s'éloignèrent des voies de la démocratie, et pour certains leaders qui y perdirent leur vie.

C'est dans ce contexte houleux que le Président Kasavubu, avec l'accord de l'ONU, destitua le premier ministre Lumumba le 6 septembre 1960. Cette décision sans précédent, créa une situation politique confuse et explosive, quasiment incontrôlable, compte tenu de l'immense popularité de Patrice Émery Lumumba, un des leaders noirs servant aujourd'hui, de référence patriotique.

Accusé sans preuve d'avoir signé des accords avec l'Union Soviétique, Lumumba sera arrêté, emprisonné, torturé et assassiné le 17 janvier 1961 avec certains de ses plus proches collaborateurs anciens ministres de son gouvernement en l'occurence, Maurice Mpolo et Joseph Okito.

− 14 septembre 1960 Joseph Désiré Mobutu qui aura fait une fulgurante et curieuse carrière militaire lui permettant de passer du grade de Sergent à celui de Colonel et de Général-Major, neutralisera les politiciens en créant un Collège des Commissaires généraux[3].

− 2 août 1961, un conclave d'hommes politiques réunis à l'Université de Lovanium, confient la Présidence d'un gouvernement d'union nationale à un syndicaliste Cyril Adoula qui remplace Joseph Ileo, lequel avait succédé à Patrice Émery Lumumba.

− En 1964 Moïse Tschombé est rappelé après la reprise de la révolte au Katanga. Il sera chargé de former un Gouvernement de coalition qui n'emêchera malheureusement pas les velléités sécessionnistes dans une vingtaine de Provinces qui s'étaient déjà créées sur les seules considérations ethniques.

− 1er août 1964 : élaboration d'une constitution de type fédéral, prévoyant le multipartisme.

− 13 octobre 1965 : déstitution du Premier ministre Moïse Tschombé qui sera remplacé par Évariste Kimba.

---

3. Pour justifier son coup de force, le Colonel Mobutu déclarera : « Pour sortir le pays de l'impasse, l'Armée a décidé de neutraliser les hommes politiques. Les politiciens pourront ainsi avoir le temps de se mettre d'accord afin de mieux servir les intérêts du pays ».
(Message du Colonel Mobutu le 14 sptembre 1960.)
Source : Mobutu Maréchal du Zaïre, « Les contemporains », les éditions J.a. Paris 1985.

– 24 novembre 1965 : le Général-Major Joseph Désiré Mobutu renverse le Président Joseph Kasavubu et le Premier ministre Évariste Kimba tous deux accusés de corruption. Kimba et trois de ses anciens ministres à savoir Bamba, Mahamba et Anani seront immédiatement pendus, tandis que Moïse Tschombé se réfugiera en Espangne. Il y sera malheureusement kidnappé dans un avion privé devant l'emmener aux îles Baléares. Tschombe moura le 29 juin 1969 en Algérie où il fut incarcéré après le kidnapping.

– 20 mai 1967 : le Président Mobutu crée son propre parti politique à Nsele, le Mouvement Populaire de la Révolution (MPR).

– 31 octobre 1970 : Mobutu est élu Président de la République et sera réélu en 1977 et 1984. Il engage des réformes notamment l'instauration de sa politique de l'authenticité, la nationalisation des grandes entreprises privées (l'Union minière du Haut Katanga deviendra la Gecamines), et le soutien du Front National de Libération de l'Angola (FNLA) parti de Holden Roberto. Mobutu interviendra aussi au Tchad pour soutenir le Président Hissène Habre en lutte contre la rébellion de Goukouni Weddeye en 1981.

– 15 août 1974 : le Président Mobutu impose son parti comme seul parti politique unique au Zaïre, renvoyant ainsi aux calendes grecques, la constitution de type fédéral évoquée le 1er août 1964, et prévoyant le multipartisme. Cette date marque un grand tournant dans la conception politique de Mobutu qui sombrera désormais dans le culte de la personnalité, les honneurs et bref, la dictature avec tout ce que cela comporte comme conséquences au niveau du respect des droits de l'homme ou du pillage des richesses de la Nation[4].

Pour mieux implanter son parti unique et ainsi éloigner toute tentative

---

4. Dans le cadre de la Conférence Nationale du Zaïre qui avait commencé en janvier 1992, le Mouvement d'Action Pour la Résurrection du Congo (MARC) avait suggéré à travers la Commission Assassinats et Droits de l'Homme d'une part, et la Commission Économique et Financière d'autre part, que le Président Mobutu puisse s'expliquer sur un certain nombre d'assassinats, et qu'il y ait un gel des biens et avoirs mal acquis.

S'agissant des assassinats, les noms suivants furent évoqués : Patrice Émery Lumumba – Maurice Mpolo – Joseph Okito – Colonel Kokolo – Colonel Ebeya – Joseph Kasavubu – Colonel Tshatshi – Cyril Adoula – Général Massiala – Colonel Ekuku – Kimba – Bamba – Mahamba – Anani.

Les cas suivants furent également évoqués : Le massacre des étudiants en 1969 – l'exécution de 13 officiers et personnalités civiles dans l'affaire Kalume – la pendaison des patriotes et le génocide à Idiofa des adeptes de Kasongo en 1978 – le bombardement de certaines localités suivi des exactions (Moba, Idiofa, etc.) – les massacres des étudiants en 1979, 1982, 1990 et 1991.

La révision de certains procès notamment : le procès de 4 ex-ministres, le procès Licopa, le procès des conspirateurs (Mpika), le procès des terroristes (Kalume).

Source : De Leopold II à Mobutu, *op. cit.*, pp. 171-172.

du multipartisme, le Président Mobutu décrètera que tout citoyen congolais était de plein droit et dès sa naissance membre du MPR. Le mobutisme deviendra la doctrine du MPR qui instaurera ainsi la politique de l'authenticité à partir de la fin de l'année 1971.

• La République du Congo deviendra la République du Zaïre ;

• Tous les Zaïrois changeront systématiquement les prénoms empruntés à une civilisation étrangère, et les remplaceront par des noms authentiques. Pour donner l'exemple, le Président Mobutu Joseph Désiré deviendra lui-même Mobutu Sese Seko Kuku Ngbendu wa za Banga ;

• Les vêtements à coupe occidentale seront désormais interdits aux Zaïrois qui s'habilleront en adoptant la coupe traditionnelle locale, surtout sans cravate pour les hommes. Les femmes s'habilleront en pagnes cousus selon la même coupe locale, ou porteront des pagnes tout simplement enroulés.

– 7 avril 1990 : Lunda Balulu devient Premier ministre de transition.

– 26 avril 1990 : le Président Mobutu met fin au parti unique.

– 9 avril 1991 : Malumba Lukoji devient Premier ministre.

– 7 août 1991 début de la Conférence Nationale.

Cette conférence nationale dont l'objectif final était de trouver une nouvelle forme de gouvernement au Zaïre, ne s'était illustrée que par d'interminables querelles bysantines entre les différents leaders politiques qui ne cessaient de se rivaliser. Suspendue plusieurs fois après chaque événement et reprise plus tard, cette conférence nationale n'avait rien donné de concret jusqu'au moment où le régime du Maréchal Mobutu se trouva confronté à la rebellion des « Banyamoulengué », dirigée par Laurent Désiré Kabila.

– 1er octobre 1991 : Étienne Tschisekedi, Président de l'Union pour la Démocratie et le progrès social (UDPS) devient Premier ministre, mais sera limogé le 21 du même mois, pour être remplacé par Mungul Diaka, Président du Rassemblement Démocratique pour la République (RDR), le 23 octobre 1991.

– 25 novembre 1991 : Nguza Karl-I-Bond, Président de l'Union des Fédérations et Républicains Indépendants (UFERI), devient Premier ministre. Mais en janvier 1992, la conférence nationale connaîtra plusieurs événements violents, notamment la tentative du coup d'État du 22 au 23 janvier 1992, où l'Armée ouvre le feu sur les chrétiens, en faisant de nombreuses victimes.

– 15 avril 1992 : la conférence nationale se proclamera souveraine, et Monseigneur Laurent Monsengwo deviendra son Président.

– 14 août 1992 : Étienne Tschisekedi redevient Premier ministre, mais il sera limogé en décembre de la même année.

– 5 décembre 1992 : création du Haut Conseil de la République (HCR) qui contrôlera désormais le Président et le Gouvernement, et remplacera le Parlement. Monseigneur Laurent Monsengwo est son Président, et ne démissionnera qu'en janvier 1996.

– 24 janvier 1993 : l'assassinat dans son bureau à Kinshasa, de l'Ambassadeur de France Philippe Bernard et un de ses collaborateurs.

– 17 mars 1993 : le Maréchal Mobutu fait élire Faustin Birindwa Premier ministre. Ce dernier sera désavoué par le Haut Conseil de la République mais aura quand même eu le temps de former un gouvernement.

– Fin décembre 1993 : Valentin Lumumba, membre du parti lumumbiste unifié est assassiné par des « inconnus ».

– En 1994, on compte plus d'un million de réfugiés rwandais, burundais et du Shaba au Kivu dans l'est du Zaïre.

– 14 janvier 1994 : le Maréchal Mobutu en accord avec l'opposition, annonce la démission du gouvernement et la dissolution du Haut Conseil de la République, remplacé par le Haut Conseil de la République – Parlement de transition (HCR-PT).

– 14 juin 1994 : Étienne Tschisekedi tentera vainement d'occuper les fonctions de Premier ministre, mais elles seront plutôt confiées à Léon Kengo Wa Dondo, de père d'origine juive-polonaise et de mère d'origine tutsie rwandaise. Il ne démissionnera de ses fonctions que le 24 mars 1997 suite à un vote par le Parlement de Transition d'une motion demandant sa destitution, et s'appuyant notamment sur les multiples échecs militaires, mais aussi sur sa « zaïrianité » douteuse.

– 2 avril 1997 : signature par le Président Mobutu, de l'ordonnance entérinant la nomination d'Étienne Tschisekedi au poste de Premier ministre, sur proposition de l'opposition radicale unique en date du 1er avril 1997.

– 9 avril 1997 : révocation du Premier ministre Étienne Tschisekedi par le Maréchal Mobutu et son remplacement par le Général Likulia Bolongo.

– 4 mai 1997 : rencontre entre le Maréchal Mobutu et le chef rebelle « Banyamoulengué » Laurent Désiré Kabila au large des côtes congolaises, à bord de l'« Outeniqua », un bâtiment de la marine sud africaine.

Cette rencontre qui était organisée par le Président Nelson Mandela, fut malheureusement un échec, en raison même des prises de position divergentes des deux protagonistes. La seconde rencontre qui fut programmée dans les mêmes lieux pour le 14 mai 1997, fut purement et simplement annulée au dernier moment, Laurent Désiré Kabila ne s'étant pas présenté.

– 16 mai 1997 : départ du Maréchal Mobutu avec toute sa famille à Gbadolite (nord du Zaïre) avant son exil définitif au Maroc dans un premier temps, où il décédera le dimanche 7 septembre 1997 à l'hôpital Mohamed-V de Rabat, des suites d'une longue maladie.

– Dans la nuit du 16 au 17 mai 1997 : assassinat du Chef d'État-major des Forces Armées zaïroises le Général Mahele, par les éléments de la Division spéciale présidentielle (DSP). Le Maréchal Mobutu avant de s'exiler, aurait reproché au Général Mahele de l'avoir trahi en refusant de se battre contre les rebelles de Laurent Désiré Kabila, et aurait commandité son assassinat.

– 17 mai 1997 : Laurent Désiré Kabila s'auto-proclame Président de la République démocratique du Congo. Cet acte antidémocratique sera largement condamné tant par la classe politique zaïroise que par la communauté internationale. Tout le monde redoute aujourd'hui, le retour de la dictature au Congo.

– 20 mai 1997 : assassinat de deux hommes d'affaires français à Kinshasa par des hommes en armes, portant l'uniforme des soldats de la rebellion « Banyamoulengué ».

– 21 mai 1997 : assassinat d'un Étudiant zaïrois à Kisangani par les soldats de la rebellion « Banyamoulengué ». Les autochtones zaïrois en colère manifestent contre ce triste événement en scandant : « que les Tutsi rentrent chez eux ».

– 22 mai 1997 : l'OUA reconnaît le gouvernement de Laurent Désiré Kabila. Le même jour ce dernier forme son premier gouvernement sans Premier ministre, suivant le modèle américain.

– 23 mai 1997 : Étienne Tschisekedi, Président de l'Union Démocratique pour le Progrès Social (l'UDPS), et Joseph Olenghankoy, Président des Forces Novatrices pour l'Union et la Solidarité (FONUS), déclarent ignorer le gouvernement de Kabila.

La foule manifeste à Kinshasa en criant : « Kabila dictateur », et en réclamant le départ des Rwandais du gouvernement et de l'Armée zaïroise[5].

– 24 mai 1997 : une nouvelle manifestation de l'opposition a lieu à Kinshasa contre le gouvernement de Kabila. L'armée encadrée par des officiers tutsis procède à une centaine d'arrestations. Kabila annonce que le gouvernement de transition durera deux ans avant l'organisation des élections démocratiques.

– 26 mai 1997 : Laurent Désiré Kabila interdit toute manifestation et l'activité de tous les partis politiques, invoquant pour raison, la sécurité de l'État.

– 28 mai 1997 : Kabila s'arroge tous les pouvoirs exécutifs et militaires. L'opposition organise des manifestations à Kinshasa. La foule

5. *Le Monde* du 31 mai 1997, n° 16280.

brandit cette fois-ci des pancartes portant les inscriptions : « Kabila assassin du Congo ! Il a vendu le pays chez les Rwandais. Nous demandons sa démission sans condition »[6].

– 29 mai 1997 : Laurent Désiré Kabila prête quand même serment en présence des seuls Chefs d'État des pays africains « amis », notamment l'Ouganda, le Rwanda, le Burundi, la Tanzanie et l'Angola. Le Président Kabila dans son discours d'investiture, fixe les élections démocratiques pour deux ans et selon le calendrier suivant :

     – 30 juin 1997 : création d'une commission chargée d'élaborer un projet de constitution,

     – 1er septembre 1997 : installation de la Commission,

     – 1er mars 1998 : remise au Chef de l'État du projet de Constitution,

     – avril 1998 : convocation des Députés à une Assemblée constituante,

     – juin 1998 : élection de l'Assemblée Constituante,

     – octobre 1998 : remise au Chef de l'État de la nouvelle Constitution,

     – décembre 1998 : éventuel référendum sur la Constitution,

     – avril 1999 : élections présidentielles et législatives.

Il reste à noter que les États-Unis d'Amérique appuyèrent ces initiatives, tandis que le Conseil de Sécurité des Nations Unies sans les condamner, réclamait cependant très timidement le retour des activités de tous les partis politiques, et la cessation des massacres des réfugiés hutus dans l'ex-Zaïre.

C'est dans ce contexte fragilisé par la dictature du Maréchal Mobutu, que les « Banyamoulengué » avaient pu s'organiser et conquérir le Zaïre en renversant son régime déjà affaibli et agonisant.

Jusqu'où iront ces « Banyamoulengué » après l'exil du Maréchal Mobutu suivi de l'auto-proclamation du Chef rebelle Laurent Désiré Kabila comme Président de la République du Zaïre, désormais rebaptisée République démocratique du Congo ?

L'on ne peut rien prévoir pour le moment, car tout dépendra de l'action des nouvelles forces politiques zaïroises ou congolaises, mais surtout, de la volonté du nouveau Président auto-proclamé à instaurer un véritable régime démocratique au Zaïre.

Le Président Laurent Désiré Kabila aura-t-il le temps, la volonté et surtout les moyens d'y parvenir ? A l'heure actuelle, les choses ne semblent malheureusement pas évoluer dans ce sens et ce, en raison même des graves accusations portées soit contre certains de ses ministres qui à

---

6. *Le Monde* du 30 mai 1997, n° 16279.

peine nommés, sont aujourd'hui soupçonnés de détournements des fonds et biens publics, soit directement contre tout le régime, accusé de violations répétées des droits de l'homme, et du manque de démocratie.

Il importe de rappeler sur ce point qu'outre les anciennes accusations relatives aux massacres des réfugiés hutus par les « Banyamoulengué », des nouveaux scandales financiers et politiques ternissent actuellement l'image du Président Kabila, et il s'agit en substance :

– de l'assignation à résidence pour une courte période le 24 juillet 1997, du ministre des Finances M. Mawapanga, impliqué dans une tentative de détournement des billets de banque en coupures de nouveaux zaïres d'un montant correspondant à un milliard de dollars d'une part, et du détournement de plusieurs caisses d'ivoires d'autre part ;

– de la violente répression du 25 juillet 1997 à Kinshasa, d'une manifestation des Lumumbistes réclamant le retour des activités des partis politiques, et au cours de laquelle l'armée avait ouvert le feu sur les manifestants. Le bilan de cette répression était au moins, d'un tué et de plusieurs blessés du côté des manifestants ;

– de la brutale répression de la manifestation des étudiants le 26 août 1997, à l'Université de Kinshasa. Au cours de cette répression, l'armée avait de nouveau ouvert le feu sur les étudiants, en tuant quatre, et en blessant plusieurs autres.

Si toutes ces accusations sont fondées, elles seraient autant d'indices voire des preuves qui n'augureraient point la fin de la corruption et de la dictature de si tôt dans l'ex-Zaïre. Pire encore, le nouveau régime du Président Kabila se serait vite confondu à celui de son prédécesseur le Maréchal Mobutu, et ceci, non sans conséquences préjudiciables à la réputation du Président Kabila, à la crédibilité de son régime, et à la sécurité de tous les États du front de la région des Grands Lacs.

Mais compte tenu du fait qu'aujourd'hui le régime du Président Laurent Désiré Kabila assure au moins partiellement la sécurité du Burundi, du Rwanda et de l'Ouganda, il ne serait plus superflu d'avancer que l'actuelle République démocratique du Congo, garantit la relative sécurité des États du front de la région des Grands Lacs. Et que faute de solutions politiques véritablement démocratiques et appropriées dans sa délicate évolution, l'ex-Zaïre pourrait être vite confronté à une grave crise politique, susceptible d'ébranler son régime, ce qui remettrait ainsi en cause, la relative sécurité de tous les États de la région des Grands Lacs.

D'où jusque-là, des appréhensions quant à la véritable stabilité dans ces pays de la région des Grands Lacs.

2 – L'INTÉRÊT DE L'OCCUPATION DES LOCALITÉS ET VILLES ZAÏROISES

L'occupation des villes et localités des Provinces zaïroises du Haut Zaïre, du sud Kivu et de tout le Zaïre par les « Banyamoulengué »[7], n'était pas le fait d'un hasard. C'était le résultat d'une action concertée, suite logique d'un processus visant dans un premier temps à étendre l'espace vital de l'Ouganda et surtout du Rwanda et du Burundi, dans la perspective peut-être, d'une éventuelle création de cet État tutsi de la région des volcans. Et dans un second temps, à renverser le régime déjà vacillant du Maréchal Mobutu.

Il ne s'agirait dans ce cas que de la réalisation du vieux rêve de 1950 du chef tutsi Besengimana, celui de la création d'un État tutsi[8]. La succession des événements dans les pays de la région des Grands Lacs montre aujourd'hui que ce projet auparavant utopique et invraisemblable, pourrait devenir une réalité car au fait, sa réalisation avait effectivement commencé avec la prise du pouvoir en Ouganda par un Hima en la personne du Président Museveni. Elle continua au Rwanda avec la prise du pouvoir par le FPR, le parti politique armé tutsi. Quant au Burundi, son armée, instrument privilégié du pouvoir, a toujours été dominée par la minorité tutsie depuis la décolonisation.

Outre la création de cet État tutsi, quatre objectifs essentiels contraindraient aujourd'hui la coalition des armées tutsies des pays de la région des Grands Lacs à vouloir annexer le Kivu, cette riche région du Zaïre orientale, et ces objectifs seraient les suivants :

Un objectif militaire permettant de sécuriser le Rwanda, le Burundi et l'Ouganda en les mettant relativement à l'abri :
– des incursions de la rébellion hutue au Rwanda et au Burundi,
– des exactions des combattants de l'Armée du Seigneur en Ouganda.

Deux objectifs économiques :

Le premier consistant à étendre le « Tutsiland » encore non officiellement désigné sur cette région du Kivu qui possède d'énormes potentialités économiques naturelles à savoir : un sol fertile qui produit outre les cultures vivrières, les cultures industrielles, notamment le café et le coton au nord-est vers la frontière avec l'Ouganda.

Le sous-sol de la même région recèle d'importantes quantités de minerais et métaux précieux : l'étain et surtout de l'or. Le lac Kivu possède

---

7. Voir tableau d'occupation en fin de chapitre.
8. Voir le plan de la colonisation tutsie au Kivu et région centrale de l'Afrique en annexes J.

d'appréciables réserves de gaz méthane dont l'exploitation collective avec le Rwanda avait même été envisagée avant la crise actuelle, et laquelle contribuerait aujourd'hui au redressement économique de ces deux pauvres pays.

Du point de vue touristique, les lacs Kivu et Mobutu, les parcs nationaux de Virunga, de Gambara et de Maiko sont des atouts naturels non négligeables, et ne pouvant qu'être enviés par les autres pays enclavés, pauvres et de surcroît surpeuplés, à l'instar du Rwanda, du Burundi et de l'Ouganda.

Le second objectif consistant quand à lui, à rallier la riche République Démocratique du Congo à la communauté économique des États de l'Afrique de l'Est, afin d'assurer la couverture économique et politique du Burundi et du Rwanda, pays enclavés et naturellement pauvres.

Ces objectifs économiques ne pouvaient être pleinement atteints que si les « Banyamoulengué » réussissaient à se maintenir longtemps ou plus concrètement définitivement sur les territoires qui sont aujourd'hui occupés. Cela suppose l'absence d'une résistance significative de la part des populations zaïroises autochtones, ce qui ne semble malheureusement pas être le cas, compte tenu du climat de violence qui prévaut actuellement dans toute la République Démocratique du Congo, si nous ne nous en tenons qu'aux récentes exécutions publiques d'une vingtaine de personnes, exécutions intervenues à Kinshasa le 26 janvier 1998.

En outre, par réalisme économique, la République Démocratique du Congo s'est finalement éloignée de l'aventurisme idéologique, pour s'intégrer à la Southern African Development Community[9], contre la volonté des autres chefs d'État des régimes tutsis de la région des Grands Lacs.

Mais si l'Armée de l'ex-Zaïre du Marchéchal Mobutu avait pu récupérer ses territoires et repousser les assaillants, cette victoire aurait permis de relancer aussitôt les opérations militaires de la rébellion hutue au Rwanda et au Burundi, de même qu'elle couvrirait les rebelles ougandais. D'ailleurs, pour sa sécurité, le Zaïre aurait pu tenter lui aussi de pousser son avantage militaire hors du territoire national, en occupant toutes les villes et localités de l'Ouganda, du Rwanda et du Burundi situées le long des frontières.

Pourraient ainsi être occupées les localités ou villes de :
– Nebbi, Kyanjojo, Kasese, Ntungano et Mbarara en Ouganda,
– Gisenyi, Cyangugu au Rwanda,
– Bujumbura au Burundi.

La rébellion hutue ayant repris des initiatives militaires, il est clair

---

9. Southern African Development Community (SADC) signifie : communauté de développement de l'Afrique du Sud.

aujourd'hui que toutes les villes frontalières des pays engagés c'est-à-dire l'Ouganda, le Rwanda et le Burundi, seront en insécurité. Et il en sera ainsi, aussi longtemps que les Hutu et les Tutsi s'affronteront.

Un objectif politique complexe. Un des objectifs politiques poursuivis par Laurent Désiré Kabila, chef de la rébellion des « Banyamoulengué » était effectivement le renversement du régime du Maréchal Mobutu. Du reste il ne s'en cachait pas puisqu'il déclarait sur les ondes de Radio France Internationale (RFI) le lundi 3 mars 1997, qu'il tenait désormais à négocier directement avec le Président Mobutu afin de préparer ses conditions de départ. Par la même occasion, il interpellait tous les officiers des Forces Armées zaïroises et leur demandait de déposer les armes et de rejoindre la rébellion « Banyamoulengué ».

Compte tenu de ses succès militaires sur le terrain où certaines villes zaïroises étaient conquises parfois sans la moindre résistance des forces gouvernementales et sous les applaudissements des populations complices hostiles au régime de Mobutu, les propos de Laurent Désiré Kabila étaient à prendre au sérieux dans un Zaïre déjà affaibli et sous embargo pour la vente d'armes, où les soldats mal entraînés et mal payés manquaient totalement de motivation pour aller au combat.

Mais ce n'était pas tout. Les Zaïrois n'avaient jamais oublié leur homme symbole, Patrice Émery Lumumba, atrocement assassiné par les soldats de Mobutu. C'est dans ce contexte que beaucoup d'entre eux appuyèrent l'action de Kabila, tout juste pour venger Lumumba, et précipiter ainsi la chute du régime du Maréchal déjà aux abois.

En outre, si les accusations du Gouvernement zaïrois portant sur la collusion de certains membres des organisations humanitaires du système des Nations Unies avec les rebelles « Banyamoulengué » notamment leur complicité avec ces derniers étaient fondées, Cela prouverait une fois de plus que même la communauté internationale n'était plus favorable au régime politique en place au Zaïre. Aussi, la passivité du Conseil de Sécurité pendant toute la période d'occupation des villes zaïroises par les rebelles « Banyamoulengué » se trouverait ainsi justifiée, les massacres systématiques présumés des réfugiés hutus et des Hutu zaïrois se justifiant quant à eux, par la recherche de la sécurité au Rwanda et au Burundi.

Cependant, après que l'aviation zaïroise ait procédé au bombardement des villes occupées par les rebelles le 17 février 1997 vers 16 heures, le Conseil de Sécurité fut apparemment surpris par une telle réaction de la part d'une armée qu'on croyait totalement désorganisée et inopérante. Dans la précipitation et face à un tel événement pour le moins imprévisible, le Conseil de Sécurité réagit et adopta en catimini à l'unanimité et en urgence le lendemain 18 février 1997, une résolution prévoyant un cessez-le-feu immédiat, le retrait de toutes les forces étrangères dans l'est du Zaïre y compris les mercenaires, la reconnaissance des frontières du Zaïre, du Rwanda et du Burundi, la convocation d'une Conférence internationale. On eût cru que le Conseil de Sécurité attendait que la rébellion « Banyamoulengué » fût en difficulté pour réagir. Tout ce comportement témoignait de l'isolement du régime mobutu, un régime dont le gouvernement après avoir rejeté tour à tour la résolution du Conseil de Sécurité du 18 février 1997, les propositions faites par les ministres des Affaires Étrangères de l'Organisation de l'Unité Africaine (OUA) réunis à Tripoli, la médiation du Président sud africain Nelson Mandela le 21 février 1997 en soutenant fermement que le gouvernement zaïrois ne saurait négocier avec les rebelles « Banyamoulengué », exigé que le Conseil de Sécurité puisse préalablement condamner l'agression de son pays par des armées étrangères (allusion faite aux armées de l'Ouganda, du Rwanda et du Burundi), acceptait enfin et sans autres conditions, le plan de paix du Représentant Spécial des Nations Unies et de l'Organisation de l'Unité Africaine pour la région des Grands Lacs du 5 mars 1997, préconisant un cessez-le-feu immédiat et reprenant presque tous les points de la première résolution du Conseil de Sécurité. Curieusement c'est le chef de la rébellion qui refusera le cessez-le-feu.

En effet, le Président Mobutu avait enfin reconnu sa défaite militaire et le caractère illusoire de sa fulgurante contre-offensive qui malheureusement, ne put empêcher ni la progression des rebelles, ni la conquête des villes. La rébellion de son côté, s'efforça d'exploiter et de consolider ses succès militaires pour s'affirmer comme une force crédible avec laquelle l'opinion internationale devait désormais compter. Mais il faut reconnaître que rien n'est aujourd'hui totalement joué, car le Zaïre n'est pas le Rwanda pour qu'il soit permis de se livrer à des prévisions de quelque nature que ce soit. Le dénouement final ne dépendra pas exclusivement de la seule victoire militaire des « Banyamoulengué », mais aussi et surtout, de la capacité du vainqueur à instaurer un régime véritablement démocratique dans l'actuelle République Démocratique du Congo.

Il y a donc lieu de reconnaître aujourd'hui que l'objectif politique des rebelles « Banyamoulengué » était en partie atteint, car les rebelles « Banyamoulengué » ne se retireront pas du Kivu et du Zaïre sans une contre partie politique. Mais tout laisse à croire cependant que les rebelles « Banyamoulengué » et les régimes tutsis des pays de la région des Grands Lacs s'en sortiront beaucoup plus sécurisés dans cette partie de l'Afrique où la misère, l'exiguïté de l'espace vital et les éternelles manipulations des puissances étrangères sont à l'origine de toutes les violences.

– Enfin, un objectif stratégique rentrant dans la logique des guerres offensives propres à tous les pays ayant insuffisamment du terrain ou d'espace vital par rapport à leurs populations, et restant de ce fait à la discrétion des pays voisins.

Dans la région des Grands Lacs, le Rwanda et le Burundi hélas, se livreront très souvent à ces genres de guerres d'occupation pour la survie, tant que ces deux pays n'auront pas trouvé un relatif équilibre entre les populations et les superficies de leurs États respectifs.

Et pour tenter de retrouver cet équilibre, les contradictions de l'histoire offrent aujourd'hui à ces deux pays, deux solutions malheureusement peu recommandables parce qu'illégales et inhumaines.

La première solution consisterait évidemment à occuper les territoires des pays voisins jugés les plus vulnérables et les plus faibles. Et pour l'heure, cc n'est pas la Tanzanie et encore moins le Kenya ou le Soudan, qui auraient pu être occupés, mais le Zaïre. Un pays affaibli économiquement et politiquement, et dont le Chef jugé hostile à la cause tutsie, était de surcroît malade et très souvent absent de son pays.

Cette solution annexionniste ne sécurisait malheureusement que les seules populations des pays envahisseurs, au détriment des populations autochtones condamnées à l'exil si elles ne voulaient pas se faire massacrer par les nouveaux occupants. C'est ce qui s'était du moins passé dans les Provinces zaïroises de la région du Kivu, occupées par les « Banyamoulengué ».

La seconde solution consisterait à réduire par tous les moyens, le nombre des populations autochtones. Au Rwanda et au Burundi, cette réduction est aujourd'hui possible, car elle passe par l'extermination d'une des ethnies antagonistes que sont les Hutu et les Tutsi. Les Hutu et les Tutsi ont toujours souhaité et recherché cette extermination à travers les actes de cruauté qui illustrent leurs guerres.

En effet, la guerre totalement aveugle et absurde dans laquelle sont plongées ces deux entités ethniques et qui a pour principe « qui gagne, gagne tout, et qui perd, perd tout », permet aux vainqueurs de se livrer à n'importe quelles atrocités pour réaliser cette extermination, et c'est ce qui se passe aujourd'hui dans cette partie de l'Afrique.

Depuis la défaite des Hutu au Rwanda, la liste des cas de leurs massacres tant au Rwanda, au Burundi qu'au Zaïre ne fait que se rallonger. Les Hutu sont aujourd'hui massacrés soit collectivement et on a vu plusieurs cas au Rwanda, au Burundi et au Zaïre, soit à petit feu par des tortures physiques et morales dans les prisons rwandaises et burundaises où ils sont entassés. N'importe quand et n'importe où au Rwanda après des condamnations à mort, le génocide étant dans ce pays un crime imprescriptible.

C'est dans cette cynique logique que rentrent entre autres faits, les

condamnations à mort prononcées le 27 décembre 1996 au cours d'un procès sans défense, par le Procureur du Tribunal de Kibungo (Sud Rwanda) contre :
– Bizimana Théocratias, ex-infirmier,
– Gatanzi, ex-Agent Communal.

Au courant du mois de janvier 1997, le Procureur du Tribunal de Byumba (Nord Rwanda) requit des peines identiques contre le Professeur Bizimana François.

En outre, un rapport des Nations Unies, publié le 28 janvier 1997, indique qu'au moins 60 réfugiés Rwandais rentrés de Tanzanie avaient été froidement assassinés par des personnes sans compétence ni autorité.

Les Nations Unies condamnent aussi le massacre d'au moins 700 civils hutus femmes et enfants, par l'Armée burundaise dans la Province de Kayanza (nord-ouest du Burundi). Ces massacres eurent lieu les 2 et 3 décembre 1996. Le fait de s'en prendre aussi cruellement aux femmes et aux enfants hutus, dénote une certaine volonté d'extermination de cette ethnie rivale.

Ces condamnations et faits qui sont loin d'être les derniers, sont autant d'exemples qui illustrent aujourd'hui le climat d'insécurité et de terreur dans lequel vivent les Hutu du Rwanda et du Burundi.

A ce propos, faut-il rappeler que pour 3 soldats de l'Armée rwandaise et 3 Volontaires Italiens de Médecins du Monde tués à Ruhengeri (nord-est du Rwanda) le 18 janvier 1997 par des gens non identifiés, 93 Hutu furent massacrés en guise de représailles par l'Armée Patriotique Rwandaise[10] à prédominance tutsie ? Rien ne prouve cependant que ces Hutu étaient responsables de ces assassinats.

Aujourd'hui, l'on se pose des questions sur cet horrible massacre. Les assaillants, auteurs des meurtres des soldats rwandais et des volontaires italiens de Médecins du Monde, étaient-ils réellement des extrémistes hutus bénéficiant de la complicité de certains réfugiés hutus venant du Zaïre et récemment rentrés au Rwanda ?

Le système très vicieux du FPR aurait-il tout au contraire, procédé à une mise en scène en sacrifiant des victimes indésirables afin d'avoir un prétexte lui permettant de justifier le massacre des innocents Hutu toujours trop nombreux au Rwanda et au Burundi pour certains extrémistes tutsis ?

L'on n'en sait rien, toujours est-il que tout est possible dans ces pays de la région des Grands Lacs où les Hutu et les Tutsi ne ménagent aucun moyen pour s'entre-tuer. Aussi, les massacres massifs et systématiques des réfugiés hutus du Kivu et l'existence de nombreux charniers tant

---

10. *Source : Le Monde*, n° 1617 du 26 au 27 janvier 1997.

dénoncés par des témoins occidentaux désirant conserver l'anonymat[11], vont dans le sens de nos hypothèses. Le Secrétaire Général des Nations Unies reconnaîtra lui-même plus tard ces massacres, et certaines radios avaient fait état de cette reconnaissance, notamment RFI dans ses émissions des 5, 6 et 7 avril 1997. Actuellement, Amnesty International maintient pour sa part que depuis la crise du Zaïre, au moins 700 000 Hutu ont été massacrés par les Tutsi.

Autant de preuves qui confirment mes propos et suscitent des appréhensions dans l'avenir des pays de la région des Grands Lacs, où personne n'exagérerait aujourd'hui, en évoquant la tentative d'extermination de l'ethnie hutue. Il importe néanmoins de rappeler qu'objectivement, l'ethnie tutsie serait dans la même situation si elle avait perdu la guerre. D'ailleurs, elle était déjà menacée d'extermination avant le déclenchement de la guerre, au Rwanda le 7 avril 1996.

3 – LES CONSÉQUENCES DE L'OCCUPATION DES VILLES ET LOCALITÉS ZAÏROISES PAR LES « BANYAMOULENGUÉ »

Le Zaïre est un vaste pays qui a plusieurs Provinces et compte de nombreuses ethnies qui s'étendent en dehors du Zaïre dans les autres États limitrophes. Le cas des « Banyamoulengué » n'est donc pas une exception, et sa rébellion n'est pas la première qui soit connue dans ce pays.

Au sud et au sud-est sur plus de 1 500 km le long de ses frontières avec l'Angola et la Zambie, le Zaïre compte 4 Provinces habitées par 4 principales entités ethniques différentes, qui s'étendent au-delà des frontières dans les autres États ainsi qu'il suit :

– Province du Bas Zaïre : l'ethnie Bakongo qu'on retrouve aussi en Angola, au Gabon et au Congo,

– Province de Bandundu : l'ethnie Yaka qu'on retrouve en Angola,

– Province du Kasai Occidental : la communauté ethnique des Tshokwe qu'on retrouve en Angola,

– Province de Tshaba (ancien Katanga) : l'ethnie Lunda qu'on retrouve en Angola et en Zambie.

Parmi ces quatre riches Provinces du sud et sud-est du Zaïre, seule la

---

11. *Le Monde* du 26 février 1997, n° 16201 ; *La Croix* du 13 mars 1997, n° 34663.

Province du Tshaba se rebella deux fois sans succès, depuis l'accession du Zaïre à l'indépendance.

Le 11 juillet 1960, le Premier ministre Moïse Tshombé, un Lunda, sans doute victime des manipulations de certains occidentaux intéressés au cuivre du Shaba, proclama l'indépendance du Katanga (actuel Shaba). Cette indépendance ne fut pas reconnue, et elle prit fin le 15 janvier 1963.

Les ennuis de Moïse Tsombé commençaient à partir de cette date puisque le 15 juin 1965, son avion privé fut kidnappé en plein vol, et Tsombé incarcéré dans une prison en Algérie, s'y éteignit le 29 juin 1966.

En 1977, des rebelles Lunda, peut-être soucieux de venger Tshombé, assiégèrent la ville minière de Kolwezi toujours dans la Province du Shaba. Ils opérèrent en qualité de « Gendarmes Katangais », alors qu'en réalité, c'était une coalition des Lunda zaïrois et des Lunda angolais. Leur occupation fut de courte durée, puisque cette rébellion fut matée par l'armée zaïroise avec l'appui des parachutistes français et des éléments des troupes marocaines. Les rebelles fuirent en Angola.

On peut dire aujourd'hui que l'ex-Zaïre, de par sa configuration géographique et sa structure économique et politique, a une certaine expérience des rébellions internes, car jusque-là, le Zaïre a toujours su sauvegarder l'intégrité du territoire national.

A partir des exemples du Shaba, il y a lieu de croire que M. Laurent Désiré Kabila et les « Banyamoulengué » avaient pris un très grand risque en occupant militairement le Kivu et ce, avec la complicité manifeste des autres pays, si les déclarations des gouvernements zaïrois, belge et américain sont, à ce sujet, fondées [12]. Il faut partir du fait que la guerre

---

12. *Le Figaro* du 4 novembre 1996, n° 16241.
– Déclaration du Général Eluki, Chef d'État-Major de l'Armée zaïroise : « Nous ne nous arrêterons pas aux frontières.
Les Zaïrois ne pardonneront jamais aux Rwandais cette aventure ».
Libération du 9 au 10 novembre 1996, n° 4813.
– Déclaration du Maréchal Mubutu, Président de la République : « Il s'agit bel et bien d'une agression perpétrée par le Rwanda avec la Complicité des "Banyamoulengué" au Zaïre depuis des générations, qui ont en quelque sorte joué le rôle d'une cinquième colonne ».
Le Monde du 5 décembre 1996, n° 16130.
– Propos de Monsieur Jean-Marie Kititua Toumassi, Vice-Premier Ministre Zaïrois : « Nous sommes en guerre avec le Gouvernement ougandais. Ils sont arrivés avec les armes sur notre territoire, nous les en chasserons par les armes ».
– Déclaration de Monsieur Daniel Simpson, Ambassadeur des États-Unis à Kinshasa : « Ce que je veux vous dire, c'est que le Rwanda est bien équipé et est venu s'installer pour longtemps en territoire zaïrois ».
– Déclaration de Monsieur Nicholas Burns, Porte-parole du Département d'État : « Nous souhaitons avertir les "Banyamoulengué" et ceux qui pourraient les soutenir que

se passait à l'intérieur d'un État souverain, et la communauté internationale ne pouvait y intervenir sans être condamnée d'ingérence dans la vie politique d'un État souverain.

D'ailleurs, les Nations Unies n'étaient pas intervenues en Tchétchénie, pourquoi seraient-elles intervenues au Zaïre ? Et surtout pour dire quoi aux belligérants, puisque dès le début même de cette guerre, le Conseil de Sécurité s'opposa à l'envoi d'une force internationale qui aurait pu éviter le massacre des réfugiés hutus et l'occupation des Provinces zaïroises.

Dans cette région du Kivu, l'on s'acheminait déjà vers une solution à la rwandaise, c'est-à-dire celle qui résulterait des rapports de force sur le terrain entre les belligérants, et qui malheureusement, n'allait pas pour autant, mettre fin d'aussi tôt aux hostilités.

Comme Laurent Désiré Kabila et les « Banyamoulengué » avaient gagné la guerre, favoriseront-ils à moyen terme, la création d'un quatrième État tutsi dans la région des Grands Lacs, privant ainsi l'ex-Zaïre de deux de ses plus riches Provinces ? Cette question restera toujours posée, tant que les troupes de la coalition des États tutsis de la région des Grands Lacs seront présentes dans l'actuelle République démocratique du Congo d'une part, et tant que des Conseillers et ministres tutsis d'origine rwandaise ou ougandaise, feront partie du gouvernement Kabila d'autre part.

Mais si c'était le Zaïre de l'ex-dictateur Mobutu qui avait gagné la guerre, cette victoire aurait été certainement lourde de conséquences pour les « Banyamoulengué » qui risquaient de connaître le même sort que celui des anciens Gendarmes Katangais, c'est-à-dire s'exiler soit au Rwanda, soit au Burundi ou en Ouganda.

Mais les Tutsi étaient parfaitement conscients du problème et toutes les dispositions militaires et politiques étaient prises pour éviter une telle issue.

C'est ainsi que selon les déclarations du gouvernement belge, les troupes rwandaises combattaient aux côtés des rebelles « Banyamoulengué », et selon le gouvernement zaïrois, c'est plutôt la coalition des troupes ougandaises, rwandaises et burundaises qui était venue porter secours aux « Banyamoulengué » du Kivu, depuis le début de la malheureuse contre offensive des forces armées zaïroises. Les États-Unis d'Amérique se contentaient tout simplement de reconnaître assez tardivement la présence des troupes étrangères aux côtés des rebelles « Banyamoulengué ».

Il ne s'agissait donc plus d'un simple conflit zaïro-zarois, mais d'un conflit régional aux ramifications complexes, et aux repercussions poli-

---

le monde les regarde. Ceux qui ont perpétré des attrocités en seront tenus pour responsables ».

TABLEAU DE L'OCCUPATION DES VILLES ET LOCALITÉS ZAÏROISES
PAR LA RÉBELLION « BANYAMOULENGUE »*

Localités ou villes occupées	Dates probables d'occupation	Origine probable de l'armée d'occupation	Localités ou Villes éventuellement protégées par cette armée	Pays
Uvira	18 au 20 octobre 1996	Burundi	Bujumbura	Burundi
Bukavu	3 novembre 1996	Rwanda	Cyangugu	Rwanda
Goma	novembre 1996	Rwanda + Ouganda	Gisenyi Ntungamo + Mbarara	Rwanda Ouganda
BUNIA	décembre 1996	Ouganda	Kyanjojo + Kasese	Ouganda
Arua	décembre 1996	Ouganda	Nebbi	Ouganda
Rutshuru	décembre 1996	Rwanda + Ouganda		
Walikalé	23 au 24 janvier 1997	Rwanda		
Beni	janvier 1997	Ouganda		
Katindi	janvier 1997	Ouganda		
Watsa	31 janvier 1997	Ouganda		
Tingi-Tingi	février 1997	Rwanda + Burundi + Ouganda		
Kalémic	3 février 1997	-II-		
Isiro	11 février 1997	Ouganda + Burundi + Rwanda		
Kalima	22 février 1997	-II-		
Kindu	27 février 1997	Rwanda + Burundi		
Moba	10 mars 1997	Ouganda + Burundi + Rwanda		
Kisangani	15 mars 1997	-II-		
Kabinda	20 mars 1997	-II-		
Yangambi	20 mars 1997	-II-		
Kassanga	28 mars 1997	-II-		
Kamina	31 mars 1997	-II-		
Mbuji-Mayi	4 au 5 avril 1997	-II-		
Ikasi Lubumbashi	9 avril 1997 9 avril 1997	-II- -II-		

Localités ou villes occupées	Dates probables d'occupation	Origine probable de l'armée d'occupation	Localités ou Villes éventuellement protégées par cette armée	Pays
Kananga Kolwezi	13 au 15 avril 1997	-II-		
Boembe Elembo Tchikapa	23 avril 1997	-II-		
Kikwit	29 avril 1997	-II-		
Lisala	2 mai 1997	-II-		
Kenge	3 mai 1997	-II-		
Mbandaka	13 mai 1997	-II-		

* La progression des rebelles « Banyamoulengué » s'étant faite sans grande résistance, les dates imprécises d'occupation pour certaines localités correspondent aux périodes de résistance avant leur conquête définitive. Cette liste n'est donc pas exhaustive.

tiques qui à un certain moment, auraient pu embraser la région des Grands Lacs et toute l'Afrique Centrale, n'eût été les pressions des grandes puissances.

De nos jours, les conséquences de ce conflit affectent encore directement ou indirectement, d'autres États africains.

La guerre du Kivu a renforcé l'insécurité dans tous les pays de la région des Grands Lacs, détruit les maigres chances qui auraient pu favoriser l'unité entre ces pays, au point d'en faire un grand pôle économique, mis à rude épreuve la traditionnelle hospitalité africaine grâce à laquelle beaucoup de pays acceptaient encore sans condition, les déplacés, d'où qu'ils proviennent en Afrique. Bref, l'invasion des Provinces zaïroises a largement contribué au développement de la méfiance entre les pays africains qui ne sont déjà pas très solidaires dans la gestion de leur pauvreté matérielle et morale.

Dans l'avenir, il faudra vraisemblablement s'attendre à voir se développer des obstacles dans l'accueil des populations en difficulté. En effet, ce qui se passe actuellement dans les pays de la région des Grands Lacs et notamment au Rwanda, au Burundi et dans l'ex-Zaïre, donne l'impression que les Africains seraient en train de perdre le sens de la fraternité et le respect de l'être humain.

4 – BILAN DE LA RENCONTRE
ENTRE LE MARÉCHAL MOBUTU
ET LAURENT DÉSIRÉ KABILA

A) CLIMAT DE LA RENCONTRE

Après plusieurs jours de report et d'attente ponctuée d'intenses émotions, l'hypothétique rencontre entre le Maréchal Mobutu et le Chef de la rébellion « Banyamoulengué » Laurent Désiré Kabila, avait finalement eu lieu au large des côtes congolaises le 4 mai 1997 à bord de l'« Outeniqua », un bâtiment de la marine sud africaine.

Les discussions se déroulèrent en présence du Président Nelson Mandela et du Représentant Spécial des Nations Unies et de l'OUA dans la région des Grands Lacs, Mohamed Sahnoun.

Mais bien avant cette rencontre dont l'organisation ne fut pas facile, le Maréchal Mobutu et Laurent Désiré Kabila, campaient déjà chacun sur ses positions.

Pour le Maréchal Mobutu, la rencontre avec Kabila devait permettre d'instaurer un gouvernement de transition lequel conduirait à l'organisation d'élections législatives et présidentielles démocratiques. Le Maréchal Mobutu suffisamment acculé, espérait de cette façon repositionner son parti, le MPR au sein des nouvelles forces politiques qui devraient être les composantes du prochain gouvernement, et ainsi s'assurer une sortie moins humiliante.

Pour Laurent Désiré Kabila par contre, la rencontre avec le Maréchal Mobutu ne devrait consister qu'à sa démission, et à la négociation des conditions de son départ.

Kabila en fera même un préalable pour tout cessez-le-feu, menaçant de conquérir l'ensemble du territoire zaïrois par les armes au cas où Mobutu s'obstinerait à se maintenir au pouvoir.

Laurent Désiré Kabila privilégiait effectivement cette forme peu démocratique d'accession au pouvoir, conscient du fait que l'hostilité des Zaïrois au Maréchal Mobutu et à son régime, n'était pas forcément synonyme de sa popularité qui du reste, s'effritait progressivement.

Le chef de la rébellion « Banyamoulengué » restait convaincu d'autre part qu'il ne pouvait accéder au pouvoir que par les armes, et ainsi respecter les clauses du contrat qui le liait à ses parrains que sont les États-Unis d'Amérique, et tous les lobbies tutsis, de la région des Grands Lacs et de l'extérieur.

En effet, les Zaïrois soucieux de se débarrasser dans un premier temps d'un dictateur qui les aura opprimés pendant plus de trente ans, applaudiraient indifféremment n'importe quelle personne qui aurait eu le courage et les moyens de s'affronter au régime du Maréchal Mobutu, sans toutefois tenir compte des conséquences politiques après sa destitution.

Aussi, la complicité de certains Zaïrois qui ne se posèrent même pas des questions sur la personne de Laurent-Désiré Kabila, accepté d'office comme libérateur, n'était qu'un appui de circonstance, une réaction spontanée qui pourrait tout aussi bien se transformer en une haine implacable contre le chef de la rébellion « Banyamoulengué ». Tout dépendant en effet de la nature des événements qui interviendraient, et de l'évolution ultérieure de la situation politique dans le temps et dans l'espace.

Cette hypothèse se confirme aujourd'hui, puisque quelque temps seulement après, la rébellion « Banyamoulengué » était accusée des pillages des biens des zaïrois, des tortures, des disparitions des personnes et des massacres systématiques des Hutu[13].

---

13. *Africa International d'avril 1997, n° 303, pp. 80-81*, écrit : ... « Les populations hutues zaïroises sont menacées. Dès leur entrée dans Goma le vendredi 1er novembre 1996, les soldats (rebelles) se sont mis à la recherche des soldats zaïrois et des réfugiés hutus. Tout réfugié trouvé devait être abattu. Tout réfugié était appelé Interahamwé.

Beaucoup de gens sont enlevés de nuit, certains de jour. Les gens disparaissent en général définitivement.

Des témoins proches des frontières parlent des voitures nombreuses traversant de nuit vert le Rwanda, alors que sont fermées les frontières.

A Goma et à Rutshuru, ces enlèvements ont pris ces dernières semaines des proportions vraiment inquiétantes. Même Bukavu n'est pas épargnée : sont recherchés les derniers Hutu qui s'y cachent encore, *qu'ils soient rwandais ou zaïrois*, mais aussi les Zaïrois qui ont travaillé dans une ONG par exemple, pour les réfugiés. On estime que 4 à 5 personnes disparaissent par nuit à Bukavu ; elles seraient une quarantaine par semaine à Goma. La chasse aux Hutu a lieu dans les villes, mais c'est surtout dans le Masisi que cette chasse est massive.

Les rebelles se sont donc livrés à des *massacres méthodiques*, et d'une très grande violence ».

FR3, émission du 18 avril 1997 en direct de Goma

– à travers le micro de l'envoyé spécial à Goma, Philippe Peaster, un Zaïrois interviewé répond le visage cagoulé :

« Les Tutsi venus de l'Ouganda, du Rwanda et du Burundi occupent toute la ville de Goma. Ils nous briment, monopolisent tout le commerce, réquisitionnent nos villas pour du bon, prennent nos véhicules qui s'en vont de l'autre côté du Rwanda pour ne plus revenir, enlèvent et tuent tous les Zaïrois suspectés de mauvaise collaboration avec l'Alliance. S'ils me reconnaissent, ils viendront me tuer cette nuit, car beaucoup de personnes disparaissent dans ces conditions depuis que la ville est occupée. »

Le Soir du 25 février 1997 (Quotidien belge)

– Le Secrétaire d'État belge à la Coopération régionale Moreels avait qualifié de « Génocide » les massacres des Hutu perpétrés dans le Kivu lors de l'avance des brigades tutsies de Laurent Désiré Kabila.

RFI, émission du 29 avril 1997

– Francis Patinde, un des représentants des organisations humanitaires en poste à Ki-

Il s'agit donc d'accusations extrêmement graves qui, conformément à la Convention Internationale du 9 décembre 1948, en font un crime con-

---

sangani, confirme les massacres à coups de machettes des réfugiés hutus du camp de Biaro, et l'existence de plusieurs charniers.

Africa International d'avril 1997, n° 303
– Jerzy Bednarek titre : le génocide au Kivu pour quel dessin ?
L'auteur confirme :
« Le premier pays francophone d'Afrique subit depuis des mois une agression extérieure. Comme par une convention internationale tacite, rien cependant ne vient perturber l'exécution du plan d'occupation du Zaïre oriental et d'extermination d'une partie de ses populations. A cette guerre, semble correspondre une nouvelle ligne de partage du continent africain, tracé aux prix dérisoire d'un génocide régional ».

Le Monde du 3 mai 1997, n° 16256
– Fait état d'élimination « systématique » des réfugiés hutus par les soldats de l'Alliance de Laurent Désiré Kabila.

Libération du 28 avril 1997
– Stephen Smith écrit : 850 000 Hutu disparus. L'ONU accuse Kabila qui parle d'un « petit problème » ;
– le Rapporteur Spécial de l'ONU, Roberto Garreton, avait fait état le 2 mars 1997 à Genève de certains éléments laissant penser qu'il y avait pu avoir génocide » ;
– le Porte-Parole du Programme Alimentaire Mondial (PAM) parle de « solution finale » pour caractériser les massacres des réfugiés hutus par les rebelles « Banyamoulengués » ;
– Médecins Sans Frontières (MSF) dénonce une « politique de liquidation » ;
– le Secrétaire Général des Nations-Unies Kofi Annan, accuse lui-même Kabila de vouloir exterminer les réfugiés hutus en les affamant.

Le Monde du 8 mai 1997, n° 16260
– Madame Emma Bonino, Commissaire européen chargée de l'Action humanitaire, dénonce un « carnage majeur » dans l'est du Zaïre et exige une enquête de la Commission des Droits de l'homme.
– L'Europe accuse enfin Kabila d'avoir fait de l'est du Zaïre un « abattoir ».
A toutes ces accusations, s'ajoute la centaine de morts des réfugiés hutus entassés et écrasés dans les wagons métalliques du train entre Biaro et Kisangani, le 4 mai 1997.

Le Monde du 15 mai 1997, n° 16266
– Danielle Rouard réitère l'aggravation actuelle des enlèvements, des disparitions et de l'insécurité à Goma dans les termes suivants :
« Depuis la "libération" de Goma, les enlèvements et les disparitions sont devenus le lot ordinaire. Différentes sources mettent en cause des militaires rwandais... Toujours selon les mêmes sources, Laurent Désiré Kabila aurait même été la cible de trois tentatives d'attentat à Goma, avant de plier bagage pour Lubumbashi ».

Le Monde du 16 mai 1997, n° 16267
– Le communiqué du ministre français des Affaires Étrangères du 13 mai 1997, confirme l'existence des massacres au Zaïre. Je cite : « Des massacres sont actuellement perpétrés dans la ville de Mbandaka par les Forces de l'Alliance des forces démocratiques pour la libération du Conga-Zaïre. La France condamne ces comportements criminels et exprime sa profonde indignation ».
Enfin, le 15 mai 1997, le Conseil de Sécurité condamne l'obstruction exercée par les soldats de la rébellion « Banyamoulengué », pour une enquête contre les violations des droits de l'homme.

tre l'humanité. Et Laurent Désiré Kabila se retrouverait ainsi en position difficile, au cas où les résultats de la commission d'enquête que les Nations Unies avaient depuis dépêchée à cet effet, venaient confirmer ces accusations. Mais cette enquête tant repoussée aura-t-elle vraiment lieu un jour, et dans des bonnes conditions d'impartialité ?

A propos de cette enquête, il faut reconnaître que le régime Kabila n'avait cessé d'intensifier des intimidations, harcèlements et arrestations sur les enquêteurs des Nations Unies opérant sur le terrain

A titre d'exemples, rappelons les cas de l'enquêteur canadien Christopher Harland, arrêté et dépouillé de tous ses documents à Goma en mars 1998 ; du témoin Oswald Hakorinama d'ethnie hutue qui fournit des informations extrêmement détaillées sur les massacres des réfugiés hutus par les « Banyamoulengue », et qui fut purement et simplement exécuté dans la même ville. L'Organisation Human Right's Watch confirmera son assassinat le 30 mars 1998.

Il demeure clair que le refus formel de collaboration manifesté par le régime de Kabila pour faire la lumière sur ces massacres présumés des réfugiés hutus, prouve par ailleurs que quoi qu'il en soit, les « Banyamoulengue » auraient effectivement quelque chose à cacher à la communauté internationale.

Devant cette hostilité toujours croissante, le Secrétaire Général des Nations Unies avait fini par supprimer définitivement cette mission d'enquête le 17 avril 1998, la confiant désormais à la commission des droits de l'homme des Nations Unies de Genève.

D'ores et déjà, l'on se demande comment la commission des droits de l'homme à partir de l'extérieur, réussira-t-elle efficacement et objectivement à mener cette enquête aussi délicate, alors que des enquêteurs dépêchés sur place, n'y parvinrent pas.

Aussi, la poursuite de cette enquête aux multiples rebondissements, semble aujourd'hui compromise et ce, d'autant plus que le gouvernement de la République Démocratique du Congo, à travers les déclarations de son Ambassadeur à New York en l'occurrence M. André Kapanga en date du 17 avril 1997, promettait de s'opposer à toute nouvelle investigation, d'où qu'elle provienne.

Enfin, l'on se demande comment pour un motif aussi grave, la communauté internationale et les États-Unis d'Amérique en particulier, n'usent pas de leurs droits ou de leur puissance militaire pour imposer cette enquête à le République Démocratique du Congo, comme cela venait d'être le cas en Irak pour l'inspection des sites présidentiels auparavant interdits par le Président Saddam Hussein.

Le traitement de faveur dont bénéficie le régime Kabila dans ces massacres présumés des réfugiés hutus cacherait-il d'autres complicités ? Lesquelles et pour quel intérêt ?

Dans tous les cas, les résultats de cette enquête déjà sabotée, n'auront plus l'impact juridique et politique qu'ils auraient pu mériter et qu'on était en droit d'attendre.

Mais en attendant, la crédibilité du Président Kabila se trouve aujourd'hui très affectée. Ses intentions démocratiques et ses capacités à assurer l'après-mobutisme étant largement contestées.

Beaucoup d'Africains surtout, estiment aujourd'hui que Laurent Désiré Kabila est incapable de transformer ses victoires militaires en une victoire politique. Certains vont même jusqu'à le traiter de vendeur d'illusions et de marionnette à la solde des pays étrangers, l'Ouganda, le Rwanda, le Burundi et les États-Unis d'Amérique en particulier.

B) BILAN DE LA RENCONTRE

Dans un contexte aussi polémique caractérisé par la méfiance des deux protagonistes, la rencontre du 4 mai 1997 n'avait aucune chance d'aboutir aussi tôt à des conclusions ou résultats positifs. Et l'annulation au dernier moment de la rencontre pourtant programmée du 14 mai 1997, faute de la présence de Laurent Désiré Kabila, confirme notre propos.

Au cours de la rencontre, le Maréchal Mobutu annonçait qu'il n'allait plus être candidat à sa propre succession, et promettait de remettre le pouvoir au candidat qui allait être démocratiquement élu. A cet effet, le Maréchal Mobutu demandait la création d'un organe de transition devant conduire aux élections démocratiques (législatives et présidentielles) en moins d'un an, lequel organe devrait être dirigé par une personnalité neutre.

Enfin, Mobutu réclamait un cessez-le-feu immédiat.

Laurent Désiré Kabila pour sa part, acceptait la création de cet organe de transition et le cessez-le-feu, mais sous trois conditions :

– d'abord, que les forces politiques devant faire partie de cet organe de transition, soient exclusivement choisies par la seule Alliance des forces démocratiques pour la libération du Congo-Zaïre (AFDL) ;

– ensuite, que l'autorité de transition soit entièrement dirigée par la même Alliance des forces démocratiques pour la libération du Congo-Zaïre ;

– enfin, que le Maréchal Mobutu démissionne définitivement.

Devant des positions aussi antinomiques, la rencontre du 4 mai 1997 ne pouvait se solder que par un échec. Mais elle avait néanmoins rapproché deux personnalités qui désormais avaient enfin eu une base de négociations.

PERSPECTIVES ACTUELLES

L'avenir politique de la République Démocratique du Congo dépend aujourd'hui de la bonne volonté des nouvelles forces politiques engagées dans le processus des changements démocratiques, mais aussi de l'appui des puissances occidentales dont l'influence est incontournable dans ce vaste et riche pays.

En effet, après l'échec de la rencontre du 4 mai 1997 et devant l'irrésistible progression des troupes de la rébellion vers Kinshasa, certaines puissances occidentales telles les États-Unis d'Amérique et la France en particulier, avaient fait pression à la fois sur le chef rebelle Kabila et sur le Maréchal Mobutu, à qui elles demandèrent de négocier afin d'éviter un bain de sang inutile à Kinshasa.

Dans le même ordre d'idées, cinq chefs d'État africains francophones réunis à un sommet extraordinaire le 8 mai 1997 à Libreville (Gabon), dissuadèrent eux aussi le Maréchal Mobutu en lui demandant de passer la main afin d'éviter un carnage à Kinshasa[14].

Le communiqué final de ces chefs d'État invitait instamment les forces politiques zaïroises, sous la direction du Haut Conseil de la République – Parlement de transition (HCR-PT), de procéder à l'élection de son Président pour permettre un fonctionnement régulier des institutions, et favoriser ainsi une transition démocratique, conformément à l'Acte constitutionnel de la transition.

Les chefs d'État prirent aussi acte de la déclaration faite par le Maréchal Mobutu selon laquelle, en raison de ses problèmes de santé, il ne sera pas candidat à sa propre succession.

Se conformant aux recommandations des chefs d'États et aux pressions des puissances occidentales, le Haut Conseil de la République – Parlement de transition se réunissait le 10 mai 1997, et élisait comme Président, l'Archevêque de Kisangani, Monseigneur Laurent Monsengwo en dépit du refus de l'opposition radicale représentée par Étienne Tschisekedi.

---

14. Au sommet extraordinaire de Libreville (Gabon) du 8 mai 1997, étaient présents les chefs d'État ou leurs représentants suivants :
– Ange-Félix Patasse de Centrafrique ;
– Pascal Lissouba du Congo ;
– Omar Bongo du Gabon ;
– Obiang Nguema de la Guinée Équatoriale ;
– Ferdinand Oyono, ministre des Relations Extérieures du Cameroun, représentant le Président Paul Biya empêché.
Il reste à noter que le Maréchal Mobutu lui même assistait au sommet.

Monsengwo qui devenait ainsi la seconde personnalité du Zaïre, remplacerait le Maréchal Mobutu en cas de vacance du pouvoir.

Jusque-là, Laurent Désiré Kabila continuait de rejeter ce scénario et réclamait le départ du Maréchal Mobutu avant tout cessez-le-feu. Entre temps, la guerre faisait rage dans les environs de la localité de Kenge, où depuis le 5 mai 1997, les Forces armées zaïroises avaient engagé une contre offensive sérieuse, avec l'appui des soldats de l'UNITA venus en renfort depuis l'Angola.

Il ressort de la rencontre entre Mobutu et Kabila du 4 mai 1997, que les acteurs politiques zaïrois entretenaient des profondes divergences, conséquence logique de l'explosion des rancœurs historiques d'une opposition inhibée et bâillonnée pendant plus de trente ans de dictature.

Pour l'Alliance des forces démocratiques pour la libération du Congo-Zaïre, il fallait faire la différence en mettant en exergue, les crimes commis sous le régime Mobutu tant du point de vue violation des droits de l'homme que du point de vue pillage des richesses de la nation, sans oublier les multiples tentatives de déstabilisation des régimes de certains pays frontaliers notamment l'Angola, le Burundi, le Rwanda et l'Ouganda.

Comme on ne peut pas conserver de l'eau propre dans une calebasse sale selon l'expression même d'un ancien adage africain, les nouvelles forces politiques zaïroises regroupées au sein de l'Alliance des forces démocratiques pour la libération du Congo-Zaïre, préférèrent éviter tout amalgame. D'où leur hostilité à tout organe de transition qui échapperait à l'autorité exclusive de l'Alliance, et Kabila l'avait prouvé en récusant l'élection de Monseigneur Monsengwo élu Président du Haut Conseil de la République – Parlement de Transition le 10 mai 1997.

Mais il y avait aussi de nombreux zaïrois opposés à la fois au régime du Maréchal Mobutu et à la rébellion « Banyamoulengué », estimant tout simplement que Laurent Désiré Kabila qui avait pris à son tour le pouvoir par les armes et de surcroît avec l'appui des troupes étrangères, n'etait pas non plus démocrate. Il risquerait même d'être plus dictateur que Mobutu qui prit lui aussi le pouvoir par les armes.

Cette catégorie de Zaïrois préférait effectivement une personnalité neutre à la tête du Zaïre, et c'est dans cette optique que Monseigneur Monsengwo fut élu Président du Haut Conseil de la République – Parlement de transition.

Aujourd'hui, les Zaïrois dans leur grande majorité, sont déçus et ne se font plus d'illusions sur les prétendues ouvertures démocratiques de Laurent Désiré Kabila qu'ils accusent ouvertement de vendre le Zaïre au

Rwanda[15], et d'avoir instauré une dictature qu'ils promettent de combattre.

A cet effet, plusieurs indices permettent de dire aujourd'hui que le déclenchement de ce combat ne serait-ce qu'idéologique, serait inéluctable, bien que le nouveau ministre d'État chargé des Affaires Intérieures M. Gaétan Kakudji, neveu du Président Kabila, ancien Président du CO-KAT (Communauté Katangaise d'Outre-Mer), ait promis depuis le 16 janvier 1998 de transférer au Tribunal militaire tout congolais qui tenterait de se livrer aux activités politiques, outre que celles de l'Alliance des Forces Démocratiques pour la Libération du Congo (AFDL).

Il s'agit notamment :

– de la création le 27 août 1997 à Bruxelles (Belgique) par les anciens dignitaires du régime du défunt Président Mobutu, d'un parti politique d'opposition extérieure, le « Rassemblement des Patriotes congolais » (RPC) ;

– du durcissement de l'opposition intérieure, totalement hostile aux violations des droits de l'homme, au manque de démocratie et à la présence des troupes d'occupation tutsies dans l'ex-Zaïre ;

– enfin, de l'intensification des combats depuis la fin du mois d'août 1997, lesquels combats opposent aujourd'hui avec un certain acharnement et une certaine intensité, les « Banyamoulengué » à la coalition des combattants des autres tribus et ethnies du Masisi dans le Kivu, et les Mulele Maï en particulier.

Certains Zaïrois redoutent aujourd'hui une tutsification définitive de leurs institutions à l'instar de celles de l'Ouganda, du Rwanda et du Burundi. Voilà comment en moins de quelques jours seulement de pouvoir, Kabila le « libérateur » devint Kabila le traître aux yeux de beaucoup de Zaïrois qui n'hésitent plus à le comparer à son prédécesseur, le Maréchal Mobutu.

Enfin, à ces deux difficultés d'ordre interne, s'ajoute une difficulté d'ordre externe. Il s'agit des éternelles convoitises des immenses richesses du sol et du sous-sol zaïrois par les pays industrialisés qui s'y rivalisent aujourd'hui à travers des nationaux interposés.

Il devient dans ces conditions évident que le dénouement de la crise zaïroise ne se fera sans violence supplémentaire que si les leaders politiques de tous bords, les partisans du Maréchal Mobutu et ceux de Kabila en particulier, prendront conscience de la gravité du problème, et se fe-

---

15. Lors de l'investiture du Président Laurent Désiré Kabila le 29 mai 1997, les jeunes Congolais manifestaient en signe d'opposition devant la Tribune Officielle en criant : « Tshi-Tshi (Tshisekedi) est le meilleur, Kabila est ridicule ! », « Nous jurons devant Dieu que Bizima Karaha (ministre des Affaires Étrangères de Kabila) est un Rwandais ! ».
Extrait du *Monde* du 31 mai 1997 n° 16280, p. 2.

ront des concessions réciproques en vue de trouver une solution de compromis.

Seules ces ultimes concessions permettront d'asseoir à brève échéance, un organe de transition acceptable par toutes les tendances des nouvelles forces politiques, et favoriseront l'instauration d'un régime enfin démocratique dans l'ex-Zaïre.

Il ne faudra surtout pas perdre de vue que la crise zaïroise ne se limitait tout simplement pas au départ du Maréchal Mobutu, à son remplacement par M. Kabila ou toute autre personnalité congolaise.

Mais il faudra aujourd'hui rechercher la solution salvatrice, celle qui hélas, requiert la prise en considération du réalisme économique, dans un contexte géopolitique et géostratégique globalisant.

Faute de ces ultimes concessions, l'immense ex-Zaïre qui est déjà suffisamment miné, risque de sombrer dans une guerre civile aux graves conséquences pour toute l'Afrique noire. Dans cette triste perspective, il n'y aurait aucune exagération à évoquer son éclatement en plusieurs petits États fédéraux ou autonomes, sur la base des affinités ethniques, et en fonction des influences des grandes puissances.

C'est dire que le départ du citoyen ordinaire Mobutu intervenu le 16 mai 1997, son décès survenu le 7 septembre de la même année, ne suffisent pas pour résoudre en totalité la crise dans l'ex-Zaïre. Il faut maintenant s'attaquer aux problèmes de fond qui sont essentiellement économiques, et suffisamment complexes pour un Zaïre où se croisent aujourd'hui, toutes les convoitises des pays occidentaux et africains prétendument amis.

V
Deux États : ultime solution
pour une paix durable ?

Avant de faire la moindre proposition susceptible d'apporter la paix au Rwanda et au Burundi, il convient tout d'abord de partir d'un constat.

Le Rwanda et le Burundi sont devenus aujourd'hui des pays d'extrémisme. Cet extrémisme s'explique par le fait qu'en réalité, les deux principales ethnies de ces pays n'ont jamais franchement collaboré et leur cohabitation a toujours été conflictuelle. En effet, avant la colonisation, ces pays étaient des royaumes sous le contrôle des rois tutsis, et les Hutu étaient asservis et exploités.

Pendant la colonisation, les colonisateurs européens s'appuyèrent sur ces mêmes rois tutsis pour imposer leur domination dans tout le pays. Après la colonisation, les Hutu enfin libérés de la double emprise monarchique et coloniale, essayèrent de se venger en tentant d'exterminer les Tutsi ou de les chasser hors du Rwanda. Au Burundi, les Hutu majoritaires, réclament actuellement le droit de gérer la majeure partie du pays.

Il est clair que pendant ces trois étapes historiques, les Hutu et les Tutsi ne connurent qu'une cohabitation forcée, c'est-à-dire imposée soit par le système monarchique à l'aide du fouet, soit par le système colonial à l'aide du même fouet assorti parfois de la prison, soit enfin par d'infructueux compromis politiques.

D'ailleurs, comment peut-on imaginer de nos jours une collaboration entre des personnes n'ayant pas les mêmes objectifs et n'œuvrant pas pour les mêmes causes ? Comment la collaboration pouvait-elle être possible entre les Tutsi dont étaient issus les « Mwami », et leurs sujets dominés ?

Ce qu'on appelle aujourd'hui Hutu ou Tutsi modérés dans le contexte politique burundo – rwandais, ne relève que d'une pure démagogie, car en réalité ces deux ethnies n'ont jamais eu l'occasion de s'apprécier au point d'opérer des rapprochements idéologiques. Pire encore, après toutes ces tortures, les Hutu et les Tutsi n'ont jamais souhaité se réconcilier franchement. Cette attitude dénote une haine héréditaire et multiséculaire. L'intensité de cette haine serait certainement moindre si le Rwanda et le Burundi avaient plus de deux ethnies importantes, susceptibles de diluer et d'inhiber leur antagonisme ; ce qui n'est malheureusement pas le cas. Dans ces conditions, il s'agira toujours d'une collaboration ou d'une cohabitation de façade, explosive à tout moment, et continuellement renouvelée par des institutions démagogiques, et d'inspiration pseudo-benthamiste.

En réalité, comment un monarque dominant pouvait-il avoir les mêmes sensibilités politiques que les dominés ? Au Rwanda, les conflits entre les Hutu et les Tutsi sont séculaires, et l'on ne saurait objectivement évoquer de si tôt une quelconque réconciliation entre les populations de ces deux entités ethniques qui nourrissent encore des intentions d'extermination et non de cohabitation. N'oublions pas qu'on se réconcilie avec les cœurs et non avec les textes, et qu'un Rwandais modéré n'est pas un citoyen particulièrement tolérant, ou doué d'un sens de compromis extraordinaire. La modération n'a pas la même signification aujourd'hui chez un Hutu que chez un Tutsi.

S'il n'y avait pas eu autant de cruauté, un Gouvernement d'Union Ethnique Alternatif (GUEA) aurait pu convenir au Rwanda et ce, en dépit des divergences ethniques, pour une courte période, juste pour favoriser l'éveil des consciences et une éventuelle réconciliation nationale.

Ce gouvernement aurait pu fonctionner de la manière suivante :

S'agissant d'un gouvernement transitoire susceptible de rapprocher au mieux les ethnies antagonistes en vue d'instaurer ultérieurement un régime démocratique véritable, le Gouvernement d'Unité Ethnique Alternatif (GUEA), devrait représenter toutes les entités ethniques rwandaises.

Pendant cette période transitoire de deux ans, le poste de Président de la République devrait être confié à un Hutu, tandis que les postes de Premier ministre, de ministre de la Défense et de ministre de l'Intérieur alterneraient semestriellement entre les Tutsi et les Hutu.

Ce procédé, grâce à l'exécution collective des fonctions étatiques, aurait pu faciliter la cohabitation, l'interpénétration mutuelle des différentes

ethnies et l'existence d'une franche collaboration, indispensable pour asseoir ultérieurement un régime démocratique multi-ethnique accepté par
tous.

Mais pourquoi cette forme de gouvernement basée uniquement sur
l'ethnicité et non sur la légalité ?

Tout simplement, parce qu'il manque encore au Rwanda, l'indispensable lien social qui est avant tout moral, et qui détermine les relations
entre les hommes formant la société. La spécificité un peu trop marquée
des sentiments collectifs des deux principales entités ethniques rwandaises n'a jamais favorisé l'émergence d'un minimum de conscience collective, susceptible de favoriser leur coopération pour au moins sauver
les apparences de l'État.

Et pourtant, il est admis que la vie dans sa perfection quotidienne, est
une synthèse créatrice dans l'harmonie des contraires qui s'unissent pour
engendrer ou donner un tout plus novateur. Le philosophe Hegel ne re-
connaissait-il pas à propos, que la vérité ne se trouvait ni dans la thèse
ni dans l'antithèse, mais dans une synthèse naissante qui les réconciliait ?
Mais hélas, les Hutu et les Tutsi continuent de fouler aux pieds, tous ces
principes de paix et toute cette dialogie pacifique, en s'accrochant fermement à une haine morbide, à une violence aveugle et à la guerre.
Pourtant ce n'est un secret pour personne que la haine appelle la haine,
et la guerre appelle la guerre aux conséquences sociales inévitables et
toujours plus graves autant pour les vaincus que pour les vainqueurs. Les
Hutu et les Tutsi n'ont pas encore la volonté d'œuvrer ensemble pour
bâtir un État où ils vivraient en paix. Dans ces conditions, seul un Gouvernement d'union ethnique alternatif aurait permis de jeter les premiers
jalons d'une cohabitation inter-ethnique au Rwanda, et aurait favorisé,
par la suite, l'instauration d'une solidarité organique, base légitime de
tout État moderne.

La formule du Gouvernement de transition à base élargie issu de l'accord de paix d'Arusha et la convention du Gouvernement de 1994 au
Burundi ne pouvaient en aucun cas apporter la paix ni au Rwanda ni au
Burundi, car ils ne tenaient pas compte des véritables paramètres sociaux,
notamment des vrais sentiments profonds des populations de chaque entité ethnique que les politiques avaient toujours su dissimuler pour tromper l'opinion tant nationale qu'internationale. Au Rwanda comme au
Burundi, il s'agit de dénoncer le fait qu'en ce moment, une seule minorité
ethnique et en l'occurrence l'ethnie tutsie, puisse contrôler la majorité
de l'armée, véritable base du pouvoir politique et économique dans les
pays de la périphérie, et en Afrique noire en particulier.

La guerre ayant aggravé l'hostilité entre les Hutu et les Tutsi en dé-
truisant la précaire entente qui favorisait au moins les stériles concerta-

tions, il est illusoire aujourd'hui de parler encore d'un autre Gouvernement de transition à base élargie, quelle que soit sa forme. Encore moins, d'évoquer un Gouvernement d'union nationale, car dans le contexte actuel, les Hutu et les Tutsi ne peuvent former ni un même État stable et ils l'ont prouvé depuis plus d'un demi-siècle, ni œuvrer pour une même cause et nous le constatons aujourd'hui.

Devant un tel dilemme pour ces pays dont les solutions négociées et démocratiques avaient respectivement échoué, ne conviendrait-il pas aujourd'hui d'envisager la création de deux États distincts, un État hutu et un État tutsi dans la région des Grands Lacs ? Pourquoi refuserait-on une formule qui a pourtant permis de retrouver une paix ne serait-ce que provisoire en ex-Yougoslavie à deux petits pays africains qui sombrent quotidiennement dans la violence, et dont les entités ethniques sont aujourd'hui en cours d'extermination, dans le silence complice de la communauté internationale ?

Dans cette perspective, l'actuel Rwanda serait le « Tutsiland », tandis que le Burundi deviendrait le « Hutuland ». Mais pourquoi le « Tutsiland » au Rwanda et le « Hutuland » au Burundi ? C'est tout simplement parcequ'en dépit de l'éparpillement des différentes ethnies à l'intérieur de chacun de ces deux pays, on avait remarqué au cours des différents conflits ethniques rwandais et burundais, que les Tutsi se réfugiaient prioritairement en Ouganda chez les Hima auxquels ils sont liés par leur origine hamitique, et les Hutu au Zaïre en tant que Bantous.

Quant aux « Banyamoulengué » ou zaïrois d'origine tutsie venus du Rwanda et du Burundi depuis plus d'un siècle, ils sont restés très attachés à leur ethnie d'origine malgré l'exil et à ce titre, s'étaient vaillamment battus aux côtés du FPR contre le régime hutu d'Habyarimana en 1994. Pour ceux qui ne voudraient pas ou ne pourraient plus rester dans l'ex-Zaïre, ces « Banyamoulengué » s'installeraient dans le Tutsiland. Il en serait de même pour les Hutu du Masisi qui pourraient éventuellement regagner l'Hutuland.

Il importe de rappeler que c'était surtout en vue de récupérer leurs terres d'où ils furent chasser sous le régime de Mobutu, las de la violence, mais n'ayant pas su faire la différence entre les Tutsi zaïrois, les immigrés tutsis de la première vague, et les réfugiés tutsis venant du Rwanda en 1994, que les « Banyamoulengué » gagnèrent les rangs des armées tutsies de la région des Grands Lacs pour combattre le régime du Maréchal Mobutu.

Ce comportement démontre clairement l'ardent désir de regroupement depuis toujours manifesté par les populations de l'ethnie tutsie, qui tiennent à se stabiliser en toute sécurité, quelque part dans la région des

Grands Lacs. La réalisation d'un tel souhait ne saurait se faire sans conséquences.

La principale conséquence de cette solution serait probablement l'explosion de tout un continent, car beaucoup d'États africains confrontés aujourd'hui aux graves conflits ethniques seraient tentés de suivre aveuglément un tel mauvais exemple.

Il reste maintenant à savoir, si les Hutu majoritaires et les Twa apprécieront le partage du territoire avec ceux qu'ils ont toujours appelés à tort ou à raison, « allogènes envahisseurs ».

Il s'agit là d'une autre phase de négociation, que les habiles diplomates de l'Organisation de l'Unité africaine (OUA) et des Nations Unies, sauront certainement surmonter.

Je pense qu'il serait temps que l'Afrique noire commence par se débarrasser des frontières artificielles héritées de la colonisation et sources de nombreux conflits meurtriers, afin d'opter pour les frontières naturelles qui sont en symbiose avec les realités naturelles de chaque entité ethnique.

La transformation du Rwanda et du Burundi en deux États ethniques, serait dans cette perspective d'autant plus conseillée que l'Afrique Noire est un continent où les populations restent très attachées à leurs ethnies, et où le pouvoir qui s'appuie sur les chefs traditionnels ne se partage pas et ne se transmet pas d'une ethnie à une autre sans conséquences.

Cette transformation permettrait aux nouveaux dirigeants des deux États d'avoir une ascendance naturelle sur leurs sujets et mettra ainsi fin aux conflits ethniques. Refuser aujourd'hui une telle solution reviendrait à exposer les populations de cette région d'Afrique aux interminables guerres cycliques et aux massacres permanents.

Les périodes de la colonisation, de la décolonisation et de l'apprentissage démocratique, n'ont pas extirpé l'esprit de caste de toutes les anciennes monarchies africaines dont certaines continuent à se battre pour la défense des intérêts personels et ethniques et non pour l'édification de la nation. Pour ces pays, le concept démocratie n'est qu'un prétexte qui permet à leurs dirigeants de pérenniser les guerres, et de jouir des privilèges que leur confère le pouvoir.

Seule l'Éthiopie a pour le moment compris cet enjeu, et a introduit dans sa nouvelle constitution, une formule qui autorise aux Provinces qui le souhaiteraient, la constitution des États autonomes.

L'Éthiopie s'est certainement inspirée des conflits somaliens, rwandais, burundais, tchétchènes et yougoslaves pour apporter un amendement aussi sage et révolutionnaire dans sa nouvelle constitution, laquelle la mettra sûrement à l'abri de certains conflits ethniques.

Il faudrait aussi que chaque État puisse prévenir les éventuels conflits et maintenir ainsi la paix, car plusieurs exemples nous montrent aujourd'hui que les Nations Unies seules, n'ont plus la capacité ou la possibilité de résoudre tous les conflits dans un monde en perpétuelles mutations, et dans les pays en voie de développement en particulier.

Dans cette approche, les chefs de guerre somaliens avaient donné un exemple encourageant : après avoir réclamé et obtenu le départ des soldats des Nations Unies de leur pays, ils essayent aujourd'hui de se réconcilier seuls, en prouvant ainsi la maturité politique de certains Africains. Mais réussiront-ils ? La question reste posée, et seul l'avenir nous le dira.

En effet, la lutte contre la violence dans les pays encore en voie de développement est similaire à la lutte contre le sous-développement dont sont victimes ces mêmes pays. L'on se demande aujourd'hui si c'est le sous développement qui génère et entretient cette violence ou si c'est l'inverse. Le Tiers Monde devient-il ainsi synonyme de conflits et de la violence outre la misère ?

En tout cas, les Nations Unies, à travers leur organe qu'est le programme des Nations Unies pour le développement (PNUD), sont pourtant présentes dans tous les pays périphériques avec leurs experts en développement. Mais ce n'est pas pour autant que ces pays se sont développés. C'est dire que la paix et le développement viendront de l'intérieur de l'Afrique et non de l'extérieur.

Au contraire, nous assistons parfois au « développement du sous-développement » et ce, à cause justement des applications des formules de « développement » importées, imposées et inadaptées, contraires aux réalités socio-économiques des pays concernés.

S'agirait-il d'imperfections volontaires ou involontaires ? L'on continue à se poser des questions et à rechercher les vraies causes. La véritable raison ne serait-elle pas le fait que si tous les pays étaient développés, aucun pays ne serait plus développé, et l'humanité perdrait ainsi les concepts de richesse et de pauvreté, lesquels sont aujourd'hui à l'origine de beaucoup de conflits sociaux ?

Cependant, par analogie au PNUD, et s'agissant des institutions spécialisées d'un même organisme, l'on commence déjà à s'inquiéter des résultats obtenus par le Conseil de Sécurité qui n'arrive toujours pas à instaurer la paix dans beaucoup de pays où il envoie ses casques bleus. Il y a aussi lieu de s'inquiéter du fait qu'il n'envoie toujours pas les casques bleus partout où les êtres humains sont assassinés comme ce fut le cas pour la Tchétchénie.

Les Nations Unies deviennent-elles ainsi trop petites par rapport à la multitude et à la complexité des conflits que le monde connaît aujourd'hui et auxquels elles doivent faire face ?

Dans l'intérêt de leur efficacité et de leur crédibilité, une restructuration dans le sens de leur décentralisation géographique s'imposerait. Une telle réorganisation permettrait aux cadres désormais spécialisés de mieux maîtriser les problèmes de plus en plus complexes qu'ils auront à résoudre[1].

S'il y a des problèmes, c'est généralement parce qu'il y a aussi des solutions appropriées. Et si l'on n'arrive pas à trouver ces solutions, ce serait parce que les personnes désignées pour les rechercher seraient insuffisamment formées ou manqueraient tout simplement d'une certaine expérience.

Pour continuer à jouir de sa réputation d'organisme international de paix, Les Nations Unies doivent éviter d'ajouter aux échecs économiques, les échecs des négociations politiques, car déjà, beaucoup de pays commencent à se passer de leur arbitrage et le cas de la Somalie reste l'exemple le plus actuel.

---

1. L'exemple du conflit rwandais a permis de constater que la France et les pays francophones étaient suspectés au sein du Conseil de Sécurité lorsqu'il s'agissait de résoudre un conflit en Afrique noire et surtout dans un pays francophone. Outre le fait que la France avait été récusée par le FPR tout au long du conflit rwandais, les principaux cadres africains de culture francophone de la MINUAR avaient été malmenés et combattus par certains Anglophones salariés du même organisme avec une rare violence, comme si les Africains avaient eu à choisir leurs colonisateurs.

Il est inutile de rapporter ici le détail des multiples faits, mais, il importe cependant de rappeler que certains propos et agissements étaient insupportables, indignes et susceptibles d'opposer officiellement les Francophones aux Anglophones.

C'est le cas de ce colonel australien qui, prétendant être envoyé à 2 heures du matin à l'Hôtel Méridien de Kigali par le Chief Commander pour la sécurité au moment où la ville était noyée dans une tornade d'obus, tenta vainement d'expulser les réfugiés rwandais de leurs chambres afin d'y loger des militaires.

Devant l'opposition formelle de l'Assistant Spécial qui estima qu'une telle mesure exposait plutôt les innocentes personnes et surtout les enfants sans défense, cet officier se permis de traiter tous les officiels africains de la MINUAR d'aborigènes, de tarés et de sales Nègres.

De pareils incidents auraient pu compliquer davantage, la tâche des Nations Unies déjà très difficile au Rwanda. La seule façon d'éviter de tels dérapages serait de n'envoyer sur les champs d'opérations qu'un personnel bien formé et responsable. D'où aussi, l'importance de la formation et de la spécialisation, car dans ce domaine de maintien de la paix, les Nations Unies manquent encore des professionnels confirmés.

Pour ce qui est de la décentralisation, les Nations Unies gagneraient aussi en créant des structures régionales spécialisées pour la prévention et le maintien de la paix dans les pays francophones et anglophones.

Le fait que certains pays africains récusent aujourd'hui le personnel des Nations Unies réssortissant d'autres États africains, est une preuve que les Africains se suspectent entre eux, même au niveau des organismes internationaux (en Angola, Jonas Savimbi, Président de l'UNITA avait récusé le personnel africain de culture anglophone et en particulier, les Sud-Africains qui l'appuyèrent pourtant pendant plus d'un quart de siècle de rébellion).

Pour terminer avec ce chapitre, il est fondamental de rappeler que face aux souffrances toujours croissantes des pays en voie de développement victimes des diverses manipulations politiques et d'une exploitation économique endémique, les populations ont cessé de croire aux solutions de la politique-fiction qui n'ont fait qu'aggraver leurs maux.

D'où la méfiance aujourd'hui à l'égard de certaines solutions préconisées par l'organisme suprême de « paix » que sont les Nations Unies, susceptibles elles aussi d'être victimes des inévitables manipulations des grandes puissances, et de s'éloigner ainsi des solutions rationnelles, lesquelles impliquent la prise en compte, outre des paramètres exogènes juridiques, mais aussi, des paramètres endogènes plus objectifs, car reflétant la situation réelle de chaque pays engagé dans un conflit. Une telle pratique permettrait de mieux repérer et d'identifier les vraies causes des conflits dans les pays périphériques, et de proposer enfin des solutions adéquates sans état d'âme.

Les conflits qui endeuillent actuellement le monde, sont en évolution et en extension. Ils connaissent une gestion qui, sans être totalement catastrophique pour certains, ne garantit pas non plus la paix, et augure plutôt un avenir sombre. Comme dans toutes les Institutions, l'Organisation des Nations Unies a des imperfections qui constituent ses points faibles, et méritent aujourd'hui des amendements adéquats afin de garantir son bon fonctionnement, son efficacité et sa crédibilité internationale.

Sans ces ultimes réformes, les Nations Unies risquent de n'être plus reconnues et acceptées par tous les pays comme un organisme de paix au service de l'humanité. Elles sont plutôt considérées comme un organisme servant exclusivement les intérêts des grandes puissances, et entérinant leurs décisions au détriment des petits pays sans défense, sans idéologie politique ni économique véritablement autonome.

De telles décisions intéressées, au lieu d'apaiser les tensions, viennent plutôt les aggraver en créant des situations particulièrement explosives, incontrôlables et d'une très grande complexité politique.

D'où la prolifération et la pérennisation de certains conflits périphériques en Afrique noire en général, et dans les pays de la région des Grands Lacs en particulier où les Nations Unies elles-mêmes ont éprouvé et éprouvent encore d'énormes difficultés pour trouver des solutions équitables, susceptibles de conduire à une paix durable. Ces solutions ne seront effectivement trouvées que lorsque les Hutu et les Tutsi cesseront de s'entre-tuer, et que les États de la région des Grands Lacs instaureront des régimes véritablement démocratiques.

C'est dire que les conflits rwandais, burundais ou la crise du Kivu dans l'ex-Zaïre, dureront aussi longtemps que des solutions objectives et acceptables ne seront proposées aux ethnies antagonistes hutue et tutsie.

Ces solutions sont pourtant entre les mains des Nations Unies qui hélas, ne peuvent malheureusement les mettre en œuvre sans compromettre les intérêts de certaines grandes puissances, membres permanents du Conseil de Sécurité et disposant du droit de veto.

Nous ne saurions mieux appréhender ce passage, sans une brève évocation de la philosophie politique planétaire des Nations Unies, et surtout du rôle de son organe décisionnel qu'est le Conseil de Sécurité.

VI
Les ambiguïtés de l'organisation des Nations Unies dans la résolution institutionnelle des conflits rwandais et burundais

1 – GÉNÉRALITÉS

Tenter d'appréhender les raisons qui justifient certaines ambiguïtés de l'Organisation des Nations Unies à travers les multiples stratégies adoptées pour le règlement des conflits menaçant aujourd'hui la paix universelle, implique nécessairement une brève historique des circonstances de sa création.

De nos jours, certains embarras et ambiguïtés de l'Institution deviennent tellement manifestes et flagrants qu'ils frisent une sorte de complicité, voire une hypocrisie. On remarque de plus en plus que pour les conflits d'un même genre et d'une même cause, les Nations Unies soit n'interviennent pas (cas de la Tchétchénie), où lorsqu'elles interviennent, c'est pour imposer des solutions arbitraires et précaires et c'est le cas pour le Rwanda et le Burundi. Rappelons pour la circonstance que les Nations Unies avaient avalisé l'indépendance de l'Erythrée, en violation du principe de l'intangibilité des frontières prévu dans la charte de l'Organisation de l'Unité Africaine (OUA).

Cette inertie masquée par une indifférence parfois complice, et cette subtile discrimination régulièrement légitimées par des résolutions « démocratiques », viennent effectivement renforcer la thèse d'une hypocrisie dont le seul objectif avoué serait dirait-on, la pérennisation des conflits, et non la recherche des solutions de la paix. En effet, l'analyse approfondie du contenu de la charte de l'Organisation des Nations Unies, milite largement en faveur de cette thèse.

Avec la fin de la guerre froide, les peuples longtemps dominés et pour certains menacés d'extermination, se battent aujourd'hui pour trouver leur liberté, leurs droits et leurs cultures bafoués. Il s'agit en réalité, des conséquences d'un réveil de nationalisme favorisé par les contradictions et les inadaptations provoquées par le brusque passage d'un monde bipolaire à un monde unipolaire. On peut toujours tenter de camoufler cette vérité en n'évoquant que le seul fait ethnique, lequel dénote au demeurant, une forme d'ignorance et de barbarie afin de minimiser l'importance des causes objectives des conflits ; mais cela ne change rien aux données du problème.

La vraie résolution des conflits, c'est-à-dire celle susceptible de déboucher sur une paix durable, passe obligatoirement par la reconnaissance et la prise en considération du facteur réveil de nationalisme, lequel a d'autres significations qu'ethniques. Ce facteur reste malheureusement ignoré, et l'analyse approfondie de l'évolution de certains conflits notamment ceux de la Tchétchénie, du Rwanda, du Burundi ou de l'ex-Yougoslavie, en est une preuve.

– En Tchétchénie, les Nations Unies n'étaient pas intervenues et ne le pouvaient pas, car ce pays est une partie intégrante de la Russie, la seconde superpuissance nucléaire, jouissant du droit de veto au sein du Conseil de sécurité.

– Au Rwanda, un petit pays de l'Afrique noire sans défense et sans grand intérêt économique ni stratégique et où de surcroît, la mort n'a plus de signification, l'intervention des Nations Unies s'était limitée à l'aval d'une solution de complaisance consistant à laisser le pouvoir à une seule partie après la victoire militaire et ce, au mépris de toutes réalités sociales. Une telle solution ne pouvait qu'augurer une paix précaire et cette fois-ci, c'est plutôt l'ethnie hutue qui se trouve exposée à l'extermination par l'ethnie tutsie. D'où l'alternance permanente des conflits et des génocides, et la croissance vertigineuse du secteur « humanitaire » parfois affairiste.

– Au Burundi, le Conseil de Sécurité régulièrement saisi par le Secrétaire Général des Nations Unies, refuse l'envoi d'une force d'interposition et préfère une solution à la rwandaise. Aujourd'hui c'est le statuquo et les morts se comptent quotidiennement par centaines.

– Au Sahara ex-espagnol, les Nations Unies tentent vainement de camoufler leur embarras en repoussant indéfiniment la date pour la tenue d'un référendum, alors que les Sahraouis las d'attendre, les accusent de complicité avec les Marocains, et menacent de reprendre les armes.

– Dans l'ex-Yougoslavie, vieux royaume dont la complexité historique et la combativité ne sont plus à démontrer, les Nations Unies et la communauté internationale à travers les pays de l'Organisation du traité de l'atlantique nord (OTAN), s'étaient d'abord livrés aux nombreux atermoiements et intimidations sans effet significatif sur le terrain, pour enfin opter pour une solution militaire dont nul ne peut aujourd'hui prévoir les conséquences à long terme.

S'agissant des alliés, rappelons que les Serbes sont Slaves au même titre que les Russes, et que ces derniers n'auraient en aucun cas cautionné des solutions qui puissent mettre en danger, les intérêts vitaux de leurs frères de sang. Quant aux Bosniaques, ce sont les alliés privilégiés des pays arabes et de certains pays occidentaux qui s'approvisionnent en pétrole et en gaz dans les pays arabes. Ces pays et leurs alliés économiques ne seraient restés non plus indifférents devant l'extermination des Musulmans par les Serbes, et n'auraient accepté aucune solution des Nations Unies qui soit défavorable aux intérêts des Musulmans, ou qui viserait la destruction de l'État Bosniaque. Les multiples hésitations des Nations Unies étaient donc calculées et relevaient de l'embarras d'une Institution essoufflée. Quant aux Croates, anciens admirateurs de l'Allemagne nazie, les nostalgiques du nazisme encore en puissance en Allemagne, première puissance économique européenne, veilleront toujours à ce que les intérêts de leurs anciens supporters soient sauvegardés.

Ce bref constat illustre suffisamment les causes des blocages, des embarras et ambiguïtés qui caractérisent aujourd'hui la plupart des actions et résolutions du Conseil de Sécurité que malheureusement, certains hauts responsables de l'Institution ne supportent plus, et c'était le cas pour l'ancien Premier ministre polonais Tadeusz Mazowiecki, Rapporteur Spécial de la Commission des Droits de l'homme pour l'ex-Yougoslavie.

En effet, cette haute personnalité ne pouvant plus cautionner ce qu'elle qualifia à l'époque « d'hypocrisie des Nations Unies », remit purement et simplement sa démission au Président de la Commission des droits de l'homme de l'Organisation des Nations Unies en juillet 1995. Faut-il rappeler que bien avant lui, le Président de la Commission sur les crimes de guerre M. Karshoven, s'était retiré dans les mêmes conditions et beaucoup d'autres ?

Aussi, sans trop m'étendre sur le reste des détails relatifs à la structure ou à une certaine politique de l'Organisation des Nations Unies, il m'a semblé fondamental de présenter les principaux éléments ayant une forte incidence sur l'évolution des conflits depuis la création de l'Organisme en 1945, et il s'agit en substance :

– du contenu du préambule de la charte de l'Organisation des Nations Unies,

– de la prééminence du Conseil de Sécurité sur les autres organes de l'Institution.

L'analyse de ces deux éléments, permet de mieux comprendre aujourd'hui, les raisons profondes de certains comportements des Nations Unies, prisonnières d'une structure que la succession des événements dans le temps et dans l'espace, n'a pu malheureusement modifier ou amender afin de les adapter aux réalités du moment.

2 – LE CONTENU DU PRÉAMBULE DE LA CHARTE DE L'ORGANISATION DES NATIONS UNIES

Quand l'Organisation des Nations Unies fut créée entre le 25 avril et le 26 juin 1945 à San Francisco (États-Unis) bien avant la fin de la Seconde Guerre mondiale, son préambule n'était qu'une reprise de celui de la charte de l'Atlantique signée auparavant en août 1941, par la Grande Bretagne et les États-Unis encore neutres.

Ce préambule dont le contenu reste significatif aujourd'hui, proclamait clairement que « l'Organisation des Nations Unies est créée avant tout pour préserver les générations futures du fléau de la guerre qui, deux fois en l'espace d'une vie humaine, a infligé à l'humanité d'indicibles souffrances ».

Il convient de relever que bien avant la création de l'Organisation des Nations Unies, outre la menace des régimes fascistes de l'Europe (l'Espagne de Franco – l'Italie de Mussolini – l'Allemagne d'Hitler), la révolution intervenue en Russie en 1917 se traduisant par le passage du régime d'une Russie conservatrice impériale des Tsars à celui d'une Russie révolutionnaire des Soviets, étaient autant de problèmes qui aggravaient les inquiétudes d'un monde déjà ébranlé par deux guerres, et ne souhaitant plus affronter une troisième.

Dès lors, l'analyse du contenu du préambule de la charte de l'Organisation des Nations Unies nous conduit aux observations essentielles suivantes :

– Le préambule de la charte de l'organisation des Nations Unies vise essentiellement à préserver l'humanité d'une troisième guerre mondiale, et non des inévitables conflits périphériques qui non seulement justifient l'existence même de l'Institution, mais garantissent l'influence économique et politique des pays industrialisés, grâce au commerce des armes entre autres.

Dans cette perspective, l'on se demande si parfois certains conflits qu'on prétend régler ne serviraient pas de prétextes à l'Organisation des Nations Unies engagée à imposer un ordre mondial conforme à la seule volonté des grandes puissances.

– Le préambule de la charte de l'Organisation des Nations Unies reste d'inspiration anglo-saxonne, et exprime essentiellement la volonté des États-Unis d'Amérique, au moment où ce pays avait encore le monopole de la bombe atomique (1945-1949), et quand l'ancienne puissance européenne était complètement affaiblie par le poids des deux guerres.

Ce n'est donc pas par simple hasard que le siège des Nations Unies se trouve aujourd'hui à New York, et que l'influence américaine au sein de l'Institution reste prépondérante en dépit de l'élargissement du très réservé club atomique auquel font partie les États-Unis depuis 1945, la Russie (1949), la Grande Bretagne (1952), la France (1961) et la Chine (1964).Il reste ainsi clair que depuis sa création en 1945, la politique de l'Organisation des Nations Unies n'a jamais reflété en entier, les volontés des autres grandes puissances, encore moins, celles des petits États dont les représentants jouent en réalité, le rôle de simples figurants au sein de l'Assemblée Générale.

Ces tares avaient largement contribué à la rupture de la grande alliance de guerre anti-hitlérienne en 1947, confirmant ainsi l'existence des divergences au sein même de l'Organisation des Nations Unies. Cette rupture eut pour principales conséquences, la formation de deux blocs idéologiques farouchement opposés, mais surtout le début de la guerre froide dont les différentes phases étaient ponctuées de 1947 à 1989, par une outrancière nucléarisation des deux superpuissances que sont aujourd'hui les États-Unis d'Amérique et la Russie.

Il importe de préciser ici que les superpuissances sont les pays qui non seulement ont la bombe atomique, mais détiennent aussi la bombe thermonucléaire mille fois plus puissante qu'une bombe atomique, et en maîtrisent à très haut niveau, les techniques balistiques leur permettant croit-on, de frapper n'importe quel pays du monde.

Pour le moment, les États-Unis et la Russie demeurent les seules superpuissances, ces deux pays ayant procédé les premiers à l'explosion de leurs premières bombes thermonucléaires respectivement en 1952 et 1953.

Convaincu ainsi de sa supériorité et du fait qu'une éventuelle confrontation militaire opposant les deux superpuissances serait fatale à toute l'humanité, le duopole nucléaire composé des États-Unis et de la Russie, subjugua les autres puissances moyennes et légitima sa volonté d'assurer par la force la direction du monde par le traité du 1ᵉʳ juillet 1968, prévoyant la non-prolifération nucléaire.

En effet, le Traité de Non-Prolifération nucléaire (TNP) prévoit expressément que les États ne possédant pas l'arme nucléaire s'engagent à ne pas chercher à s'en pourvoir, et les États qui la possèdent, à ne pas les aider à le faire.

Par ce traité, le reste des pays du monde n'appartenant pas au club atomique, se trouve purement et simplement exclu de la compétition militaire et partant, des instances décisionnelles économiques et politiques mondiales.

Aussi, pendant la période de la guerre froide, celle d'une paix impossible caractérisée par de nombreux conflits périphériques plus ou moins provoqués, et celle d'une guerre improbable selon l'expression même du sociologue français Raymond Aron, les deux superpuissances procédèrent à la reconnaissance tacite des zones d'influence exclusive, vassalisant ainsi le reste du monde par l'institution d'une dictature nucléaire planétaire.

Jusqu'à nos jours, le préambule de la charte des Nations Unies qui reste toujours dominé par le conservatisme anglo-saxon, n'a été ni amendé, ni modifié. Il s'agit là d'une situation totalement contradictoire et paradoxale, compte tenu des incessantes recommandations pour plus de démocratie et de liberté que les Nations Unies elles mêmes ne cessent de donner aux pays encore totalitaires et dont certains sont parfois frappés d'embargo. Ici, le bon exemple de la démocratie ne vient vraiment pas d'en haut comme cela se devrait.

C'est dans cette configuration mondiale à la fois hétéroclite, et ambiguë que les Nations Unies, par le biais du Conseil de Sécurité, imposent avec d'ailleurs beaucoup de difficultés, des solutions politiques presque toujours contestées aux interminables conflits qui continuent malheureusement d'endeuiller notre planète.

Mais jusqu'à quand durera cette contestation ? Pouvons nous imaginer que cette contestation jusque là pacifique, puisse un jour se transformer en une contestation violente, susceptible de bloquer toutes formes de négociations et mettre ainsi en péril la relative paix mondiale voire l'existence même de l'Organisation des Nations Unies ? L'évolution actuelle des conflits et les différentes formes de négociation très peu adaptées, nous poussent à nous poser ces questions à la fois effrayantes et inquiétantes.

A propos, la farouche hostilité des États-Unis d'Amérique pour le renouvellement du mandat de Boutros Boutros Ghali comme Secrétaire Général de l'Organisation des Nations Unies alors que ce dernier était soutenu par la Russie, la France et d'autres pays occidentaux sans oublier les pays arabes et africains exception faite au Rwanda, dénote une certaine insolence voire, une dictature américaine au sein de l'organisme.

Par ailleurs, le refus de l'Inde de signer les accords de cessation d'essais nucléaires lors de la 51ᵉ session de l'Assemblée Générale des Nations Unies du 24 septembre 1996, prouve que beaucoup de pays n'approuvent plus cette dictature des puissances nucléaires.

3 – LE CONSEIL DE SÉCURITÉ

Le conseil de Sécurité est de part son rôle, le plus important organe des Nations Unies. C'est un noyau privilégié pour les décisions des grandes puissances, une conséquence logique de la suprématie nucléaire de certains pays.

Si tous les États membres de l'Organisation des Nations Unies sont représentés au sein de l'Assemblée Générale, tel n'est point le cas pour le Conseil de Sécurité où seules les grandes puissances en sont membres permanents. Cet avantage est de surcroît renforcé par un droit de veto qui permet à chacun des cinq pays du club atomique, de bloquer certaines résolutions du Conseil de Sécurité qui ne seraient pas conformes aux intérêts de leur pays. A titre d'édification, les États-Unis utilisèrent 60 fois, et l'Union soviétique 116 fois leur droit de veto pendant la période comprise entre 1946 et 1989.

Ici la discrimination « atomique ou nucléaire » éloigne systématiquement tous les représentants des petits pays du centre des décisions qui ont toujours été une synthèse des volontés des deux superpuissances autour desquelles s'alignent le reste des pays, car même si les blocs de la période bipolaire n'existent plus aujourd'hui, leur esprit demeure encore.

Le monde se trouve ainsi exposé à une dictature unifiée, planifiée et cyniquement contrôlée par deux super puissances rompues aux techniques des compromis historiques successifs, surtout en cette période d'intenses conflits périphériques. Nous l'avons vécu dans les différentes phases du règlement du conflit de l'ex-Yougoslavie.

Dès lors, les concepts démocratie et liberté si chers de nos jours aux peuples dominés et persécutés, n'impliqueraient-ils pas à priori une totale démocratisation de l'organe suprême des Nations Unies qu'est le Conseil de Sécurité, afin que les mots démocratie et liberté puissent avoir un sens et deviennent ainsi une réalité ? Une telle révolution nécessiterait obligatoirement l'élargissement du fameux club atomique par la libéralisation de la prolifération nucléaire, seul moyen démocratique permettant aux autres pays d'accéder eux aussi, aux stades de puissances moyennes ou de superpuissances, selon le degré de nucléarisation et d'assimilation des techniques balistiques de chaque pays.

Ce procédé ne permettrait-il pas enfin à tous les pays, de se faire entendre et d'avoir droit à la justice qu'ils méritent ? Ne contribuerait-il pas à mettre rapidement un terme à l'actuel monopole du club atomique qui non seulement reste seul à avoir la main mise sur le Conseil de Sécurité dont il oriente les résolutions dans des contextes parfois délétères, mais empiète aussi sur les pouvoirs du Secrétaire Général des Nations Unies qu'il transforme dans certaines circonstances en véritable caisse de résonance ? Ceci explique en partie, les causes de la subordination sur les terrains d'opérations, des initiatives des chefs politiques à celles des chefs militaires dans certaines missions des Nations Unies. Ce fut le cas au Rwanda en particulier, sous la MINUAR I.

La prééminence du Conseil de Sécurité reste énorme et paralysante. Elle s'impose aux petits pays (pays officiellement non atomiques) comme une sorte de substance douée des pouvoirs anesthésiques, les aveugle et les soumet.

Mais une dissuasion réussie se reposant essentiellement sur le principe du non emploi des armes atomiques comme ce fut le cas pendant la période de la guerre froide (1947-1989) semble plus sécurisante. Il serait absurde aujourd'hui d'abandonner la dissuasion alors que beaucoup de peuples continuent à s'affronter en mettent en péril la paix mondiale. Il faudrait plutôt renforcer la dissuasion, mais cette fois-ci en la démocratisant car plus l'actuel très réservé club atomique s'élargira, plus la dissuasion s'accroîtra et moins il y aura de conflits. La dissuasion nucléaire jouerait ainsi le rôle d'un stabilisateur des conflits, et non d'un catalyseur des guerres. Ce serait l'incarnation même d'un véritable pacifisme démocratique.

Dans cette perspective, les condamnations des essais nucléaires de certains pays déjà puissances atomiques qui veulent aujourd'hui se libérer du joug des superpuissances en accédant eux aussi au rang de superpuissances par le biais de l'arme nucléaire, sont paradoxales. Il en est de même pour les pays officiellement non atomiques, qui auraient des possibilités leur permettant d'accéder au rang des puissances moyennes, pour ainsi contribuer à l'élargissement du réduit club atomique qui jusque-là, continue de diriger autoritairement le monde. Tant que la possession des armes atomiques sera le seul moyen qui permettra à tous les pays de mieux s'impliquer dans le maintien de la paix universelle grâce à son caractère dissuasif, les condamnations des essais nucléaires dans cette perspective à la fois pacifiste et démocratique seront problématiques, car seule une dissuasion concertée à très grande échelle permettra efficacement de faire la guerre à la guerre, et de sauvegarder au mieux les libertés grâce au développement des démocraties.

En effet, pouvons nous vraiment croire aujourd'hui que les seules techniques de simulation permettront aux puissances atomiques de mettre définitivement fin aux essais nucléaires tant condamnés dans le monde, alors que les anciennes armes atomiques déjà stockées ne sont pas des objets inertes mais des engins bien sophistiqués et bourrés des matières radioactives dont le contrôle de l'état de vieillissement dans le temps, impliquera nécessairement des nouveaux essais nucléaires ? Dans ces conditions, quelle autre signification donner à la fameuse option zéro tant vantée par les puissances atomiques, si ce n'est une pure démagogie visant ainsi à berner éternellement les petits pays qui n'y croient d'ailleurs plus [1].

Pour le moment, notre monde est ce qu'il est, ni un paradis, ni un enfer, mais un univers tout simplement complexe où il faut pouvoir et savoir s'accommoder avec les conflits, conséquences naturelles et logiques des différences humaines. Ces différences qui entretiennent, par excellence la dynamique sociale, demeurent les ultimes repères qui doivent toujours être identifiées, recensées et intégrées dans tout processus de négociation pouvant aboutir à une paix durable partout où les déséquilibres sociologiques deviennent insupportables.

Il s'agit là d'une tâche difficile, voire parfois impossible pour un organisme hétérogène à l'instar des Nations Unies qui pour le moment, marquent largement le pas, souvent incapables de suggérer pacifiquement des solutions compatibles pour le règlement des conflits qui se multiplient et deviennent de plus en plus délicats, c'est-à-dire susceptibles de s'internationaliser comme c'est le cas actuellement dans les pays de la région des Grands Lacs.

La crise de l'ex-Yougoslavie illustre de la plus belle manière, les contradictions des superpuissances qui disent rarement la même chose au sein du Conseil de Sécurité qu'elles dominent par ailleurs.

A propos des frappes aériennes qui s'abattaient sur les Serbes, et surtout l'utilisation des armes de plus en plus perfectionnées et destructrices du genre missiles « Tomahawk » (missiles de croisière américains), Boris Eltsine déclarait que l'élargissement de l'OTAN en Europe de l'Est était dangereux et pourrait conduire à une guerre mondiale. Ces propos con-

---

1. C'est pour cette raison qu'en dépit des multiples protestations des grandes puissances, l'Inde qui n'avait pas signé le traité de non prolifération nucléaire (TNP) du 11 mai 1995, vient de procéder à cinq essais nucléaires sur le site de Pokhram, dans le désert du Rajasthan, dont trois le 11 mai 1998 et deux le 13 mai 1998. Les essais d'autres pays sont à redouter.

firment aujourd'hui l'existence d'une méfiance réelle entre les deux anciens blocs malgré l'écroulement du mur de Berlin et le soi-disant passage d'un monde bipolaire à un monde unipolaire. Il justifie implicitement le maintien de la politique de dissuasion héritée de l'ancienne époque de la guerre froide. Eltsine était même aller jusqu'à menacer d'aider les Serbes, si l'OTAN qui voulait démontrer ses forces, n'arrêtait pas ses frappes aériennes.

Très concrètement, qu'adviendrait-il à l'humanité, si malgré toutes ces menaces, l'OTAN et les États-Unis continuaient leurs frappes aériennes, et si la Russie aidait effectivement les Serbes en leur donnant des armes sophistiquées adéquates. Qui saurait prévoir les conséquences planétaires d'une telle escalade ?

Heureusement que les deux superpuissances ont toujours su éviter l'affrontement direct, et à plus forte raison en cette période où les États-Unis ont beaucoup investi en Russie pour des raisons plutôt stratégiques qu'économiques (empêcher surtout la sortie de la Russie, des Physiciens atomistes susceptibles d'être récupérés par les pays arabes dissidents et autres). Ces savants pourraient éventuellement favoriser la prolifération des armes atomiques dans les petits pays, et ainsi déstabiliser l'influence du club atomique au sein du Conseil de Sécurité, ce qui par conséquent banaliserait le rôle même des Nations Unies qui ne s'imposent aujourd'hui que grâce aux pressions militaires des grandes puissances.

Ainsi, les États-Unis ne sauraient, pour une cause aussi lointaine que celle de l'ex-Yougoslavie, mettre en danger leurs intérêts stratégiques en acceptant une crise ouverte avec la Russie. Alors, comme toujours, l'Europe continuera à supporter les conséquences, et la vie continuera en attendant peut-être un éventuel plan Marshall après la fin des conflits dans les pays des Balkans.

Ce constat permet de mieux appréhender les causes des ambiguïtés et contradictions parfois inévitables qui caractérisent aujourd'hui la plupart des décisions politiques, de plus en plus contestées de l'Organisation des Nations Unies. Il permet surtout de mieux comprendre le sort du Rwanda et du Burundi, des autres pays africains en proie aux conflits, quelle que soit leur nature. Avant la fin de la guerre froide, certains conflits périphériques artificiels et prétendument idéologiques, n'étaient en réalité que l'expression des rivalités entre les deux blocs antagonistes. Mais avec un monde désormais unipolaire, ces conflits ne trouvent plus d'écho, c'est-à-dire la contre partie réactionnaire susceptible de justifier leur existence en tant que réalité socio-économique et politique. Du coup, ces interminables conflits dits politiques se sont transformés en conflits ethniques au sein même des populations qui ont toujours servi de cobayes aux rivalités entre les grandes puissances qui ne cessent d'agrandir leur zone d'influence.

Pendant la période bipolaire, le Conseil de Sécurité fortement influencé par les grandes puissances, pratiquait la politique des blocs, celle qui consistait à condamner les conflits sans jamais les régler définitivement. Aujourd'hui, l'Amérique reste la seule superpuissance d'un monde unipolaire. Elle est aussi héritière des conflits qui sont la conséquence de l'ancienne politique arbitraire des blocs, et dont les résolutions requièrent des solutions objectives, mais susceptibles de mettre en cause toutes les institutions qui garantissent la survie de l'actuel ordre planétaire. Le Conseil de Sécurité se trouve ainsi en partie acculé, victime de l'évolution historique des événements, et ne peut de ce fait résoudre certains conflits périphériques sans en créer d'autres.

4 – L'INCIDENCE DU PARADOXE ET DES AMBIGUÏTÉS DE L'ORGANISATION DES NATIONS UNIES SUR LA RÉSOLUTION INSTITUTIONNELLE DES CONFLITS RWANDAIS ET BURUNDAIS

Si l'écroulement du mur de Berlin intervenu le 8 mars 1989 avait permis le passage d'un monde bipolaire à un monde unipolaire en faveur du bloc occidental, force est de remarquer aujourd'hui que cette importante mutation n'avait malheureusement apporté aucun changement, aucune modification et aucun amendement au sein de l'Organisation des Nations Unies dont les structures ont gardé l'esprit conservateur de l'époque de sa création. De même que les rivalités économiques et militaires entre les grandes puissances n'ont pas cessé ; elles se poursuivent sous d'autres formes beaucoup plus subtiles.

Dans la perspective de la globalisation ou mondialisation, les convoitises des richesses des pays en voie de développement ou arriérés par les grandes puissances et leurs rivalités pour occuper des nouveaux espaces économiques s'intensifient et ce, sur fond d'intrigues génératrices de conflits.

Et dans le souci permanent de préserver les intérêts économiques et stratégiques de leurs pays respectifs à travers le monde, les grandes puissances ne se font point confiance, car la survie de leurs États en dépend.

C'est d'ailleurs à cause de cette grande méfiance qu'en dépit de la prétendue fin de la guerre froide, les puissances atomiques officielles ne cessent de perfectionner leur arsenal nucléaire. C'est dire qu'en réalité, l'équilibre de la terreur persiste encore dans un monde pourtant unipolaire. Cette situation paradoxale permet néanmoins d'éviter des affrontements directs entre les grandes puissances dont les champs de rivalités se situent essentiellement dans le Tiers Monde.

Il y a par contre collusion entre les grandes puissances chaque fois que leurs intérêts se trouvent en danger dans les pays en voie de développement. Et dans ce cas, l'on privilégie la solution de l'affrontement indirect, celle qui consiste à opposer les populations autochtones du ou des pays concernés en tirant les ficelles à distance.

Au cours de cette cynique manipulation où il faut d'une part banaliser les vraies causes des conflits et d'autre part camoufler les ingérences étrangères, les motifs très souvent évoqués restent loin de la réalité du problème.

Dès lors, comment le Conseil de Sécurité, instance décisionnelle suprême de l'Organisation des Nations Unies dont les 5 membres permanents sont des grandes puissances disposant du droit de veto, peut-il objectivement résoudre les conflits dans les pays arriérés où ces mêmes grandes puissances ont des intérêts parfois divergents ?

C'est précisément le cas au Rwanda, où la France et la Belgique avaient d'énormes intérêts économiques sous le régime hutu du Président Juvénal Habyarimana. Maintenant, avec la victoire du Front Patriotique Rwandais (FPR) un parti politique tutsi dont les cadres politiques et militaires étaient formés aux États-Unis d'Amérique, la France et la Belgique perdent d'office leurs intérêts dans ce pays au détriment des États Unis d'Amérique.

En effet, le Rwanda est tourné en ce moment vers les États-Unis d'Amérique et le Canada. Il s'éloigne même progressivement de la francophonie.

Nous faisons ici face à la confrontation de deux logiques différentes :

– une logique visant à étendre l'influence économique et politique des États-Unis d'Amérique au Rwanda et au Burundi, et à rattacher ces deux petits pays francophones dans la communauté économique des pays de l'Afrique de l'Est, essentiellement anglophones ;

– une logique franco-belge visant quant à elle à maintenir le Rwanda et le Burundi dans la francophonie et dans la zone d'influence franco-belge.

Bien avant le déclenchement de la guerre au Rwanda le 7 avril 1994, certaines grandes puissances alliées du MRND et de ses partis satellites, croyaient à la victoire des Hutu ; de même que d'autres grandes puissances alliées du FPR et à ses partis satellites croyaient à la victoire des Tutsi.

C'est ainsi que la France qui avait formé les éléments de la Garde Présidentielle d'Habyarimana et beaucoup d'autres officiers des Forces Armées Rwandaises (FAR), était convaincue d'une victoire hutue.

Les États-Unis d'Amérique qui à leur tour avaient formé les officiers du Front Patriotique Rwandais (FPR), étaient eux aussi certains d'une victoire tutsie.

Dans ces conditions, aucune solution politique n'était plus envisageable pour le règlement du conflit rwandais. La seule solution et la vraie, était militaire et elle dépendait du rapport de force des belligérants sur le terrain. La présence des Nations Unies au Rwanda à travers la MINUAR I et II était ainsi symbolique, ce qui explique d'une part sa dotation d'une force non offensive, et d'autre part, le refus d'interposition de ses casques bleus au moment où les Hutu et les Tutsi s'exterminaient.

Dans ces conditions, le pouvoir devrait revenir tacitement à l'ethnie qui gagnerait la guerre. Cette ethnie devrait en outre bénéficier du plein appui des Nations Unies pour imposer sa forme de gouvernement. Constatation en est faite aujourd'hui sur plusieurs faits pour ne citer que les plus récents.

Alors que le Conseil de Sécurité s'opposait tout récemment à l'envoi d'une force internationale au Kivu (ex-Zaïre) afin d'y éviter une catastrophe humanitaire aux réfugiés hutus pourchassés et massacrés par les « Banyamoulengué », les Nations Unies maintiennent aujourd'hui au Rwanda contre vents et marées, le personnel de toutes leurs agences au moment où les autres organismes humanitaires réduisent leurs effectifs ou quittent définitivement le Rwanda, suite à l'assassinat le 18 janvier 1997 à Ruhengeri (nord-ouest du Rwanda), de 3 volontaires espagnols de Médecins du Monde et de 3 soldats rwandais.

Un tel comportement discriminatoire illustre les ambiguïtés de l'Organisation des Nations Unies, et caractérise la soumission de son Secrétaire Général dont les fonctions semblent en ce moment beaucoup plus honorifiques qu'opérationnelles.

En effet, du point de vue institutionnel, le Secrétaire Général des Nations Unies se trouve devant une impasse, car il ne doit et ne peut rien proposer qui puisse mettre en danger les intérêts des grandes puissances. Alors, faute de suggérer des solutions réalistes susceptibles d'apporter la paix du Rwanda et au Burundi, il se limite aux éternelles condamnations qui n'ont jamais rien changé, alors que les gens meurent quotidiennement au Rwanda, au Burundi et dans l'ex-Zaïre (Kivu).

L'on comprend mal de nos jours, le silence du Conseil de Sécurité pendant l'agression et à l'invasion de l'ex-Zaïre par les troupes d'autres pays en occurrence, l'Ouganda, le Rwanda et le Burundi.

Et pourtant, la réaction des Nations Unies ne se fit point attendre quand le 2 août 1990, les troupes irakiennes envahirent le Koweit. Pour cet événement imprévisible, la condamnation des Nations Unies exigeant le retrait immédiat et inconditionnel des troupes irakiennes du Koweit était sans réserve et le 6 août 1990, le Conseil de Sécurité décrétait un embargo contre l'Iraq. L'usage de la force fut autorisé à partir du 15 janvier 1991. Ce jour, 600 000 soldats dont 400 000 Américains attaquèrent l'Iraq et libérèrent le Koweit après quelques jours seulement de combats.

Sans aucune condamnation officielle, la communauté internationale avait entériné de façon implicite, l'agression du Zaïre en organisant le Sommet extraordinaire de l'OUA du 26 mars 1997 à Lomé (Togo) où, en présence du Secrétaire Général des Nations Unies, les représentants du Gouvernement légitime zaïrois et ceux de la rébellion « Banyamoulengué » avaient commencé des négociations sur des bases démagogiques et antidémocratiques.

Tant que les grandes puissances resteront accrochées aux intérêts coloniaux et néo-coloniaux, le Secrétaire Général des Nations Unies sera lui aussi soumis au Conseil de Sécurité, et ne pratiquera que la politique des grandes puissances au sein de cet Organisme pourtant censé œuvrer pour la paix dans le monde. Par conséquent, les conflits dans les pays où ces grandes puissances ont des intérêts perdureront.

Et c'est le cas actuellement pour tous les pays de la région des Grands Lacs.

VII
La problématique de la stabilité dans la région des Grands Lacs

La stabilité d'une région est le résultat de l'entente, de l'unité et de la tolérance qui existent entre les populations de cette région. La mésentente a été de tous temps une source de conflits et d'instabilité. Évoquer aujourd'hui le problème de la stabilité dans les pays de la région des Grands Lacs, revient à poser le problème de la mésentente qui provient de l'incompréhension et de l'intolérance entre les populations de cette région. Les pays de la région des Grands Lacs n'étant qu'un microcosme dans un macrocosme, on ne saurait donc parler de leur stabilité sans évoquer celle de l'Afrique toute entière.

Les États africains se caractérisent par des émiettements ethniques qui sont les sources permanentes des conflits. Les principales causes de la persistance et de l'aggravation de ces conflits sont la personnalisation, la tribalisation et l'ethnisation outrancières du pouvoir politique qui, pour les pays de l'Afrique noire en particulier, permettent un enrichissement sans effort.

A ces énormes privilèges, s'ajoutent les nominations de complaisance aux postes dits « juteux » de la République dans les Ministères et organismes qui sont en réalité, des véritables sanctuaires de la corruption. C'est là où s'effectuent les plus importants détournements des fonds publics. Ces postes sont naturellement réservés aux seuls ressortissants du groupe ethnique détenant le pouvoir car en Afrique noire, le pouvoir politique est une affaire de famille et d'ethnie, et non une affaire de la nation. Il permet tout simplement de drainer arbitrairement les richesses d'une région à une autre.

Autant de pratiques qui ne peuvent favoriser ni l'instauration des régimes démocratiques, ni l'émergence d'une élite nationale, ni un réel développement économique et social au point de rassembler pacifiquement les populations africaines. Elles génèrent plutôt le mécontentement, la jalousie et la haine qui gagnent du terrain et entretiennent une violence rampante et contagieuse. Cette violence est aujourd'hui une sorte d'épée de Damoclès qui plane au-dessus de chaque État africain. Et à titre d'exemples : l'Ouganda et le Kenya sont aujourd'hui à couteaux tirés pour des problèmes de réfugiés politiques.

L'ex-Zaïre sous le régime du Maréchal Mobutu entretenait des mauvaises relations avec l'Ouganda. Le Soudan et l'Ouganda s'accusent mutuellement de se soutenir les rebellions, tandis que l'ex-Zaïre sous le régime du Maréchal Mobutu, ne cessait de condamner les raids que l'armée ougandaise lançait régulièrement sur son territoire pour, prétendait-elle, traquer et neutraliser les rebelles. D'autre part, l'Ouganda avait toujours soutenu les Tutsi de la région du Kivu, dans leur lutte contre le régime du Maréchal Mobutu.

Les relations n'étaient guère bonnes entre l'ex-Zaïre du Maréchal Mobutu et le Rwanda, ni entre l'ex-Zaïre et le Burundi. En effet, les deux armées mono-ethnistes tutsies du Rwanda et du Burundi, combattaient le régime ex-zaïrois du Maréchal Mobutu qu'elles accusaient d'abriter et d'armer la rébellion hutue. En revanche, le Rwanda, le Burundi et l'Ouganda avaient armé et soutenu à leur tour les « Banyamoulengué » qui étaient en guerre contre ce régime, jusqu'à son renversement.

La situation est restée tendue entre l'Éthiopie et le Soudan, après l'attentat manqué contre le Président égyptien Moubarak lors du sommet de l'OUA d'Addis-Abeba. L'Éthiopie estimant que les extrémistes musulmans soudanais auraient pu commettre cet attentat.

La Tanzanie entretient des relations très calculées avec le Rwanda et le Burundi, en raison de l'affluence des réfugiés hutus dont la présence en Tanzanie commence déjà à exacerber les populations autochtones.

Enfin, le torchon brûle entre l'Erythrée et le Soudan. Ce dernier reproche à l'Erythrée de soutenir sa rébellion au Nord et au Sud du pays.

La manifestation des populations de Bukavu du 18 septembre 1996 et les tirs d'artillerie qui s'en suivirent, illustraient déjà cette situation de tension qui du reste, faisait craindre le pire dans la région des Grands Lacs.

En effet, le 18 septembre 1996, les populations zaïroises avaient manifesté à Bakavu, réclamant le départ du Zaïre, de tous les « zaïrois » d'origine tutsie venus du Rwanda et du Burundi. Les autochtones zaïrois estimaient que ces « Banyamoulengué » étaient armés par le Rwanda et le Burundi, et venaient attaquer le Zaïre avec la complicité active des agents locaux du Haut Commissariat aux réfugiés (HCR) dont ils demandaient également de quitter le Zaïre. Les autorités zaïroises reprochaient en outre aux agents locaux des organismes humanitaires, de transporter des armes et autres matériels pour les « Banyamoulengué » venant du Rwanda et du Burundi, pour combattre les Forces armées zaïroises sur leur propre territoire.

Dans un tel climat dominé par les menaces, les incertitudes et la violence, les récentes négociations que les gouvernements zaïrois et rwandais venaient d'entreprendre et qui avaient pour objet l'exploitation collective du gaz méthane du lac Kivu, risquaient d'être suspendues, voire annulées pour le plus grand malheur de ces deux pays, si le régime du Maréchal Mobutu avait survécu.

L'Afrique noire en général et les pays de la région des Grands Lacs en particulier, souffrent d'une instabilité endémique. A cet effet, il suffit de se référer au bilan de l'Organisation de l'unité africaine (OUA), organisme panafricain de promotion de l'unité et de la paix, pour en tirer des conclusions.

VIII
L'OUA et la crise des Grands Lacs

A – *L'UNITÉ AFRICAINE : MYTHE OU RÉALITÉ ?*

Parler de l'unité d'un peuple, c'est reconnaître la capacité de ses populations en dépit de leurs divergences politiques et de leurs différences physiques et culturelles, de cohabiter pacifiquement, de collaborer franchement et d'œuvrer pour une cause ou des objectifs communs. S'agissant de l'Afrique noire, le développement économique devrait être le principal objectif car, pour ces populations, c'est un véritable défi à relever.

Parler de l'unité africaine, c'est aussi condamner l'esclavagisme encore en vigueur dans certains États africains, et notamment en Mauritanie.

La réalisation de l'unité africaine a toujours été le rêve de beaucoup de leaders africains pour ne citer que Ahmed Sékou Touré. Et la création des organismes politiques panafricains dès les premières heures de la décolonisation, en est une parfaite illustration. Je citerai à titre d'exemple, l'OUA [1].

Mais pour l'Afrique noire qui se caractérise aujourd'hui par des multiples disparités, la seule existence d'organismes panafricains ou régio-

---

1. OAMC : Organisation Africaine, Malgache et Comorienne.
OCAM : Organisation Commune Africaine et Malgache.
OUA : Organisation de l'Unité Africaine.

naux ne suffit plus pour confirmer effectivement la réalité de son unité. Seule une analyse approfondie des principales disparités observables, nous permettra de confirmer ou d'infirmer cette unité des Africains et de leurs États.

B – ANALYSE DES PRINCIPALES CONTRADICTIONS

L'Afrique se caractérise par la variété de son milieu naturel (relief, climats, sols, forêts, savanes, steppes, déserts) et la diversité de sa population. C'est sur celle-ci que nous allons porter notre analyse.

1) CARACTÉRISTIQUES SOCIO-CULTURELLES

A) DIVERSITÉS LINGUISTIQUES

On recense au moins 1 500 variantes dialectales d'une centaine de langues que parlent les populations africaines. Cette multitude de langues entretient des micro-cultures qui ne favorisent toujours pas ni le rapprochement harmonieux entre les Africains, ni un réel développement économique et social du continent. Et pourtant, ces micro-cultures sont autant de richesses qui dans leur complémentarité, devraient servir de catalyseur et dynamiser l'expansion de la science dont la maîtrise soustend tout développement.

B) DIVERSITÉS CULTURELLES

L'Afrique a hérité de la culture des anciens colonisateurs. Aussi, ses nombreuses cultures ne vont pas dans le sens de la complémentarité, mais dans celui de la rivalité et parfois de l'affrontement.

Le torchon brûle entre les pays africains de culture anglophone et ceux de culture francophone. Il convient d'associer aux pays de culture francophone, ceux de culture lusophone.

Les rivalités culturelles et politiques ne peuvent manquer entre ces pays, d'autant plus qu'ils subissent directement les influences des anciens pays colonisateurs dont ils dépendent économiquement et politiquement.

Cette situation n'est pas de nature à favoriser l'unité des pays africains qui préfèrent plutôt jouer soit la carte de la francophonie, soit celle des pays du commonwealth, soit les deux et c'est le cas aujourd'hui pour le Cameroun.

Malheureusement, il n'y a pas pour autant entente entre les pays jouissant d'une même culture coloniale, puisque les pays africains de même culture, expulsent indifféremment et régulièrement les Africains de leur pays sans tenir compte des critères culturels ou linguistiques[2].

C) DIVERSITÉS RELIGIEUSES

Des conflits à caractère religieux opposant les populations d'un même État, sont souvent observés en Afrique, et c'est précisément le cas au Nigeria pour ne citer que ce pays.

Dans cet immense pays, des conflits religieux souvent vite circonscrits, opposent régulièrement les populations musulmanes aux populations chrétiennes. Si déjà il manque d'unité au sein de certains États africains, comment pourra-t-on parler de l'unité africaine ?

2) DE LA PLURALITÉ DES RÉGIMES POLITIQUES

Il faut reconnaître que malgré la dépendance économique et politique des pays africains vis-à-vis des anciens pays colonisateurs, l'influence de ces derniers n'est pas ressentie de la même façon dans toutes les ex-colonies africaines.

Les pays maghrébins de culture arabe qui sont en voie de développement ressentent moins cette influence extérieure, et y réagissent en tant qu'États souverains.

Les pays de culture anglophone en voie de développement subissent pleinement cette influence extérieure et y affichent une certaine nervosité à travers leurs multiples changements d'alliance.

---

2. En janvier 1995, le Gouvernement gabonais procédait aux brutales expulsions de plusieurs milliers de travailleurs immigrés africains en situation irrégulière au Gabon.

Outre les ressortissants Nigérians de culture anglophone, furent surtout victimes des expulsions, les Béninois, les Nigériens, et les Maliens de culture francophone.

Au début du mois de mars 1995, le Président Arap Moi du Kenya, menaçait d'expulser de son territoire, tous les réfugiés Somaliens, Éthiopiens, Rwandais, Burundais, Soudanais et autres, au cas où le Président Museveni de l'Ouganda s'entêtait à refuser l'extradition du Brigadier Général John Ondongo, opposant Kenyan réfugié en Ouganda.

Quant aux pays de culture francophone sous-développés, ils subissent aussi la même influence au même titre que leurs homologues de culture anglophone, mais n'y affichent aucune réaction au point de changer d'alliances. D'où les accusations formulées contre la France par certains pays de culture anglophone, lui reprochant de maintenir et d'entretenir des régimes dictatoriaux en Afrique. L'attachement du FPR au Canada et aux États-Unis d'Amérique et sa méfiance vis-à-vis de la France, y trouvent en partie son explication.

Évidemment, les États-Unis d'Amérique dans leur désir de pénétrer les marchés des anciennes colonies françaises d'Afrique, ne peuvent qu'exploiter cette situation en passant pour des donneurs des leçons de démocratie, oubliant qu'ils entretiennent eux aussi toutes les dictatures de l'Amérique du sud.

A travers ces sensibilités politiques divergentes, les pays africains ne peuvent prendre des décisions politiques collectives et par conséquent ne peuvent objectivement défendre la même cause politique. Cette situation ne favorise guère leur unité.

3) DES FORMES D'ÉCONOMIE

Entre l'Afrique du Sud presque développée, l'Afrique du Nord en voie de développement et l'Afrique noire encore sous-développée, les problèmes économiques liés au développement, ne peuvent être ni ressentis, ni perçus de la même manière par les Africains, cet état de choses constitue aussi un obstacle à l'unité africaine.

4) DE L'IMPACT COLONIAL ET DU NÉO-COLONIA-LISME

Les anciens pays colonisateurs européens et notamment la France, l'Angleterre, la Belgique, l'Espagne, le Portugal et l'Italie ont une influence politique certaine sur beaucoup de pays africains qui restent ainsi dirigés de l'extérieur. Ces pays s'opposeront toujours à l'unité africaine dans la mesure où une telle unité menacerait leurs intérêts.

C'est pour cette raison que les pays africains sont aujourd'hui beaucoup plus proches des pays occidentaux que des pays de leur propre continent. A titre d'exemple, il est plus facile à un Camerounais de se rendre en Occident que de se rendre au Gabon, pays limitrophe francophone. S'agissant des autres pays africains, il est inutile d'évoquer les difficultés et les multiples tracasseries pour l'obtention d'un visa. Ces difficultés s'imposent à tous les Africains qui du reste, demeurent très méfiants et jaloux entre eux.

En effet, la fragilité des systèmes politiques africains a eu pour conséquence majeure, la création d'États policiers où les Africains se suspectent et se surveillent. Les frontières entre les pays africains sont presque fermées aux continentaux, si bien que seuls les rares Africains en mission se déplacent, sans pour autant être à l'abri des tracasseries et humiliations.

En guise d'illustration, rappelons les quelques décisions ou mesures suivantes, prises par certains chefs de gouvernement africains, à l'encontre de leurs frères :

– pour tenter de chasser tous les travailleurs immigrés africains de son territoire, le Gouvernement camerounais avait imposé une taxe de 2 500 FF à tous les immigrés ;

– le Gouvernement gabonais avait donné à son tour, un délai imparti d'un mois allant jusqu'à la fin de janvier 1995 à tous les travailleurs immigrés africains sans titre de séjour régulier pour quitter le pays. Au-delà de ce délai, il les expulsait sans ménagement. La menace étant devenue très sérieuse, 1 500 immigrés Maliens et Béninois n'attendirent pas l'expiration de la date ultimatum, et rentrèrent chez eux, convaincus de la cruauté de certains Africains qui ne se plaisent qu'en faisant souffrir leurs frères.

Aussi, le 21 janvier 1995, ces immigrés embarquèrent sur deux navires pour Cotonou (Bénin) où ils furent encore refoulés vers le Nigeria ; les Béninois n'ayant accueilli que 100 de leurs ressortissants. Les 1 400 autres Maliens devinrent des « Boat people » sur les côtes africaines. D'autres bateaux d'immigrés africains suivirent et errèrent longtemps sur les côtes africaines, avec des Africains qu'aucun État ne voulait accueillir.

Auparavant, les Ivoiriens avaient copieusement battu et pillé les pauvres réfugiés ghanéens, au moment où ils avaient fui leur pays à cause des violences politiques, et avaient besoin du secours de leurs frères des États limitrophes. Les Nigérians avaient chassé de chez eux tous les travailleurs immigrés africains en confisquant même tous leurs biens. Faut-il rappeler les récents charters des immigrés africains de la Libye, de l'Angola ou du Bénin ?

A tous ces faits, s'ajoute la litanie des conflits qui demeurent presque permanents en Afrique au moment où les pays industrialisés se regroupent pour former un seul espace économique et politique.

– Les Angolais, les Somaliens, les Algériens et les Libériens sont aujourd'hui plongés dans de cruelles guerres civiles, alors que des conflits ethniques entretenus par les mêmes contradictions sont en gestation au Sénégal, au Mali, au Zaïre, au Cameroun, au Congo, en République Centrafricaine pour ne citer que ces pays-là.

– Il y a en outre un risque majeur d'affrontement entre le Cameroun et le Nigeria, la Libye et le Tchad, l'Égypte et le Soudan, le Soudan et l'Ouganda, à cause des frontières arbitrairement tracées par les anciens colonisateurs.

– Les problèmes à caractère ethnique continuent d'opposer les populations burundaises, rwandaises, zaïroises, congolaises, camerounaises, maliennes, nigérianes, nigériennes, tchadiennes, kenyanes, éthiopiennes, sierra-léonaises, sud-africaines. Bref, tous les pays africains souffrent des problèmes ethniques et le continent africain est par excellence, une pépinière de la violence qui n'est atténuée que grâce aux arbitrages extérieurs, paradoxalement aux médiations des mêmes anciens colonisateurs.

Terminons ce chapitre en rappelant l'indifférence de certains Noirs trop occidentalisés qui ne prennent plus part aux souffrances de leurs frères, et qui restent insensibles à tout ce qui peut arriver aux autres pays africains ainsi que nous avions pu l'observer au Rwanda, où pendant la période de la guerre civile, aucune aide n'était venue des pays africains qui pourtant, étaient les premiers concernés par ce génocide.

Tous ces faits et comportements sont autant d'obstacles qui ne favorisent pas l'unité africaine en ce moment. Comment peut-on espérer à l'unité d'un continent, alors que les populations de ses États sont désunies ?

L'Organisation de l'Unité Africaine (OUA) qui est supposée initier et dynamiser cette prétendue unité, restée pour le moment théorique, devra au préalable combattre toutes les pesanteurs précitées, pour mériter la réputation d'un organisme panafricain voué à la cause de l'unité de ses populations.

L'unité politique et économique de l'Afrique noire ne sera une réalité qu'à partir d'une intégration économique effective et harmonieuse de tous les États africains qui pour la circonstance, utiliseront enfin la même monnaie et le même passeport entre autres pratiques unitaires et souveraines.

Actuellement, les conditions politiques des pays africains ne favorisent point une telle intégration globale. Même les intégrations régionales s'avèrent difficiles, certains pays africains allant même jusqu'à refuser le paiement de leur contribution à l'OUA. Un tel mépris dit tout ; il permet tout au moins de comprendre que certains Africains se doutent de l'efficacité de l'OUA qu'ils qualifient parfois de nid d'espions à la solde des grandes puissances.

Au moment où l'on parle de la mondialisation et du regroupement des pays industrialisés, on a plutôt l'impression que les pays africains s'engagent de façon irréversible, dans un processus de désintégration et de désunion.

Conclusion

Partant du principe que l'on ne saurait véritablement imposer la paix par la voie de négociation ou par les armes aux populations qui ne veulent ou ne peuvent concilier leurs différences en tant que facteurs indispensables de complémentarité et de rapprochement comme c'est malheureusement le cas actuellement pour les populations du Rwanda et Burundi, j'ai préféré n'exposer que les principaux points cachés ou plutôt sombres, qui éclairent au mieux cette situation pour le moment insurmontable.

En effet, loin de prétendre réformer quoi que ce soit dans la pratique conventionnelle des négociations internationales, j'ose cependant rappeler qu'en cette période de relative transparence politique, personne ne peut plus accepter éternellement d'être assujetti et exploité sans réagir ou sans se défendre.

Il est donc impossible d'éviter actuellement des conflits violents dans les régions riches en velléités dominatrices. Ce constat est tout aussi bien valable pour les pays développés que pour les pays en voie de développement, et la récente guerre tchéchène ou les incessantes intentions indépendantistes corse, irlandaise et autres en sont des exemples vivants.

Les guerres internes sont généralement des guerres d'identification, c'est-à-dire celles qui opposent les ethnies ou les groupes ethniques entretenant des sensibilités politiques et économiques différentes et divergentes. Il s'agit en réalité des entités ethniques qui cohabitent arbitrairement et artificiellement par des compromis permanents, mais où les conflits peuvent éclater à tout moment.

La meilleure façon d'instaurer la paix dans de pareilles circonstances, ne consiste plus à l'imposer par des textes ou par des armes en vue de sauvegarder par tous les moyens, l'intégrité territoriale d'un État fantôme ou l'unité fictive des populations ne se reconnaissant pas comme citoyens d'un même pays.

Les populations qui s'opposent, vivent une situation parfois inédite qui très souvent, n'est pas en relation avec le cadre juridique que les négociateurs ou la communauté internationale leur imposent. Les accords de paix d'Arusha s'agissant du conflit rwandais et la convention du gouvernement du 10 septembre 1994 pour le Burundi, sont des illustrations actuelles d'une telle situation. L'existence de ces accords et de cette convention n'avait fait que retarder la guerre, tout en favorisant sa préparation dans les deux camps.

Dans le cadre d'une véritable diplomatie préventive, l'appréciation a priori de certains indicateurs déjà apparents, aurait permis de dénoncer les guerres devenues inévitable au Rwanda et au Burundi, et de réduire ainsi très sensiblement leur intensité. Parlant des indicateurs, il s'agissait en substance :

– du degré de motivation des personnes impliquées dans le conflit ;
– du degré d'implication des pays étrangers, notamment les pays industrialisés qui ont souvent exploité les pays dépendants à travers les multiples conflits périphériques ;
– de la véracité des faits évoqués par les différents protagonistes.

Au Rwanda, le degré de motivation des personnes impliquées dans le conflit, s'appréciait respectivement chez les Tutsi comme chez les Hutu grâce aux rapports suivants :

– chez les Tutsi (FPR) : par le rapport du nombre de ses réfugiés sur sa population totale ;
– chez les Hutu (MRND + CDR + MDR « Power ») : par le rapport de ses militants extrémistes sur sa population totale.

L'interprétation de ces deux rapports nous montre que bien avant le déclenchement de la guerre, les Tutsi dans leur majorité étaient réfugiés à l'extérieur, mais que la quasi-totalité des Tutsi (réfugiés de l'extérieur et résidents de l'intérieur), militaient au sein du FPR. Ce qui signifie que l'ethnie tutsie dans sa majorité, était pleinement motivée pour faire la guerre et s'y était préparée pendant longtemps.

Quant à l'ethnie hutue avec ses partis politiques émiettés, les deux seuls partis extrémistes qu'étaient le MRND et la CDR ne pouvaient faire la majorité au sein même de l'ethnie hutue. Par conséquent, la part des extrémistes était relativement faible, ce qui expliquerait la légère motivation des Hutu à faire la guerre, et les résultats des combats sur le terrain l'avaient confirmé.

S'agissant de l'implication des pays étrangers, les pays industrialisés interviennent toujours indirectement dans tous les conflits périphériques sous forme d'aides en équipements militaires et en formation, mais jamais directement, car il est improbable aujourd'hui que ces pays industrialisés qui sont par ailleurs les grandes puissances, puissent s'affronter à cause des pays en voie de développement d'Afrique.

Enfin, la véracité des faits dénoncés chez les Tutsi comme chez les Hutu était certaine. Les Tutsi étaient effectivement menacés d'extermination au Rwanda, et les Hutu redoutaient le retour d'une dictature de la minorité tutsie, semblable à celle de l'époque précoloniale. De part et d'autre des deux ethnies, il y avait des milices qui assassinaient. Au Burundi, ce sont plutôt les Hutu qui sont menacés d'extermination aujourd'hui.

Avant le déclenchement de la guerre le 6 avril 1994, tous les indicateurs montraient que le Rwanda était déjà dans une phase de guerre virtuelle. Après la guerre du 6 avril 1994 et la victoire du FPR, le Rwanda reste toujours sous la menace d'une guerre que les Tutsi de l'intérieur attendent intensément. Les fréquents affrontements entres les anciens soldats des FAR réfugiés dans l'ex-Zaïre et les soldats du FPR le long des frontières zaïro-rwandaises en sont une preuve. La situation s'était compliquée avec l'entrée en scène des « Banyamoulengué », ces fameux zaïrois d'origine tutsie.

Le massacre des réfugiés hutus du camp de Kibeho par l'Armée du FPR et d'autres massacres qui s'en suivirent tant au Rwanda que dans l'ex-Zaïre, n'étaient qu'une réaction de défense de la part du gouvernement du FPR de Kigali, pour qui la présence des sujets hutus même désarmés, constitue une grave menace.

Toutes ces absurdités n'auraient-elles pas pu être évitées si, d'ores et déjà, les négociateurs de l'accord de paix d'Arusha avaient pu prendre en considération la situation politique globale et réelle de la région des Grands Lacs, et prouver à l'opinion internationale que la guerre était inévitable entre les Hutu et les Tutsi ?

Enfin les négociateurs n'auraient-ils pas mis le Rwanda et le Burundi à l'abri des génocides, en proposant à temps la séparation pure et simple des ethnies antagonistes hutue et tutsie, par la création de deux États distincts et autonomes sur la base ethnique ?

Dans ces conditions, les Twa qui n'ont pas de problèmes ethniques particuliers, s'installeraient volontiers chez les Hutu comme chez les Tutsi selon leur souhait. Quant aux Hutu détestés par les Hutu en raison de leur appartenance au parti politique tutsi, ils habiteraient l'État tutsi.

Une telle disposition n'aurait-elle pas mis le Rwanda et le Burundi à l'abri d'inutiles massacres, ainsi que le reconnaissent d'ailleurs aujourd'hui avec amertume, plusieurs ressortissants de ces deux pays dont les populations sont habituées à ne jamais exprimer clairement ce qu'elles pensent ?

Les plaies sont encore trop profondes aujourd'hui pour qu'on puisse parler de la réconciliation entre les Hutu et les Tutsi, encore moins, d'un Rwanda où les Hutu, grands seigneurs d'hier, accepteraient de se mettre éternellement sous le joug des Tutsi qui avaient pris le pouvoir par les armes. Par simple honnêteté intellectuelle et par fierté personnelle, une telle hypothèse ne semble pas réalisable à court terme sans inconvénient. Personne n'empêchera aux Hutu et aux Tutsi de se venger, de se battre jusqu'à la dernière goutte de sang, tant qu'ils seront condamnés à vivre dans un même État.

En séparant ainsi les Hutu et les Tutsi par la création de deux États distincts, ne comprendront-ils pas peut-être avec le temps et l'expérience, qu'ils n'avaient pas intérêt à tant se haïr et à s'entre-tuer ? Et les Nations Unies dans cette perspective, n'auront-elles pas la possibilité d'atteindre pacifiquement cet objectif en un temps relativement court ?

Ainsi, au lieu de ne dépenser que pour les actions humanitaires ou pour la reconstruction hâtive des pays encore minés par des conflits et qui risqueraient de nouveau d'être détruits, ne serait-il pas souhaitable maintenant de prendre le « taureau par les cornes » en adoptant une solution beaucoup plus réaliste pour le Rwanda et le Burundi ? Celle qui consisterait à envisager au préalable, la création d'un État hutu et d'un État tutsi dans la région des Grands Lacs avant toute autre action de développement ?

Avec une promesse d'aide de 60 000 000 de dollars obtenue de la part des pays industrialisés et de certaines institutions financières lors de la table ronde tenue à Genève en janvier 1995 somme à laquelle il convient d'ajouter un don de 700 000 000 de dollars de la part des Nations Unies, le Rwanda aurait pu échapper aux autres génocides en acceptant le principe de la partition et de l'instauration de deux États distincts sur la base des considérations ethniques. Si cette solution n'était pas la meilleure, elle avait au moins le mérite de respecter la sagesse africaine qui prévoit qu'on « ne prêche pas la paix aux ennemis qui se regardent ».

Outre ces constats et suggestions reflétant au mieux la réalité de la situation qui prévaut actuellement au Rwanda et au Burundi et qui embarrasse tout à la fois les Nations Unies, l'Organisation de l'Unité Africaine ainsi que les Gouvernements en place à Kigali et à Bujumbura, les solutions en perspective pour le règlement global et définitif du conflit rwandais j'allais dire burundo-rwandais, s'avèrent encore incertaines. Elles sont inadaptées, car elles résultent des seules initiatives parfois utopiques des organismes internationaux, souvent mal informés des réalités africaines dont la complexité reste fonction du degré des mutations locales. Ces solutions qui se situent en dehors des volontés qui ne sont pas toujours exprimées par les Africains, ne peuvent contribuer efficacement à la résolution des multiples conflits d'une Afrique en ébullition.

C'est dans un souci constant d'instaurer une paix durable dans les pays de la région des Grands Lacs, c'est-à-dire d'y empêcher l'inévitable revanche à plus ou moins long terme des Hutu aujourd'hui réfugiés dans plusieurs pays d'Afrique et d'ailleurs, exactement comme ce fut le cas pour les Tutsi maintenant au pouvoir à Kigali, que le Secrétaire Général des Nations Unies préconisa l'envoi d'une force internationale de 5 000 soldats afin de surveiller les réfugiés hutus installés dans l'ex-Zaïre, et surtout empêcher l'infiltration des anciens soldats des Forces armées rwandaises (FAR) au Rwanda.

Mais force est de remarquer qu'aucun pays ne consentit à envoyer ses soldats dans une telle mission, estimant d'avance que la sécurité d'un État s'organisait de l'intérieur et non de l'extérieur, et qu'elle relevait surtout de la compétence du gouvernement légitime et non d'initiatives des institutions internationales.

Une telle mission était d'autant plus absurde qu'avant le déclenchement des hostilités au Rwanda, il y avait bien des soldats des Nations Unies à Kabale (Sud de l'Ouganda) et dans plusieurs localités au Nord du Rwanda. Ces soldats avaient pour mission, d'empêcher l'infiltration des combattants du FPR au Rwanda en provenance de l'Ouganda, pays limitrophe et profondément engagé dans le conflit aux côtés du FPR. Et pourtant, le Nord du Rwanda était une véritable passoire malgré la présence de ces casques bleus. S'agissait-il d'une totale neutralité ou d'une certaine complicité ? Autant de questions que l'on se pose. Alors, si les soldats des Nations Unies n'avaient pas pu empêcher l'infiltration des combattants tutsis du FPR, ni les trafics d'armes en provenance de l'Ouganda, pourquoi et comment réussiront-ils à le faire au cas où les anciens soldats hutus des Forces armées rwandaises se décideraient à leur tour à reprendre le pouvoir par les armes ou du moins, à déclencher des actions de guérilla contre les pouvoirs en place à Kigali et à Bujumbura ?

Les soldats de la paix ne sauraient s'opposer à une telle initiative sans être traités de partisans, et ainsi trahir le principe de neutralité qui justifie l'existence même des Nations Unies. Dans le même ordre d'idées, l'Organisation de l'Unité Africaine (OUA) qui garda un silence presque complice au moment où le Rwanda était à feu et à sang, en n'entreprenant aucune action ne fusse qu'africaine spécifiquement significative au moins pour atténuer les massacres, prouva par là une fois de plus, qu'elle n'était pas à la hauteur des problèmes africains actuels.

Cette auguste institution panafricaine qui préconise aujourd'hui la mise sur pied des accords ou pactes de non-agression au nouveau régime rwandais tout en initiant la création d'une force africaine de maintien de la paix, devrait au moins se souvenir de deux choses :

– seuls les régimes non démocratiques et fascistes, redoutent les agressions et l'OUA qui prône l'unité africaine, ne devrait point prendre position en faveur de tels régimes ;

– s'agissant de la création d'une Force Africaine pour le maintien de la paix sous l'égide des pays occidentaux et des Nations Unies, on ne peut que s'inquiéter quand un organisme panafricain responsable de la promotion de l'unité des populations, hypothèque leur sécurité aux étrangers dont on ignore en réalité les véritables intentions.

Comment les États africains qui se battent pour plus de liberté et d'autonomie, pourront-ils être vraiment souverains si leur sécurité dépend de l'extérieur ? Je me permets de dire non. Ils ne le seront jamais, car leur dépendance économique n'a jamais favorisé leur développement, et leur dépendance politique ne favorisera point leur démocratie.

Envisager aujourd'hui des solutions militaires ainsi que le préconise l'OUA ou les États-Unis d'Amérique qui recommandent actuellement la création d'une force de réaction inter-africaine pour venir à bout de la violence et enfin promouvoir l'unité et la paix dans ce continent qui en a assez de compter ses victimes de guerre, de famine, de maladie au sein des populations qui ne se reconnaissent pas et s'affrontent plus par ignorance que par conviction politique, est-ce vraiment la meilleure solution pour les pays africains et ceux de la région des Grands Lacs en particulier ? Cette curieuse façon de rechercher la paix est-elle propre pour le seul continent africain, ou bien elle s'appliquera désormais dans toutes les régions du monde où il y aura des conflits et des guerres ?

En intermédiaire panafricain, l'OUA gagnerait en favorisant plutôt la création d'une grande Institution panafricaine de formation civique et politique : celle-ci serait destinée à la résolution des conflits actuels, et à la prévention plus efficace des conflits ultérieurs. Les Africains sortis d'une telle Institution pourraient mieux s'impliquer au règlement des conflits de leur continent et pourquoi pas ailleurs ? Une telle Institution rapprocherait les Africains, elle leur permettra de mieux se connaître loin des éventuelles influences négatives étrangères, et surtout, elle leur donnera d'autres possibilités : celles de comprendre et de découvrir les vrais mécanismes de l'univers dans lequel ils vivent aujourd'hui.

Revenons enfin sur la situation actuelle du Gouvernement en place au Rwanda. Pour tenter de légitimer son autorité tant à l'intérieur qu'à l'extérieur, les nouveaux dirigeants de Kigali veulent présenter un Rwanda enfin multi-ethnique débarrassé des criminels, c'est-à-dire des responsables des génocides du demi-siècle, et la présence à Kigali des juges internationaux depuis le 24 janvier 1995, confirmait déjà cette volonté ou cette intention.

Mais comment le nouveau Gouvernement pourra-t-il justifier une telle légitimité avec plus d'un million de réfugiés à l'extérieur, qui refusent de surcroît de rentrer parce que menacés de mort. Comment justifier cette légitimité, alors qu'à l'intérieur du pays on doit toujours faire face aux multiples attaques et assassinats orchestrés par les extrémistes de tous bords.

Plus grave encore, comment le nouveau gouvernement procédera-t-il objectivement au jugement et à la condamnation des responsables des génocides, alors qu'au sein du gouvernement, se cachent beaucoup de théoriciens, initiateurs et exécuteurs des génocides commis sous les régimes des Présidents Habyarimana et Bizimungu.

Pire encore, comment le Tribunal Pénal International (TPI), jugera les responsables des génocides rwandais sans au préalable interroger le Conseil de Sécurité et le gouvernement belge qui étaient officiellement informés des préparations d'un vaste plan d'extermination des populations rwandaises depuis le 11 janvier 1994.

En dernière analyse, pourquoi le Tribunal Pénal International (TPI) a-t-il pu prononcer des inculpations alors qu'on attend jusqu'à ce jour les résultats des investigations préalablement demandées aux Nations Unies sur les conditions du double assassinat le 6 avril 1994 des Présidents rwandais et burundais.

De l'analyse des phases successives des génocides et actions ethnicistes rwando-burundaises, il ressort que le concept « unité » n'a pas encore de signification dans les consciences des populations des pays de la région des Grands Lacs, notamment au Rwanda et au Burundi, où les violences quotidiennes augurent plutôt des divisions de plus en plus accentuées. Il en est de même pour l'Afrique noire où l'unité des populations reste utopique. On évoque régulièrement cette unité pour meubler les contenus toujours vides des complaisants discours politiques prononcés lors des conférences régionales qui n'ont jamais d'effet concret sur le terrain.

Les Africains continuent de pratiquer une politique de division, de cloisonnement et d'égoïsme, laquelle compromet toutes les initiatives de développement économique, qu'elles émanent de l'intérieur ou de l'extérieur. On ne peut concevoir un développement économique dans la violence, l'anarchie et le chaos social, le véritable développement s'appuyant traditionnellement sur des structures solides d'un État organisé aux institutions stables, dirigées par des personnes responsables, compétentes et engagées.

Malheureusement, tel n'est pas le cas en Afrique noire où les dirigeants apprennent encore la démocratie et ont de la peine à abandonner les privilèges et avantages des régimes dictatoriaux.

Considérant que la démocratie et l'unité nationale précèdent tout processus de développement véritable, le développement de l'Afrique noire sera difficile sans au préalable, l'instauration des régimes véritablement démocratiques.

Espérons cependant qu'après tant de malheurs connus au Rwanda, au Burundi et dans l'ex-Zaïre, les populations des pays de la région des Grands Lacs particulièrement victimes de la violence et de l'intolérance, se ressaisiront et se débarrasseront de leurs frustrations, en œuvrant désormais pour la paix et la réconciliation.

Ainsi, le sang des Hutu et des Tutsi qui ne cesse de couler au Rwanda, au Burundi et dans l'ex-Zaïre n'aura pas coulé pour rien. Il aura tout au moins servi aux Africains à sortir de leur léthargie millénaire, et à préparer enfin une Afrique Noire digne, caractérisée par l'amour, la paix et une solide unité.

En fait, les génocides ne sont rwandais et burundais que parce que leurs seules populations ont été et restent les principales victimes. Sinon se sont des génocides africains, car chaque fois qu'un Rwandais ou un Burundais quelle que soit son ethnie ou son appartenance politique tombe sur le champ de bataille, c'est l'Afrique qui perd un de ses précieux enfants, et se vide ainsi de ses futurs bâtisseurs.

Annexes

A) EXTRAIT DE L'ACCORD DE PAIX D'ARUSHA SIGNÉ LE 12 JUILLET 1992 ET LE 4 AOÛT 1993, PUBLIÉ DANS LE JOURNAL OFFICIEL DE LA RÉPUBLIQUE RWANDAISE DU 15 AOÛT 1993, ANNÉE 32, N° 16, PAGE 1287

SECTION 1 : *Du Président de la République et Chef de l'État*

Article 5

A la signature de l'Accord de Paix, l'actuel Président de la République et Chef de l'État reste en place jusqu'à la fin des élections devant intervenir à l'issue de la période de transition.

PROTOCOLE D'ACCORD ENTRE LE GOUVERNEMENT DE LA RÉPUBLIQUE RWANDAISE ET LE FRONT PATRIOTIQUE RWANDAIS SUR LE PARTAGE DU POUVOIR DANS LE CADRE D'UN GOUVERNEMENT DE TRANSITION BASE ÉLARGIE

(SUITE DU PROTOCOLE D'ACCORD SIGNE LE 30/10/1992)

Le Gouvernement de la République Rwandaise d'une part, et le Front Patriotique Rwandais, d'autre part ;

Conviennent des dispositions ci-dessous faisant partie intégrante du Protocole d'Accord sur le partage du pouvoir.

CHAPITRE VII : *NOUVEAUX POINTS D'ACCORD*

SECTION 1 : *Dispositions relatives au Pouvoir Exécutif*

Sous-section 1 : *Du remplacement du Président de la République durant la Transition*

Article 55

Conformément aux dispositions de l'article 14 du Protocole d'Accord signé le 30/10/1992, la répartition numérique des portefeuilles entre les forces politiques devant participer au Gouvernement de Transition à Base Élargie est faite de la manière suivante :
– MRND : 5 portefeuilles
– FPR : 5 portefeuilles
– MDR : 4 portefeuilles (dont le poste de Premier ministre)
– PSD : 3 portefeuilles
– PL : 3 portefeuilles
– PDC : 1 portefeuille

Article 62

La répartition numérique des sièges à l'Assemblée Nationale de Transition entre les forces politiques est faite de la manière suivante, sous réserve de l'application de l'article précédent :
– MRND : 11 sièges
– FPR : 11 sièges
– MDR : 11 sièges
– PSD : 11 sièges
– PL : 11 sièges
– PDC : 4 sièges
Les autres partis agréés auront chacun un (1) siège.

SECTION 4 : *Code d'éthique politique liant les forces politiques devant participer aux Institutions de la Transition*
Sous-section 1 : *Principes fondamentaux*

Article 80

Les forces politiques devant participer aux Institutions de la Transition s'engagent, dans une déclaration signée par leurs représentants habilités, à :
1° soutenir l'Accord de Paix et œuvrer à sa meilleure application ;
2° promouvoir, tous les moyens, l'unité et la réconciliation des Rwandais ;

3° s'abstenir de toute violence, d'incitation à la violence, par des écrits, des messages verbaux, ou par tout autre moyen ;

4° rejeter et s'engager à combattre toute idéologie politique et tout acte ayant pour fin de promouvoir la discrimination basée notamment sur l'ethnie, la région, le sexe et la religion ;

5° promouvoir et respecter les droits et les libertés de la personne humaine ;

6° promouvoir l'éducation politique des membres, selon les principes fondamentaux caractérisant un État de droit ;

7° œuvrer à ce que le pouvoir politique soit mis au service de tous les Rwandais sans distinction aucune ;

8° respect la laïcité de l'État rwandais ;

9° respecter la souveraineté nationale et l'intégrité territoriale du pays.

Article 144 : Des proportions et de la répartition des postes de commandement

Au cours de la formation de la Gendarmerie Nationale, les proportions et la répartition des postes de commandement entre les deux parties respecteront les principes ci-après :

1° Les forces gouvernementales fourniront 60 % des effectifs et celles du FPR 40 % à tous les niveaux à l'exception des postes de commandement décrits ci-dessous :

2° Dans la chaîne de commandement, de l'État-major de la Gendarmerie Nationale jusqu'au niveau du Groupement, chaque partie sera représentée à 50 % pour les postes suivants :

Le Chef d'État-major ; le Chef d'État-major Adjoint ; les Chefs de Bureau à l'État-major (G1, G2, G3, G4) ; les Commandants et les Commandants en second de Groupement ; les Chefs de section de l'État-major de Groupement (S1, S2, S3, S4) ; les Commandants et les Commandants en second des unités spécialisées et d'appui, à savoir : la Garde Républicaine, le Groupe d'Intervention, le Groupe Services logistiques, le Service de Renseignements Spécialisés et le Service de Recherche Criminelle, ainsi que le Commandant et le Commandant en second de l'EGENA.

3° Tous les postes de responsabilité repris ci-dessus seront partagés entre les Officiers du Gouvernement Rwandais et ceux du FPR conformément au principe d'alternance.

Ainsi, les forces gouvernementales et celles du FPR fourniront respectivement (6 et 5 ou 5 et 6) Commandants de Groupement, (5 et 6 ou 6 et 5) Commandants en second de Groupement, un nombre égal de Chefs de Section à l'État-major de Groupement, ainsi que de Commandants et de Commandants en second des unités spécialisées reprises ci-dessus et de l'EGENA.

Cependant, aucune force ne peut détenir à la fois les postes de Commandant et de Commandant en second dans une même unité.

4° Sans préjudice à l'article 141 du présent Protocole, les proportions des deux forces dans toutes les structures de la Gendarmerie Nationale ne seront affectées par aucune condition préalable en ce qui concerne l'accessibilité.

Ainsi, une formation adéquate sera dispensée aux gendarmes retenus, n'ayant pas toutes les qualifications nécessaires, selon les modalités déterminées par le Conseil de Commandement de la Gendarmerie Nationale.

5° Le poste de Chef d'État-major de la Gendarmerie Nationale revient au Front Patriotique Rwandais (FPR) ; celui de Chef d'État-major Adjoint revient à la partie gouvernementale.

B) DOCUMENT CONFIDENTIEL ENTRE LE GOUVERNEMENT RWANDAIS ET LE FRONT PATRIOTIQUE RWANDAIS RELATIF AUX MODALITÉS DE RETRAIT DES TROUPES ÉTRANGÈRES

EN APPLICATION DE L'ARTICLE II.6 DE L'ACCORD DE CESSEZ-LE-FEU DE N'SELE TEL QU'AMENDE A ARUSHA LE 12 JUILLET 1992, LE GOUVERNEMENT RWANDAIS ET LE FRONT PATRIOTIQUE RWANDAIS SE SONT MIS D'ACCORD SUR LE CALENDRIER SUIVANT DE RETRAIT DES TROUPES FRANÇAISES ET SUR D'AUTRES PRINCIPES DE LA MANIÈRE CI-APRÈS :

1. LES TROUPES FRANÇAISES PRÉSENTES AU RWANDA DEPUIS LE 8 FÉVRIER 1993 DEVRONT SE RETIRER DU PAYS A PARTIR DU 17 MARS 1993 DANS UN DÉLAI DE HUIT (8) JOURS.

LE RESTE DES TROUPES FRANÇAISES PRÉSENTES AU RWANDA AVANT LE 8 FÉVRIER 1993 (DEUX COMPAGNIES) DEVRONT ÊTRE CANTONNÉES A KIGALI A PARTIR DU 17 MARS 1993 JUSQU'A LEUR REMPLACEMENT PAR UNE FORCE INTERNATIONALE NEUTRE CONVENUE DE COMMUN ACCORD ENTRE LES DEUX PARTIES.

LE FPR SERA PRÉALABLEMENT INFORMÉ DE TOUTE INTERVENTION A CARACTÈRE HUMANITAIRE DEVANT ÊTRE EFFECTUÉE PAR CETTE FORCE SUR LE FRONT OU DANS LA ZONE OCCUPÉE PAR LE FPR.

LE PRÉSENT CALENDRIER SERA PORTÉ OFFICIELLEMENT A LA CONNAISSANCE DU GOUVERNEMENT FRANÇAIS AU MOYEN D'UNE LETTRE QUI LUI SERA ADRESSÉE PAR LE GOUVERNEMENT RWANDAIS ET DONT LE FPR SERA INFORMÉ AVANT LA REPRISE DES NÉGOCIATIONS ; CECI CONSTITUE UNE CONDITION PRÉALABLE A CETTE REPRISE.

LES PARTIES SE SONT CONVENUES QUE LE GOUVERNEMENT RWANDAIS PRENDRA CONTACT AVEC LES PAYS SUSCEPTIBLES DE FOURNIR LA FORCE INTERNATIONALE APPELÉE A REMPLACER LES TROUPES FRANÇAISES DONT IL EST QUESTION AU POINT 2. CI-DESSUS. CES PAYS FERONT L'OBJET D'UN COMMUN ACCORD ENTRE LES DEUX PARTIES.

FAIT A DAR-ES-SALAAM EN CINQ ORIGINAUX LE 7 MARS 1993.

POUR LE GOUVERNEMENT RWANDAIS

Dr NSENGIYAREMYE DISMAS, PREMIER MINISTRE

POUR LE FRONT PATRIOTIQUE RWANDAIS
COLONEL KANYARENGWE ALEXIS, PRÉSIDENT

C) MADAME LE PREMIER MINISTRE-KIGALI, LE 28.03.1994

KIGALI

Objet : Rôle du Gouvernement dans la mise en place des Institutions de Transition à Base Élargie.

Madame le Premier ministre,

Nous avons l'honneur de nous référer à nos lettres des 14 et 21 janvier 1994 toutes deux relatives aux réunions du Conseil des ministres pour vous demander encore une fois de convoquer le Conseil des ministres afin qu'il puisse examiner les problèmes cruciaux de l'heure que connaît le pays.

Comme cela ressort du communiqué issu des réunions des 25 et 27 février 1994 entre le Président de la République et les partis politiques qui forment le Gouvernement actuel, il a été entendu que :

« Aussi longtemps que le Gouvernement de Transition à Base Élargie n'aura pas été mis en place, le Gouvernement actuel doit continuer à fonctionner, notamment à travers les réunions des ministres, pour s'attaquer aux défis auxquels le pays est confronté, spécialement les problèmes relatifs à la sécurité et à la question de mise en place des institutions de transition ».

En exécution du contenu de ce communiqué auquel vous avez apposé votre propre signature, vous avez convoqué la réunion du Conseil des ministres le 29 février 1994, réunion qui ne s'était pas tenue depuis deux mois.

Avec ce souffle nouveau issu de la réunion des partis politiques représentés au Gouvernement avec le Président de la République, l'on pouvait espérer que le Conseil des ministres allait enfin fonctionner normalement et faire face à ses responsabilités dans ces moments difficiles que vit notre pays.

Cet espoir semble, hélas, aujourd'hui déçu, car cela va faire bientôt un mois que le Conseil des ministres ne s'est plus réuni.

Ce qui est frappant dans tout cela, c'est que vous continuez à faire des déclarations au nom du Gouvernement sans en avoir reçu mandat.

Les dernières déclarations en date remontent aux 24 et 25 mars 1994 au sujet de la mise en place des institutions de transition à base élargie où, soi-disant au nom du Gouvernement, vous avez pris une position non fondée sur le cas des députés des partis PDI, MDR et CDR.

En effet, vous avez adopté et rendu publique une liste des députés à l'assemblée Nationale de Transition qui exclut le député de la CDR alors que ce parti a rempli toutes les conditions exigées par l'Accord de paix d'Arusha, ce que vous aviez vous même reconnu.

En outre, votre liste ne reprend pas le député du MDR qui a eu gain de cause en justice avec le bénéfice de l'exécution provisoire alors que vous savez pertinemment que lorsque les juridictions ordonnent l'exécution provisoire, le jugement est exécuté nonobstant tout appel.

Enfin, ladite liste mentionne un député du PDI qui n'a pas été désigné par les organes habilités de ce parti.

Dans le même cadre, et après l'échec des cérémonies de prestation de serment des députés à l'Assemblée Nationale de Transition et des ministres du Gouvernement de Transition à Base Élargie, le 25 mars 1994, vous avez rencontré le FPR pour tenter de trouver une solution à ce blocage au nom du Gouvernement sans concertation préalable avec le Conseil des ministres.

Les soussignés insistent encore une fois pour que le Conseil des ministres se réunisse sans plus tarder en vue de dégager la position de la partie gouvernementale face à ce nouveau blocage à la mise en place des institutions de transition à Base élargie.

Ce n'est qu'en associant le Conseil des ministres à la prise des décisions sur des matières aussi complexes et délicates qu'une solution acceptable à communiquer au FPR peut être trouvée à travers le consensus devant caractériser les délibérations d'un Gouvernement digne de ce nom.

Veuillez agréer, Madame le Premier ministre, l'expression de notre haute considération.

Le ministre de l'Intérieur et du Développement Communal,
Munyazesa Faustin,

Le ministre de l'Enseignement Supérieur, de la Recherche Scientifique et de la Culture,
Mbangura Daniel

Le ministre de la Fonction Publique,
Mugiraneza Prosper

Le ministre de la Famille et de la Promotion Féminine,
Nyiramasuhuko Pauline

Le ministre de la Justice,
Ntamabyaliro Agnès

Le ministre de la Défense,
Bizimana Augustin

Le ministre du Plan,
Ngirabatware Augustin

Le ministre du Commerce, de l'Industrie et de l'Artisanat,
Mugenzi Justin

Le ministre de la Santé,
Dr Casimir Bizimungu (en mission)

Le ministre de l'Environnement et du Tourisme,
RUHUMULIZA Gaspard

Le ministre de la Jeunesse et du Mouvement Associatif,
NZABONIMANA Callixte

Le ministre des Transports et Communications,
NTAGERURA André.

D) FRONT PATRIOTIQUE RWANDAIS
RWANDESE PATRIOTIC FRONT

Objet : Plainte contre Dr Booh Booh

Excellence Monsieur Le Secrétaire Général,

Le FPR a l'honneur de rappeler que l'Accord de Paix d'Arusha, signé le 04.08.1994, prévoyait un délai de trente-sept (37) jours pour la mise en place des Institutions de Transition sous réserve de la présence de la Force des Nations Unies. Les formations Politiques devant participer dans ces Institutions avaient dans la limite de ce délai rempli toutes les formalités requises et avaient désigné par l'une ou l'autre voie qui leur était agréable, leurs représentants à ces institutions. Les Unités des Nations Unies ayant achevé leur déploiement à la mi-décembre 1993, nouvelle date convenue entre toutes les parties concernées malgré la réticence du Président Habyarimana. Le FPR s'inscrit en faux contre les manœuvres à épisode que celui-ci a multipliés depuis avec la collaboration de Dr Booh Booh pour retarder ou faire échouer la mise en place de ces Institutions. L'épisode en cours et qui est loin d'être la dernière porte sur la formation terroriste et fasciste CDR : une des créations du Président Habyariamana.

Dr Booh Booh, tout comme le Président Habyarimana, pose depuis seulement le 29.03.1994 comme préalable à l'instauration des Institutions de Transition, l'entrée de la CDR à l'Assemblée Nationale de Transition (voir V/lettre 29.03.1994). Et ce, moyennant une interprétation forcée ne correspondant pas à la Déclaration du Corps Diplomatique du 28.03.1994, qui stipule que leurs Excellences :

– « sont d'avis, après examen des dispositions pertinentes du Protocole d'Accord sur le Partage du Pouvoir, que tous les partis politiques agréés au Rwanda à la date de signature de ce protocole et le FPR doivent être représentés à l'assemblée Nationale de Transition à *condition qu'ils respectent l'Accord de Paix* ».

Or l'Accord de Paix précise (Art. 61, Protocole sur le Partage du Pouvoir) :

– « comme le FPR et les Partis politiques participant au Gouvernement actuel de Coalition sont d'office liés, directement ou indirectement par le Protocole d'Accord sur l'État de Droit conclu entre les deux parties en négociation, les partis politiques ne participant pas audit Gouvernement (dont la CDR) devront *dès la signature du Protocole d'Accord sur le Partage du Pouvoir (09.01.1993) manifester leur engagement à respecter les principes contenue dans le Protocole d'Accord sur l'État de Droit, à appuyer le Processus de Paix et à éviter toute pratique sectaire ainsi que toute forme de violence.* Cet *engagement constitue* une condition préalable à leur entrée à l'Assemblée Nationale de Transition et il *revient aux deux parties* en négociation d'en vérifier le respect. »

Ce texte est sans ambiguïté. Au lieu de s'engager à respecter les principes contenus dans la Déclaration Universelle des Droits de l'Homme repris dans le Protocole sur l'État de Droit, à renoncer au sectarisme et à la violence, à adhérer au Processus de Paix, la CDR a tout juste fait l'opposé comme par le passé. Personne ne peut rien contre les faits accablants pour la CDR à cet égard. Certains de ces faits ont été rapportés par « La Commission Internationale d'Enquête sur les violations des Droits de l'Homme au Rwanda » (mars 1993), dont les conclusions ont été confirmées plus tard par la Mission des Nations Unies que Dr Booh Booh est censé représenter.

– « La Commission estime que, quoi qu'il en soit des qualifications juridiques (génocide ou pas), la réalité est tragiquement identique. De nombreux Tutsi pour la seule raison qu'ils appartiennent à ce groupe, sont morts, disparus ou gravement blessés et mutilés ; ont été privés de leurs biens ; ont dû fuir leur lieu de vie et sont contraints de se cacher ; les survivants vivent dans la terreur. On constate certes une extension des agressions aux Hutu opposants du MRND ou de la CDR. Cette extension peut compliquer mais pas modifier la nature fondamentale du débat ». P. 50.

Quant aux massacres du mois de janvier-février 1993, la Commission déclare :

– « Les événements qui se sont déroulés après le départ de la Commission d'enquête, c'est-à-dire après le 21 janvier 1993... révèlent, d'après les informations reçues, que ce sont les milices armées du MRND et de la CDR qui ont pris le relais. Ces informations ne font d'ailleurs que confirmer l'impression ressentie par la Commission d'enquête, lors des cinq jours qu'elle a passé dans les deux Préfectures de Ruhengeri et de Gisenyi. Elle a observé l'omniprésence de ces milices à leur expression arrogante à l'égard de la population ». P. 79-80.

La situation d'insécurité telle que l'avait observée la Commission à l'époque s'est entre-temps aggravée avec la distribution officielle des armes à la CDR :

– « Ainsi, difficile le jour, la circulation des Tutsi et de tout Hutu qui ne font pas partie du MRND et de la CDR, relève d'un tempérament suicidaire ». P. 81.

A quoi peut-on s'attendre d'autre d'ailleurs quand les principes d'« Apartheid », d'exclusion, d'arbitraire, de violence sont contenus dans la doctrine et les prises de position officielles que vous connaissez déjà et que la CDR professe même aujourd'hui.

– « La majorité populaire (Les Hutu) n'a rien de commun avec la minorité (les Tutsi et Twa) ; les trois ethnies devront donc se résoudre à la coexistence pacifique, chacun défendant ses propres intérêts ». Préambule du Manifeste Programme de la CDR.

C'est encore la CDR qui prêche que : (cf. Meeting du 26.07.1992 radiodiffusé).

– Le Rwanda est « le patrimoine exclusif des Hutus ». (Igihugu cya GaHutu).

– « Les vices des Tutsi sont dans les gênes : ils ne constituent guère quelque chose appris d'hier.

Et M. Barayagwila J. Boson, Secrétaire Général de la CDR, dont Dr Booh Booh est devenu le défenseur de spécifier plus tard en 1993 à ce sujet lors d'un meeting radiodiffusé :

– « Les cancrelats n'engendrent naturellement que les cancrelats ».

Pour la CDR, la discrimination n'est que naturelle :

– « Tu ne peux pas cuire le ris et les patates douces dans une même marmite. Non, cela est impossible ». Mugoragore Célestin, CDR : Kibungo.

Ces à priori justifient aux yeux de la CDR, qui se prend pour le Rwanda, ses hauts faits criminels, dont elle ne fait d'ailleurs pas mystère.

– « Les Cancrelats – inkotanyi (FPR) qui ont attaqué le Rwanda sont des Tutsi exclusivement (faux), et nous savons que leurs complices que sont les Tutsi vivent au Rwanda.

Ceux-ci doivent être exterminés... Vous savez ce que nous avons fait dans le Bugesera (lieu des massacres) ». (Meeting du 20.04.1992, radio-diffusé).

Mardi 22 juin 1993, lors d'une émission hebdomadaire sur Radio Rwanda la CDR déclara que les Protocoles d'Accord d'Arusha sont le fruit de la complicité entre le FPR et les partis MDR, PSD, PL qui ont rencontré ce premier à Bruxelles. La CDR rejette ces Accords tout comme elle l'avait fait le 10.11.1992 en déclarant :

– « Celui qui veut de ces Accords le fait à ses risques et périls » (ushaka ariya masezerane najye mu rugan).

En réalité, sous la couleur de défendre une ethnie, ce qui sert aisément de moyen de mystification, la CDR se présente comme un groupuscule ayant pour vocation de défendre dans la violence la dictature du Président Habyarimana. Dès que cet objectif est contrarié, la CDR ne recule devant rien : mensonge, fabrication de faits, massacres sans distinction, etc...

a) 01.02.1994 : Pour créer un climat de terreur, la CDR prétend sur les antennes de Radio Rwanda que la MINUAR a dépêché chez M. J.B. Barayagwiza, Secrétaire Général de la CDR, un commando pour l'assassiner.

b) 22.02.1994 : à Butaré, le peuple en furie lynche à mort, en plein jour, le Président de la CDR, M. Bucyana M. après l'assassinat du ministre Gatabazi par un commando armé. La CDR attribue la mort de M. Bucyana aux Tutsi, mais les massacres dans Kigali dont cette mort sert de prétexte frappent les Tutsi certes, mais également les gens de l'opposition.

Dr Booh Booh ne peut pas prétendre ignorer les faits rapportés ci-dessus et beaucoup d'autres dont il ne serait superflu de faire l'inventaire.

En vertu de la loi rwandaise il revient au ministre de l'Intérieur de demander la dissolution judiciaire d'un parti politique coupable de tels faits. Le 05.09.1992 et en mars 1993, le ministre de la Justice et la Commission Internationale devaient respectivement observer avec amertume :

– « J'avais pensé que la CDR disparaîtrait de soi à cause de ses déclarations dépassées ses prises de position sont à combattre parce que non conformes à l'idéal démocratique ».

– « Aucune mesure n'a encore été prise pour infraction à la loi... contre la CDR. Il faut rappeler que le ministre de l'Intérieur a toujours appartenu au MRND ». P. 81.

Pour ceux qui respectent l'Accord d'Arusha, la CDR ne peut être acceptée à l'Assemblée Nationale de Transition sur fondement de l'article 61 du protocole du 09.01.1993. Dans un élan tout caractéristique de réconciliation nationale, les deux parties en négociation à Arusha avait convenu à la fois d'oublier le passé et de donner, aux partis politiques non impliqués directement dans les négociations, particulièrement ceux dont le passé laissait à désirer, une période probatoire avant d'entrer dans les Institutions de Transition. Les autres étaient acceptés d'office pour faire partie de ces Institutions sous réserve d'être contrôlés plus tard par la Commission sur l'Unité et la Réconciliation Nationale. Ainsi la considération politique fondée sur la réconciliation nationale que certains invoquent pour accepter la CDR a été déjà envisagée dès janvier 1993. Mais la CDR n'a pas voulu se départir de ses idées et de son passé. La réconciliation sans contrition est un leurre et nous rejetons l'idée selon laquelle l'humiliation des uns, les victimes face à l'impunité ainsi qu'au mépris triomphant des autres, seraient la condition de la réconciliation. Dire enfin qu'il faut accepter la CDR par peur de sa violence, c'est précisément aller à l'encontre de l'article 61 et 80 du Protocole susdit.

Le 18.03.1994, à l'issue de sa mission durant laquelle il avait consulté toutes les parties, le Représentant du Facilitateur, le ministre Tanzanien des Affaires Étrangères, avait déclaré dans son communiqué que le seul obstacle retardant la mise en place des Institutions de Transition était le problème du parti Libéral. Vous savez que ce problème était né parce que le Président forçait les Députés de ce parti élus le 05.09.1993 à céder leurs sièges aux personnes désignées, d'obédience du MRND.

Aujourd'hui Dr Booh Booh pose comme condition de mise en place des Institutions de Transition l'admission d'un Député CDR Parti du Président. Cette condition n'avait jamais apparu auparavant, même pas lors des réunions des partis que Dr Booh Booh même avait dirigées les 7, 10 et 15 février 1994. Cette condition intervient après qu'il ait remis au FPR et soutenu de part du parti du Président Habyarimana, un document reniant Arusha et tendant à attribuer au Président un pouvoir exorbitant. Cela avait abouti le 15.02.1994 à un fiasco le forçant à se tenir depuis à l'écart. D'autres manœuvres de la part du Président au sein des partis MDR, PDI, PSD sont annoncées et Dr Booh Booh lors de sa rencontre du 01.03.1994 avec le FPR déclarait cela de bon aloi, encourageant notre mouvement à trouver des compromis avec le Président. Or les

Accords d'Arusha du 04.08.1993 sont un compromis qu'il ne faut plus renégocier. Nous dénonçons donc la position de Dr Booh Booh qui :
– renie l'Accord d'Arusha ;
– dénature la mission de la MINUAR et dilapide les fonds des Nations Unies en donnant au Président Habyarimana son gage pour ses manœuvres ;
– son parti pris pour ce dernier.

Pour que la mission de la MINUAR connaisse un succès, il faut respecter l'Accord d'Arusha. Nous avons cru utile de porter les faits ci-dessus à votre connaissance pour que vous puissiez apprécier exactement la situation et prendre le cas échéant les mesures qui s'imposent

Veuillez recevoir, Excellence Monsieur le Secrétaire Général, l'expression de ma haute considération.

Colonel Alexis KANYARENGWE
Président du FPR

CPI : – Président du Conseil de Sécurité (New York)
– Dr Booh Booh, représentant Spécial du Secrétaire Général (Kigali).

E) NOTE VERBALE DES PARTIS POLITIQUES MRND, MDR, PSD, PDC, ET PL, ET DU FPR

Les forces politiques ayant la responsabilité de la mise en place du Gouvernement de Transition à Base Élargie, à savoir le MRND, le MDR, le PSD, le PDC, le PL et le FPR, présentent leurs compliments à Monsieur J.R. Booh Booh, Représentant Spécial du Secrétaire Général de l'ONU pour le Rwanda, et ont l'honneur de porter à sa connaissance ce qui suit :

1. Ces forces politiques remercient vivement le Représentant Spécial du Secrétaire Général de l'ONU pour tous les efforts qu'il ne cesse de déployer en vue de la mise en place des institutions de la transition prévues par l'Accord de Paix d'Arusha.

2. En particulier, elles ont hautement apprécié la tenue des réunions des 7 et 10 février 1994 que Monsieur Booh Booh a présidées en présence de l'Ambassadeur de Tanzanie au Rwanda, et qui ont regroupé le Premier ministre du Gouvernement actuel, le Premier ministre Désigné, le Directeur de Cabinet du Président de la République, ainsi que les responsables des partis politiques MRND, MDR, PSD, PDC et PL, et du FPR.

3. Résolus à sortir de l'impasse politique qui dure depuis bientôt deux mois, et sur base des conclusions desdites réunions des 7 et 10 février

1994, les responsables des forces politiques devant participer au Gouvernement de Transition à Base Élargie ont poursuivi leurs échanges dans deux réunions qu'ils ont tenues les 16 et 18 février 1994 sous la présidence de M. Twagiramungu Faustin, Président du Parti MDR et Premier ministre Désigné.

La principale conclusion qui s'est dégagée de ces échanges est que l'Assemblée Nationale de Transition et le Gouvernement de Transition à Base Élargie doivent être mis en place ce mardi 22 février 1994. Pour ce faire, les participants à la réunion du 18 février 1994 ont réaffirmé leur souci majeur de privilégier l'intérêt supérieur de la nation, les problèmes du pays devant primer sur les conflits internes à certains partis politiques.

Ils ont en outre convenu que la liste des députés du PL devait être revêtu des signatures de Messieurs Mugenzi Justin et Ndasingwa Landoald, respectivement Président et Premier Vice-Président de ce parti, et rendu publique ce 21 février 1994.

4. Les responsables des partis politiques MRND, MDR, PSD, PDC et PL, et du FPR comptent sur le soutien de la MINUAR pour la mise en application des conclusions des réunions des 7,10, 16, et 18 février 1994, et ainsi pour la mise en place des institutions de la transition à la date prévue, à savoir le 22 février 1994.

Kigali, le 21 février 1994

F) UNITED NATIONS – NATIONS UNIES

Le 5 juillet 1994

Monsieur l'Ambassadeur,

Je vous serais obligé de bien vouloir faire transmettre la lettre ci-jointe adressée par le Secrétaire général de l'Organisation des Nations Unies à son Excellence Monsieur Paul Biya, Président de la République du Cameroun.

Une copie du texte de cette lettre est jointe pour votre information.

Veuillez agréer, Monsieur l'Ambassadeur, les assurances de ma très haute considération.

Le conseiller Politique spécial
du Secrétaire général
Chinmaya R. Gharekhan

Son Excellence
Monsieur Pascal Biloa Tang
Représentant permanent du Cameroun
auprès de l'Organisation des Nations Unies
New York

G) LE SECRÉTAIRE GÉNÉRAL

Le 5 juillet 1994
Monsieur le Président,
Au moment où prend fin la mission de Monsieur Jacques-Roger Booh Booh en tant que mon Représentant Spécial au Rwanda, je tiens à vous remercier d'avoir bien voulu mettre ses remarquables talents de diplomate et de négociateur à la disposition de l'Organisation des Nations Unies.

Dans les conditions extrêmement difficiles que vous connaissez et que nous déplorons tous, Monsieur Booh Booh s'est acquitté avec courage, compétence et dévouement d'une tâche particulièrement délicate. Les qualités qu'il a manifestées tout au long de sa mission font honneur à son pays et à l'administration dont il est issu.

Comme je l'ai déjà dit publiquement, Monsieur Booh Booh continue de bénéficier de toute ma confiance, et je n'hésiterai pas, si l'occasion s'en présente, à avoir de nouveau recours à sa longue et riche expérience.

Veuillez agréer, Monsieur le Président, les assurances de ma très haute considération de mon fidèle souvenir.

Boutros Boutros Ghali

H) LISTE DES PREMIÈRES VICTIMES TUTSIES ET HU-TUES « MODÉRÉS » DE LA NUIT DU 6 AU 7 AVRIL 1994 (ABANTU AMASHYAKA YEMEZA KO BISHWE)

1) Mme Uwilingiyimana Agathe	34) Karangwa Félicien
2) Barahira Ignace	35) Kaligamba Pierre
3) Nzamurambaho F.	36) Havugimana Emmanuel
4) Rucugoza Faustin	37) Sakumi Anselme
5) Ndasingwa Landoal	38) Bucyana Isai
6) Ndasingwa Hélène	39) Shamukiga Charles
7) Ngango Félicien	40) Kalimano Charles
8) Ngango Odette	41) Kanyabugoyi Kanyarwanda
9) Gafaranga Théoneste	42) Ruhazana Ignace
10) Kabageni Venacle	43) Munyenbaraga Narcisse
11) Kavaruganda Joseph	44) Kanimba P. Célestin
12) Kabeja Thomas	45) Kayijaho Josué
13) Havugimana Déo	46) Kameya Andrée
14) Kayiranga Charles	47) Nyemazi Damien
15) Lebero Laurent	48) Karangwa J. Bosco
16) Nyilunewaya Stanislas	49) Rwabukwisi Vincent
17) Mugiraneza	50) Mjr Kambanda
18) Niyoyita Aloys	51) Mjr Cyina
19) Ntakirutinka Charles	52) Lt Cl Kazemga
20) Secyugu Paul	53) Kalinganire
21) Rugamba Cyprien	54) Dusenga (Kiringiti) Innocent
22) Sabasajya Innocent	55) Rudasinga Narcisse
23) Ntazinda Charles	56) Rwanyagatare Servilien
24) Rwayitare Augustin	57) Turatsinze P. Célestin
25) Rutsindimtwarane	58) Gatete Benoît
26) Mugabo Rio	59) Muvara Innocent
27) Mudenge Aline	60) Ngulinzira Joseph
28) Nshunguyinka Déo	61) Rwanyagatare (étudiant UNR)
29) Nshunguyinka	62) Shyirakera Michel
30) Rubangura Védaste	63) Kayijuka Joseph
31) Rubangura Edouard	64) Iyamulemye Pierre
32) Rubangura Uziel	65) Munyanceyo Charles
33) Mugwaneza Jean Huss	66) Katabogama Jean

I) MEMORANDUM 27.04.94

1. Après l'échec d'Arusha, le Représentant spécial du Secrétaire général de l'ONU et le Commandant de la MINUAR pourraient maintenir des contacts très serrés avec de Hauts représentants des FAR. Ces derniers devraient être sensibilisés sur l'image du Rwanda que se fait la communauté internationale au lieu de multiplier des démentis officiels sur la Radio. Ces démentis n'ont aucune valeur aux yeux de la communauté internationale suite au nombre trop élevé de leaders de l'opposition assassinés sans parler des civils tombés sous les balles des combattants et de la milice MRND.

2. Des militaires comme Rusatira et Satsinzi connus pour leur sens du compromis et rompus aux relations diplomatiques, s'ils étaient constamment en contact avec les autorités précitées de la MINUAR, peut-être pourraient-ils à leur tour sensibiliser le nouveau Chef de l'État-Major des FAR.

3. Les ministres qui devraient être de l'opposition dans l'actuel gouvernement ont intérêt à adopter un profil presque effacé suite au mépris affiché par eux des Accords d'Arusha, et étant donné qu'ils remplacent des collègues presque tous assassinés par des éléments suspectés par la population.

4. Les partis politiques faisant partie du Gouvernement devraient dans la suite c'est-à-dire après les représentants des FAR aussi être en contact très serré avec la MINUAR.

NB : pour le MDR, il faudrait éviter Karamira et Mureso, qui se sont illustrés à exciter la haine entre les ethnies.

5. Les contacts devraient être initiés par la MINUAR par invitation au QG de la MINUAR.

6. La liaison entre le FPR, les FAR et les partis politiques précités devrait également être maintenu par la MINUAR.

7. Conclusion.

a) Il faut que et les FAR et le FPR cherchent à gagner la bataille des cœurs des Rwandais déjà outragés à l'extrême par les 2 combattants.

Le cadre idéal pour tous reste les Accords d'Arusha.

b) Un appel au cessez-le-feu à la Radio par la MINUAR pourrait-il produire quelque effet sur la guerre ?

Avec mes respects,
Bonaventure Ubalijoro

J) LE PLAN DE LA COLONISATION TUTSI AU KIVU ET RÉGION CENTRALE DE L'AFRIQUE

Lors du trouble du 15 septembre 1962 à Matanda Karuba-Kibari au Nord du Kivu, une lettre a été découverte à Nyamitabo en date du 6 août 1962.

EN VOICI LA TENEUR

« Puisque nous sommes numériquement faibles au Kivu et que nous, pendant les élections de 1960 avons réussi d'une façon très magistrale à nous fixer au pouvoir en nous servant de la naïveté bantoue et que d'autre part notre malignité a été découverte un peu plus tard par les Congolais, tout Mututsi de quelle région qu'il soit est tenu à appliquer le plan ci-dessous et d'y présenter une très large diffusion dans les milieux tutsis du District des Volcans ».

1. Sachez que les Bahutu sont apparentés aux Congolais et que notre méthode de colonisation doit par conséquent s'appliquer à ces deux sujets.

2. Mettez tous les moyens que nous avons employé au Rwanda en œuvre pour soumettre les Bahutu du Congo et de toutes les autres ethnies qui les entourent, procédez méthodiquement et progressivement car une moindre préoccupation risquerait d'éveiller leur appel à la conquête de Rwabugili, notre héros national.

3. Première tâche de tout intellectuel est d'essayer de décrocher un autre commandement dans le (?) territorial car vous êtes sans ignorer l'importance de ce service dans la diffusion des idées politiques dans la masse ignorante.

4. Tout intellectuel Mututsi est tenu de se faire un ami dans tous les services administratifs de la République du Congo pour lui permettre de s'initier à la machine administrative de ce service en vue de se préparer au remplacement éventuel, à la responsabilité de ce service.

5. Puisque nous ne pouvons pas remplacer les élus Bahutu, faisons en des amis. Offrons leurs quelques cadeaux et surtout de la bière afin de leur tirer les vers du nez. Offrons-leur nos filles et au besoin marions-les à eux, les Bahutu résisteront très difficilement à leur beauté angélique.

6. Quand nous aurons acquis tous les postes importants, nous serons bien placés pour muter tous les ennemis bantous à notre guise et surtout les remplacer par nos agents.

7. Envers la masse hutu, usez du pacte de sang, vous connaissez d'ail-

leurs l'inefficacité du pacte, ne l'avons-nous pas déjà violé sans aucun mal ?

8. Servez-vous de la crédulité (crédibilité) des évolués Bahutu et faites-vous en les instruments pour défendre notre cause et admettre notre campagne électorale. Dès que la campagne est passée, payez-les en monnaie de singe pour montrer leur incapacité.

9. Tout territorial tutsi est tenu à user de la peur pour affermir son autorité auprès de la masse crédule bantous.

10. Les fonctionnaires à notre domination, nous les ridiculiserons auprès des Bantou ignorants et les traiterons d'ambitieux, ils seront d'ailleurs très peu nombreux car un Hutu se soucie peu du sort de ses semblables.

11. Dès que la conscience ethnique naît, divisons les promoteurs de cette conscience « Diviser pour régner ».

12. Soumettons les gens des autres ethnies qui sont dans nos filets et surtout nos vendus Bahutu pour qu'ils fassent une campagne à notre faveur.

13. Sachez qu'un Hutu est créé pour servir et que jamais il ne briguera un poste de responsabilité. Quand ils s'en rendront compte, ce sera trop tard. Commencez par occuper tous les postes territoriaux et chaque territoire du District des Volcans, un administrateur veille à nos intérêts.

14. Essayez de maintenir les agents de l'État Bahutu dans le complexe d'infériorité.

15. Les Bahutu conscients du sort de leurs frères seront éloignés de ce District afin qu'ils n'aient pas d'influence auprès de la masse

16. Nous faisons appel toute la jeunesse tutsie pour qu'elle rejoigne l'AJIR car si malgré notre finesse, nous ne réussissons pas, nous ferons appel à la violence. Cette jeunesse aura pour devoir de soutenir les territoriaux tutsis et répondre par la terreur et se servir de la sûreté de nos agents acolytes.

17. Pendant ces moments difficiles, nous demanderons à tous les Batutsi de soutenir le gouvernement de Jean Miruho où nous étions représentés par deux ministres, car la chute de ce gouvernement est notre propre chute. Miruho n'était-il pas déjà dans nos filets ?

18. Combattre les Wanande et Bahunde ennemis de notre protégé Miruho Jean, en nous servant bien entendu des Bahutu naïfs. Sachez que les Bahutu sont gourmands. Offrez-leur beaucoup de la bière et distribuez-leur beaucoup d'argent. Nous avons beaucoup d'argent fraudé et 65 000 000 F qu'on devait aux moniteurs catholiques.

Références bibliographiques

I) OUVRAGES CONSULTÉS

• BANGAMWA F.X., Les relations interethniques au Rwanda à la lumière de l'agression d'octobre 1990, Ruhengeri, Éditions universitaires du Rwanda, 1991.

• BARAHINYURA S.J., Rwanda. Trente-deux ans après la Révolution de 1959, Francfort, Éditions Izuba, 1992.

• BEZY F., Rwanda. Bilan socio-économique d'un régime 1962-1989, Louvain-La-Neuve, Institut d'Études des pays en développement, Études et Documents, 1990.

• CHRÉTIEN J.P., « Des sédentaires devenus migrants ; les motifs de départs des Burundais et des Rwandais vers l'Uganda (1920-1960) », Cultures et Développement 1978.

« La crise politique rwandaise », Génève-Afrique, 1992, n° 2.

• CLASSE L., « Pour moderniser le Rwanda », l'Essor colonial et maritime, n° 489, 4 décembre 1930.

• DE LAGGER L., Rwanda, Kabgayi, S. 2ᵉ édition, 1961.

• HARROY J.P., Rwanda. De. Rwanda. De la féodalité à la démocratie, Bruxelles-Paris, Hayez – Académie des Sciences d'Outre-mer. 1984.

Rwanda : « deux millions de réfugiés Tutsi ? », La Revue générale, 1990, n° 11, novembre 1990.

• JAMOULLE M., « Notre mandat sur le Ruanda-Urundi », Congo, 1927.

• JENTGEN P., Les frontières du Ruanda-Urundi et le régime international de tutelle, Bruxelles, ARSC, 1957.

• KAGAME A., Un abrégé de l'histoire du Rwanda de 1853 à 1972, Butare, Éditions universitaires, 1975.

• LINDEN I., Church and revolution in Rwanda, Manchester. Manchester University Press, 1984.

• LIZINDE Th., La découverte de Kalinga ou la fin d'un mythe, Kigali, Someca, 1979.

Des massacres cycliques au Rwanda et la politique du bouc émissaire, Ruhengeri, 23 mai 1991.

• LOGIEST G., Mission au Rwanda. Un Blanc dans la bagarre Tutsi-Hutu, Bruxelles, Didier Hattier, 1988.

• MISSER F., « Critic slams Rwanda tin record », African Business, février 1993.

• MBONYUMUTWA S., Rwanda. Gouverner autrement, inédit, 1990.

• MUNYANGAJU A., L'actualité politique au Rwanda, s.l., s. éd., 1959.

• MUNGUYA MBENGE Daniel, De Léopold II à Mobutu (une Conspiration internationale) D/1993/ Daniel Munguya Mbenge, Éditeur.

• MUREGO D., La revolution rwandaise, Louvain, Institut des Sciences politiques et sociales, 1972.

• REYNTJENS F., Pouvoir et droit au Rwanda, Tervuren, MRAC, 1985.

« La deuxième République rwandaise : évolution, bilan et perspectives », Africa-Focus, 1986, n° s3-4.

« Coopération politique à l'envers : les législatives de 1988 au Rwanda », politique Afrique, n° 34, juin 1989.

L'Afrique des Grands Lacs en crise, Paris, Karthala, 1994.

• RUMIYA J., « La guerre d'octobre. Une agression préméditée pour la reconquête du pouvoir », in Bangamwabo F.X. et les relations interethniques au Rwanda à la lumière de l'agression d'octobre, Ruhengeri, Éditions universitaires du Rwanda, 1991.

Le Rwanda sous le régime du mandat belge, Paris, L'Harmattan, 1992.

• SANDERS E.R., « The Hamitic Hypothesis : its Origin and Function in Time Perspective », Journal of African History, 1969.

II) JOURNAUX LUS

- *Le Monde*
- *Le Figaro*
- *Libération*
- *L'Humanité*
- *Jeune Afrique*
- *Afrique Asie*

(Les numéros traitant du conflit Rwandais).

III) DOCUMENTS POLITIQUES LUS

Archives de la MINUAR I.

– L'Accord de Paix d'Arusha signé le 12 juillet 1992 et le 4 août 1993, publié dans le Journal Officiel de la République Rwandaise du 15 août 1993, année 32, n° 16, page 1287.

– Message du Colloque de Mombasa sur la recherche d'une paix durable au Rwanda du 29 novembre 1993.

– La Table Ronde de Démocratie pour le Progrès « DEMOCRO » (asbl) du 15 mars 1994).

– Le Code de Conduite et l'organisation du Front Patriotique Rwandais (FPR).

IV) RADIOS ÉCOUTÉES

– Radio France Internationale (RFI).
– La voix de l'Amérique.
– La BBC.

(Pour les informations concernant les conflits de la région des Grands Lacs).

Achevé d'imprimer par   Corlet, Imprimeur, S.A.
14110 Condé-sur-Noireau (France)
N° d'Imprimeur : 24968 - Dépôt légal : octobre 1998
Imprimé en U.E.

Michael Twaddle
Paris, February 1999